NIRAチャレンジ・ブックス

グローバル化と人間の安全保障

行動する市民社会

勝俣誠 編著

日本経済評論社

本書でふれている主な南の地域

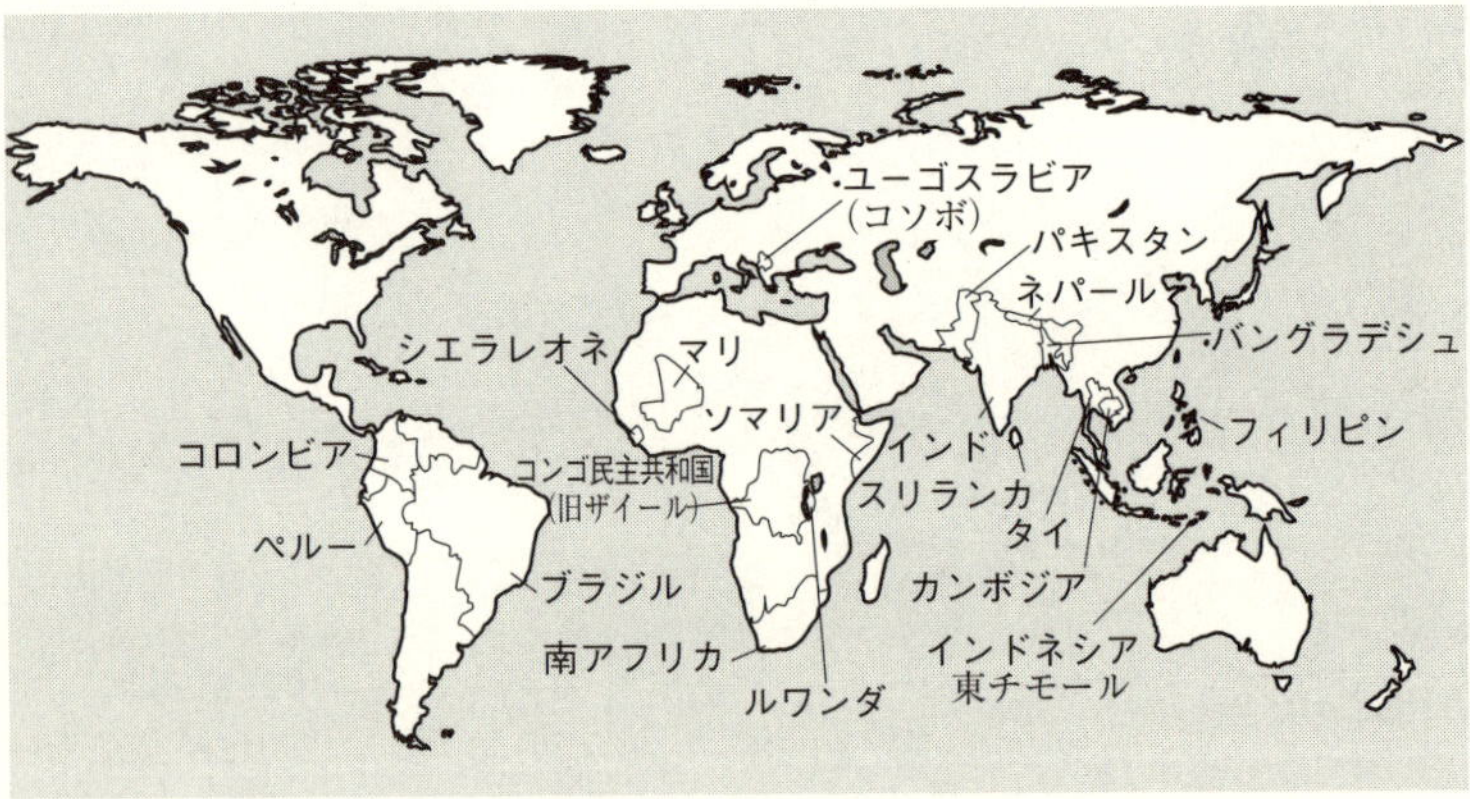

推薦のことば――人間の安全保障への視点

武者小路　公秀

ごく最近まで、グローバル化についてよいことばかり言われていた。日本経済の再建がうまくいかなくなってから、グローバル化に問題があることはわかってきたが、それは、日本経済そしてわれわれ日本人がグローバル・スタンダードに合わないからいけないのだ、ということで、あいかわらずグローバル化はどうにもならない必然的な外的条件だということが、当たり前の考え方になっている。

しかし、最近、グローバル化そのものに反対する市民運動が沸き起こって、日本でも注目されるようになっている。シアトルの世界貿易機関（ＷＴＯ）に対するデモ以来、最近のジェノバ・サミットまで、行動する市民社会には、次第に暴力的な分子も出てきて、警察の暴力もエスカレートしている。人間の安全を含む議事日程で開かれている先進工業諸国の会議に対する市民の反対運動は、もっとも保障されるべき安全、つまり世界でグローバル化のために急増している世界の貧困層の人々の安全を無視する、ネオリベラル・グローバル経済を支えているＧ７に対し、人間の安全保障を求める運動である。人間の安全保障は、このようにいろいろな立場が旗印に使用しようとしている有難いキーワードである。

そこで、なにが真正の人間の安全保障か、ということが問題になる。われわれは、とりあえず次の四つの目印を提案したい。まず、弱者中心の原則が大切である。人間の安全を保障するとき、適者生存、自然淘汰の立場で、強者中心に人間の安全を保障するネオリベラルの「人間の安全保障」ではなく、絶えず不安に直面している社会の弱者の側からの「人間の安全保障」が必要である。ジェンダーでは女性、近代化では先住民族、工業化では生存農業、階級では労働者、力関係では差別するものよりされる者、その立場で人間の安全を考えることが必要である。それは、熱帯雨林の複雑な生態系の維持がそのもっとも弱い植物の生存なしには崩壊してしまうように、複雑システムの原理があるからである。

第二には、日常生活・実生活のなかの不安の除去から始める、下からの人間の安全保障がぜひ必要である。人間の安全について地球的な立場から見解を発表するグローバル技術官僚は、グローバルな人類さえ生き残ればよいと考えがちで、人類が滅びないかぎり人間の安全は保障されていることになりかねない。それでは、弱い立場にいるものばかりでなく、それぞれの生態系を慮る農業、地場産業、毎日の家庭内のアンペイド・ワークにたずさわる主に女性など、抽象的な「人間」の安全保障では無視されかねない生活者の毎日の生活の不安をなくすこと、日常の恐怖と欠乏の条件をなくすことこそ、真の人間の安全保障の大原則でなければならない。

第三には、軍事的な安全保障をグローバルな規模で展開する覇権国の一方的な諸活動が、ますます人間の安全を脅かすようになっている今日、一方的なグローバル安全保障の立場を否定することなしには、人間の不安は解消できない。そして、せめても国家の間の多角的な安全保障、つまり関係諸国の間での安全を規定し保障する必要がある。さらには、いろいろなエスニック集団や宗教集団などをも巻き込んだ国家・非国家の多角的な安全保障を確立する必要がある。

そこで、第四に「共通の人間の安全保障」という原則を立てるべきである。すべての人間は仲間を構成し集団に所属することで、自分たちの安全を保障しようとする。人間は仲間「うち」と仲間「そと」とを区別しないで、人間の安全保障をすべての人間という無私の立場で確立しようとするほど、聖人・君子ばかりではない。むしろ、自分の安全を大切にする弱い人間の性を認めて、むしろ互いの安全を同時に実現しないと、国家間の軍備競争を非国家アクターに広げた形での安全模索競争が起こってしまうのである。かつて、資本主義諸国と社会主義諸国の間で、相手を核軍事力で凌駕しようとすることをやめて、互いに相手の安全が保障されて始めて自分の安全が確立されるという「共通の安全保障」が主張され、これが冷戦の終焉を準備した。いまや、国家間だけでなく、異なる宗教、異なる文化、異なる安全感覚をもっている集団同士で、「共通の人間の安全保障」を確立する必要がある。また、先進工業諸国の市民は、「不法」入国外国人を自分たちの安全の脅威として、震災が起こったら鎮圧をするのではなく、外国人の安全を保障してこそ、はじめて先進工業国の市民の安全も確立できるという、南北間の「共通の人間の安全」を確立していく必要がある。

本を読み進めるうえでの指針として、以上の四つの目印を提案させていただいた。本書が人間の安全保障の議論と実践をさらに進めていくうえでの、重要な一冊となることを確信している。

ところで、日本と国連のイニシアティブによって作られた「人間の安全保障委員会」の報告書(Human Security Now)が二〇〇三年五月一日に公表されたので、あわせて紹介したい。この報告書では、人間の安全保障を、「人間の自由と人間性の充実とを伸張する形で、人間の生命の死活に関わる中核部分を保護すること」として定義する。そして、「人間の安全保障は安全、権利、発展の人間にかかわる諸要因を纏め上げて、これに関する制度化の政策を、人間個人と国家、さらにグローバル世界をつなぐことで、グローバルな同盟を作ろうとするものである」としている。このグローバル同盟の提唱は、人間の安全保障が、「民衆の安全保障」（people's security：日本語訳の「人々の安全保障」はその点を十分に表現していない）であるという考え方に基づいている。日本で、「人間の安全保障」というあいまいな概念の代わりに「民衆の安全保障」を使うべきだという主張を見事に確認している。報告書は、しかも、国家の経済社会安全の保護義務をたびたび主張することで、新自由主義の民営化万能主義への無言の批判を行っているし、特に最も不安全に晒されている民衆の安全は、なによりもまず、自分で自分の安全が守れる能力を活性化する「エンパワメント」が不可欠であるという形で、民衆を国家による保護の対象として扱う主体性無視の国家中心温情主義を否定している。

報告書はさらに、紛争地の住民、難民や人身売買被害者など最も脆弱な立場の民衆を最優先すること、彼（女）等を参加させる多角的な協議という民主的なマルティラテラリズムの原則を、報告書の各所で主張している。一方主義的な「反テロ戦争」の政策そのものについても、短期的問題の軍事的解決に集中し、国家のテロリズムを取り上げず、不安全な立場の民衆をテロ扱いしていることを批判している。その意味で、この報告書は今日の新自由主義のグローバル経済体制、新保守主義のグローバル政治・軍事体制のもとで人間の安全が脅かされ続けている今日、現状を改めるオルタナティブな道程を指し示しているといえよう。

もちろん、この報告書のつまみ食いによって、人間の安全保障が国家安全保障の補完物であるという原則に基づいて、反テロ戦争の国家安全保障政策によって破壊された国々を、人間の安全保障という名目で再建するマッチポンプ的な悪用も可能なので、報告書の総合的な理解に基づく完全実施を特に強調する必要があることを最後に付言する。

はじめに

総合研究開発機構（ＮＩＲＡ）では、一九九九年から二〇〇〇年にかけて二一世紀総合研究プロジェクトを行った。その柱の一つが「積極的平和主義を目指して」であり、その下で行われた自主研究「人間の安全保障（ヒューマン・セキュリティ）と市民社会の新たな役割」の報告書が本書である。

今日、国内武力紛争の発生が国際社会にとっての大きな課題となるなか、大量の難民、国内避難民、死傷者のほとんどが一般市民となっている。グローバル経済の下で、貧困問題はますます悪化し、飽食の時代ともいわれるこの同じ地球上で、数十万規模の飢餓が同時に発生している。こうした時代に、日本は世界の平和のために何をどのように行うべきなのか。この答えを、現地の人々の視点から一つひとつ模索したのが本書である。

本書で繰り返し問われているのは、途上国の中でも社会的に最も弱い立場に置かれた人々の視点から、現地の人々にとり必要な支援とは何かを問い直していくことである。それは単にモノを提供するだけの援助ではない。モノだけの援助から援助依存体質が生まれ、それぞれの社会に備わった相互扶助のメカニズムを壊すことさえある。その一方で、数十万規模の難民が数日間に発生するに至っている今日、国益による援助対象の選別という二重基準を避けることは当然としても、人道援助実施に必要なのは、さまざまな分野のプロであり、「善意」だけでは語れなくなっている。さらに、構造調整政策の下、失業が増え、生活必需品や公共料金が値上がりするなか、新たな貧困層が創出され、土地や職など生きる糧と術を求めて紛争に参入してきている現状がある。

今求められるのは、現地の一人ひとりが人間として尊厳ある生活を安心して送れること、そのために社会に本来備わっている助け合いのメカニズムや国家による住民に対する基本的サービス供給機能を再構築していくことなのではないか。そのためには、一人ひとりの意識を変え、社会のあり方を変え、政治を変え、世界のあり方を変えていく。そのために北と南の市民社会が連携協力していく。そうした新たな世界像が見えてくる。

かつてヨハン・ガルトゥングは、戦争という直接的暴力のない状態「消極的平和」だけでなく、構造的暴力のない状態「積極的平和」の重要性を訴えた。そこでは南北問題という構造的暴力をどう乗り越えるかが大きな課題となってきた。今日、構造調整政策を通じて、経済のグローバル化の大きな波が途上国にも例外なく押し寄せている。そこでは政治の自由化と経済の自由化が外圧により、同時に進められ、しばしば社会的安定を崩す事態が生じている。新南北問題とも言うべきこうした事態が新たなリアリティを持ち始めているのではないか。国内紛争を予防していくうえで、国内紛争がない状態（消極的平和）だけではなく、飢餓、絶対的貧困、人権侵害など、戦争はないが平和のないという状況を平和的手段によって変えていくこと（積極的平和）こそ、極めて重要になってきているのではないか。

この意味で本研究は、ＮＩＲＡが一九九三年以来行ってきた予防外交の継続研究でもある。予防外交は人間の安全保障を構築していくための重要な手段であるとともに、今日の課題である国内紛争を予防していくうえで、国内紛争の原因ともなっている根本的な問題に逸早く取り組み、人々の日々の生活の安全を確保していく人間の安全保障が、ますます重要になってきているのである。

本研究では、人間の安全保障について、NGOをはじめとする市民社会の視点から、しかも南の途上国、その中でも社会的に弱い立場に置かれた人々の視点から考察した。このユニークな研究は、NGOの各分野で活躍され現地の状況を知り尽くしている委員の方々、さらには地域研究や国際政治の研究者といった極めて多彩な委員による学際的な研究会の賜物である。極めてNIRAらしい研究会であったと自負している。さらには委員の方々ばかりでなく、NGOをはじめ、実務者や研究者の方々に研究会やワークショップ（二〇〇〇年一二月開催）に積極的にご参加いただいた。これらは、研究を進めていくうえでの貴重な財産となった。改めて御礼申し上げたい。

第二次世界大戦後、国民一人ひとりが平和の尊さをかみしめ再出発した日本が、二一世紀の幕開けにあたり「人間の安全保

マリ共和国の田舎で，手押しポンプの井戸水をくむ子どもたち.（1992年撮影：勝俣誠）

障」を掲げ、一人ひとりの市民の視点から、平和とは何か、平和のために何ができるかを改めて問うことは、大変意義深いことではないだろうか。阪神・淡路大地震が「ボランティア元年」とも称されるように、市民社会の活動も活発化している。こうしたなかで、今後日本が、日本国憲法の国際協調の理念に支えられたグローバルな市民の連携による開かれた「積極的平和」を平和的手段で追求していくことがきわめて重要な課題となっている。本書が、そうした一人ひとりの市民が、世界の市民と連携していくその時々に、だれのために、何をどのように行うべきなのかを考える際の一つのよすがとなれば、幸いである。

二〇〇一年八月

「人間の安全保障と市民社会の新たな役割に関する研究会」座長　勝　俣　誠

総合研究開発機構

目次

バングラデシュの村の子供たち.（2000年撮影：大橋正明）

第Ⅱ部　欠乏からの自由

第Ⅲ部　アクターとしての市民社会と国家

序章　人間の安全保障と市民社会——グローバル化と南の地域

勝俣　誠

普通の人でも安心して生きていける社会をつくること。この人類の課題は今に始まったことではない。日本では安全保障とか警備とかに訳されている英語のセキュリティ（security）はラテン語で原義を見れば、securusすなわち「se（なしに）」および「cura（心配、不安）」からなり、「心配や不安のないこと」を意味する。過去を振り返れば、人類はあらゆる時代に、あらゆる地域で家族、共同体、王国、帝国、近代的国家といったさまざまな組織単位で、その内側にいる人々が安心して暮らせる仕組みをそれなりにつくろうとしてきた。

したがって、人間の安全保障（ヒューマン・セキュリティ）という言葉を使うとき、この二一世紀の初頭に、私たちがあえて、人類史においてごく当然のことであった「人々の安全」をなぜ改めて考えなければならないのかを、まず明らかにしなければならない。

今なぜ人間の安全保障なのか。従来、国際政治ないし外交を論じるとき使われてきた国家の安全保障の概念とどう違うのか。人間とは誰を指すのか。疑問はつきない。

もっとも本書のねらいは安全保障の概念を整理し、それにまつわる論議を紹介することではない。なによりもまず人々が安心して生きていけない状況に対して、市民社会は何をしてきたのか、また何をすべきなのかを報告し、考えることである。ただその前に本書のキーワードである人間の安全保障、グローバル化および市民社会について各報告をよりよく理解するために、簡単に説明しておこう。

第一節　今なぜ人間の安全保障なのか

日本現代史の文脈において、まず「人々の安全」が正面切って提示されるのは、何といっても、一九四六年に公布された日本国憲法の前文の「われわれは、全世界の国民が等しく恐怖と欠乏からの自由のうちに生存する権利を有することを確認する」という一節であろう。

そこには、第二次世界大戦という人類史において未曽有の規模で繰り広げられ、六〇〇〇万人とも推定される死者を出した総力戦において、日本もアジアの近隣諸国の人々と自国の人々に膨大な数の生命を犠牲にしたことに対する深い反省が読み取れる。同時代のすべての人々が暴力と貧困から自由になるような世界をめざすことが、戦争という負の遺産のうえに改めて確認されたのである。

そして、それから半世紀以上が経つ今日、恐怖と欠乏からの自由が今度は人間の安全保障という言葉で国際社会、とりわけ欧米日の対外政策および援助政策や国際政治の議論において再び論じられるようになった。その背景には、冷戦という南の地域を戦場とした東西対立の終焉と切り離して考えることはできない。

冷戦の終焉が一九八〇年末以降確実になった直後、このポスト冷戦期の世界は、経済のグローバル化のなかでしか各国の展望はもはや描けないという単一のシナリオが支配的となった。すなわち、市場経済原理の大幅な導入と自由権に立った民主主義の実施によって、繁栄と平和が地球規模で実現するというバラ色のポスト冷戦世界秩序のシナリオが、冷戦を乗りきった欧米日で広く共有されるかに見えたのである。

しかし、冷戦終焉後の一〇年が経つ現在、多くの途上国地域でこの楽観的な期待は裏切られたといえる。東アジアではやがてはロシアにまで波及した九七年の経済危機、南アジアではインド・パキスタンの核実験競争、南米では、貧富の格差と暴力の日常化、アフリカでは重債務を抱えながらの地域紛争の激化と、すべての地域が一様かつ全般的といえないまでも、冷戦直後の希望を打ち砕くに充分な出来事が起きてしまった。

今、もう一度、ポスト冷戦期のメガトレンドとなった経済のグローバル化を、冒頭に挙げた「普通の人が安心して生きていける」という人々の目線から問い直す作業が、必要になっているのである。

第二節　グローバル化と人々の生活

では、経済のグローバル化は、私たちの日々の生活にどんな影響を与えているのだろうか。この問いに答えてみるのに、まずグローバル化とはどんな意味内容をもつかを簡単にまとめておこう。

グローバル化という表現は、比較的最近登場してきたもので、日本では、一九七〇年代以降よく使われ出した日本経済の「国際化」という文脈の延長に、位置づけられるものと考えられている。しかし、当初は貿易とか為替の自由化という表現で、何の国際化かという問いに対して、ある程度、特定化が可能であったのに対し、八〇年代後半くらいから、頻繁に耳にするようになったグローバル化は、「経済のグローバル化」というように、世界化ないし地球化する対象が、きわめて拡散している。

従来の国際経済学のなかでは、貿易理論で商品ないし財のみが国際間で移動し、生産要素としての資本と労働は移動しないことを前提に理論化されてきたが、経済のグローバル化と呼ばれる現象下では、資本および労働の移動は、地域間の程度の差こそあれ、きわめて顕著な現象となってきているのである(1)。

具体的には、多くの国際経済の統計が示す如く、財とサービスの貿易、資本の移動の規模は拡大し、それらを支えた、技術と情報も大量の移動と未曽有の革新を経ている。他方では、各国の広域かつ大幅な規制緩和の結果、商品の対象も飲料水からヒトの遺伝子まで、従来市場に出回る性格のものでなかったものにまで広がっている。こうした経済のグローバル化から生じるさまざまな事象は、人々、とりわけ南の地域(2)の人々の生活に何らかの影響を与えずにはおかない。

第一は、人々の生活を支える自然や人間関係が商品として市場で取引きされていくということは、従来誰でも自由に利用できた財やサービスに希少性が付与されることを意味する。希少性ゆえに商品となるこれらの財やサービスにアクセスするためには、購買力というお金をもっていることが条件となる。市場に参加するとは、ただこのお金をもっている人々にのみ許される特権となるのである。当然ながらもっていない人々、あるいはもっていても不十分な人々は、生活や生命の安全のために何らかの必要（ニーズ）が生じたとしても、それを満たすことができない。この意味から、グローバル化の進展が万物の商品化ないし資源化へと加速化するとき、これらの購買力を充分持たない経済的、社会的弱者をどう認定し、どう私たちはかかわりあったらいいかという問題を提起する。

第二には、長い間、国民経済（ナショナル・エコノミー）という名で生産活動と消費活動のいずれもが、同じ国内で営まれることが多かったが、今日では、グローバル化により生産拠点が地球規模で分散、拡大していく結果、生産地と消費地との間の距離が、ますます拡大してきていることである。これは地域の人々の消費を通じた生活と、生産活動との間に地理的、社会的ズレが拡大していくことを意味する。その最も顕著な事例が製造業である。

製造業がもはや欧米日の独占的部門でなくなり、(3)この部門が著しい地理的拡大をとげ、南の諸国にもさまざまな製造業が形成されている。製造業の地理的拡大の最大の理由は、生産要素の移動性の高まりや未熟練労働でも利用できる製造工程の改変などによるもので、従来南の地域における工業化の障害とされてきた資本の不足、労働の質、社会経済のインフラストラクチャーの未発達などの諸条件が弱められた。この製造業別からみたグローバル化の影響は、北の諸国では生産活動の移転に伴う雇用の喪失にどう対応するかが問われ、移転先の南の地域ではそこで働く労働者の労働・生活条件や地域の自然環境などの面で問われていくであろう。

第三は、まさに製造業の地理的拡大に決定的役割を演じた多国籍企業ないしグローバル企業と呼ばれるアクターによる活動が、南の諸国の領域内の人々や環境に及ぼす影響である。従来の南北問題では、一九七四年の国連資源総会で採択された新国際経済秩序宣言がうたっているごとく、「南」の諸国の政府による自国内の経済活動に対する規制要求が中心となり、なかでも、世界規模で操業する大手石油会社に対する「南」での自国資源の主権による活動規制が、その代表的事例であった。

しかし、七〇年代後半以降の一次産品ブームの終焉、世界経済の長期不況、対外累積債務問題などにより、「南」の諸国政府のグローバル企業に対する規制力は緩和されてきている。それどころか、逆にグローバル化現象の前で、自国もそのプラスの恩恵を受けるには、外国企業（直接投資）の誘致こそ必要という立場に立つ「南」の諸政府が増大してきている(4)。

こうしたなかで、一九七五年に国連貿易開発会議（UNCTAD）内に設置された国連多国籍企業センターは、九二年三月に廃止された。ここで見い出されることは、七〇年代来精力的に「南」の諸政府が国際交渉で進めてきた、自国内で操業する企業活動に対する国家としての規制領域が弱まり、強大な資金力、情報力、技術力を有するグローバル企業の「南」諸国経済への介入領域が広がるということである。その結果、「国民経済」という用語で了解されてきた一国の政治統治空間と経済空間の領域上の重複状態が崩れ、利潤追求を一義的目的とするグーロバル企業の決定と、その進出先の地域で暮らす人々の自らの生活に関する決定との間に、ますます距離が生まれやすくなることである。この地域の人々の生活の安全のためには、企業と地域との関係はどうあるべきなのか、南の地域でも重要な課題となっている。

第四は、短期資金移動の高速・広域化である。このお金の流れの特質は、経済成長が高い少数の諸国に集中していることと、移動の規模が大きく、「逃げ足が速い」としばしばいわれるように、移動の速度が極めて速いことである。これらの国々とは、東および東南アジア、中南米、ロシア、中欧であり、投資家の間ではしばしば新興市場（エマージング・マーケット）ないしエマージング・エコノミーと呼ばれてきた。とりわけ九〇年代において短期投資家の資金を引きつけてきたが、メキシコ

（九四年末）、タイ、インドネシア、韓国（九七年）、ブラジル（九九年）などで経済成長関連指標の減速の兆しに素早く反応し、大量の資金を引き揚げ、これらの国々の経済的困難を悪化させた。

こうした短期の、投機的性格の強い資金の不安定な動きは、これらの国々の社会に深刻な影響を与えてきている。世界銀行の発表でも、一九九七年から九八年にかけて、アジア通貨危機に見舞われたタイ、インドネシア、フィリピン、マレーシアでの「貧困者」の数は倍増し、九〇〇〇万人にも達したとしている。(5) この資金の国際間の投機的な流れは、従来モノの生産・販売に伴う実体経済と、金の利殖そのものを目的にする金融経済との著しいズレ、ないし分離を特徴としているといえる。たとえば、国際決済銀行（ＢＩＳ）の推定では、今日国際金融取引額は、商品とサービス額の五〇倍に達するとしている。(6)

このズレは換言すれば、グローバル化が推進するこの短期資金移動が、北ではもっぱら生活の余裕のある投資家の資金運用面でのリスク管理にとどまるのに対し、投資先の南では人々の生活そのものが、雇用や物価や社会サービス面で甚大な影響を受けるという、リスクの重さの非対称性の問題を突きつけるのである。

第五は、地球規模で移動を繰り返す財とサービスの生産・消費・廃棄の加速化は、自然環境と地球環境に著しい負担をかけることになるという認識が高まったことである。従来の南北問題の核心は、「南」の諸国の生産力を急速に増大することによって、「北」の経済水準にいかに追いつくかという開発経済学が決定的影響をもってきているが、グローバル化期の南北格差の縮小は、もはやこの追いつきシナリオのみで取り組むことは非現実的であろう。今日、環境の悪化ないし破壊に対する科学的知見の拡大と、その人間生活への影響の深刻さに対する意識の国際的高まりによって、南北両地域で環境を重視した「持続可能な開発」を実現すべきという合意が生まれている。

また、この環境の破壊が地域という地理的空間で維持されてきた、既に人間の営為によって変更された第二の自然をも含めて、自然の多様性を喪失させるかぎりにおいて、その多様性を反映した地域文化や生活も消えたり、変質していくテンポが速まるであろう。いまだ完全に貨幣経済に統合されていない南の少数民族の権利回復運動は、こうした動きに抗する活動として位置づけられよう(7)。

第三節　国連報告で登場する人間の安全保障

欧米日を中心とする国際社会で、人間の安全保障という新たな用語が一九九〇年代後半以来使われるようになってきたのは、こうした時代背景と密接な関係があるのである。この用語が国際社会で明確に登場したのは、冷戦終焉直後の九四年であり、国連開発計画（ＵＮＤＰ）によって毎年刊行される人間開発報告においてであった(8)。

同報告は、冷戦終焉後の新しい国際情勢が直面する諸問題の特質から、次のような定義と範囲を明示化している。

まず、同報告は定義に関して、包括的な概念で、冷戦下の国家の安全保障に対する対抗概念であり、次の二点を重視することによって、この概念が規定されるとしている。

すなわち、第一に領土の偏重の安全保障よりも人間を重視し、第二に軍備による安全保障よりも「持続可能な人間開発」を重視するとしている。さらに、その概念の特徴として、次の四点を挙げている。

①　従来の南北関係を超えて提起される世界共通性
②　国境でくい止めることのできない危険を生む相互依存性
③　諸問題を生じる前に対処しておく早期予防
④　人権を拡充し、保障していく人間中心性

その対象としては、主として次の七分野を具体的に挙げている。

- 経済の安全保障
- 食料の安全保障
- 健康の安全保障
- 環境の安全保障
- 個人の安全保障
- 地域社会の安全保障
- 政治の安全保障

もっとも、こうして分類される人間の安全保障概念は極めて包括的で、厳密な分析概念に必ずしもなじむものではない(9)。当然ながら、なぜ人間開発や社会開発ではいけないのか、あるいは一言で人権を使えばいいのではないかという疑問も提起されるであろう。結局、私たちは、人間の安全保障概念をどう厳格に定義し、分析用具として使えるようにしたらいいか、またどう既存の学説のなかに位置づけるかを主要関心事とする作業ではなく、まさに市民団体の活動を通じて南の現場でぶつかっている人間の尊厳の剥奪ないし非人間的な状況をどう認定、理解し、どう対処すべきかを人間の安全保障

問題として大まかにくくり、具体的事例をとおして分析し、考察すべきではないかというアプローチを採用した。すなわち、「人間の安全保障」でくくられる諸問題を単に列挙し、ただちにその解決策に言及するのではなく、ＵＮＤＰが人間の安全保障に与えた基本的輪郭を採用しつつも、人間の安全保障は何を（対象）、なぜ（目的）、どのような手段（認定手段）で実現していくのかという問題提起としており、そのため私たち市民各人の活動分野の報告に重点を置いている。

第四節　人間の安全保障の実現の担い手としての市民社会

では、市民社会とは何かというと、そこでもう一つの本ができてしまうくらい厄介な言葉である。しかし、本書では、大まかであるが、作業仮説として非営利で自立した積極的な市民がつくる団体をＮＧＯ（Non-Governmental Organizatoins）とし、ＮＧＯが活動する社会的領域を市民社会として使うことにした。非営利ということは利潤を一義的に目的とする私企業と一線を画すことで、自立とは時の国家の方針や政策から一市民としてして自由に考え、行動することを意味する。

次に、ＮＧＯのメンバーとして、また研究者として取り上げる人間の安全保障の対象は、以下のように、水と食料、環境、基本的保健・医療へのアクセス、ＨＩＶ／エイズ感染症治療、子供の労働や商業的性的搾取、少数民族・先住民の尊厳の回復、ルワンダおよびコソボにおける人道的介入、スラムの不法土地占拠者の生活不安、国際社会で孤立している国家内の住民の欠乏問題など、多岐にわたっている。これらいずれの問題にもほぼ共通している特徴として、少なくとも三点を挙げることができる。

まず第一は、外部の敵ないし脅威から領域内の人々を守るという従来の国家安全保障概念からは、なかなか見えにくいということである。

第二は、「南」の特定国の国民一般の問題を対象とするのではなく、社会のなかで経済的、政治的に最も弱い立場に置かれている人々に注目しているということである。

第三は、これらのすべてと言わないまでも、一九九〇年代にいっそう顕著な現象として国際社会で取り上げられるようになった、前述の経済のグローバル化と密接な関係があることである。

では、人間の安全保障が南の地域で確保されていないさまざまな状況に対して、当面日本の市民社会・NGOはどう対応したらいいのだろうか。換言すれば、誰が何をどうやって人間の安全保障の脅威として認定し、どうそれに取り組むのかという問題である。本書では、人間の安全保障と市民社会の文脈で考え行動するとき、次の五点が重要だと思われる。

① 認定の主体
② NGOのアイデンティティ
③ 国家任務の再建
④ 南北関係の改善
⑤ 原因までさかのぼる努力

(1) 認定の主体

まず人間の安全保障の脅威の認定には、人間の安全保障の対象を分野別・セクター別に分類し、それと既存の援助制度を利用して実施することなら、従来の開発行政の新規案件ないしネーミングが変わったのにすぎない。本書では、人間の安全保障が脅かされていることを認定する際に、NGOが有効な役割を果たすことをさまざまな事例で確認した。このNGOによる危機的状況の認定は、南の国では行政が財政難や紛争で使命を放棄してしまっている場合や、狭義の国益につながらないため国際社会で関心を集めない問題の場合などにおいて、特に重要である。

(2) NGOのアイデンティティ

この危機の的確な認定に関連して、NGOはどうあるべきかという点である。私たちの研究会で得た見解は、NGOは政府と市場の失敗を単に補完する存在ではないということである。政府の失敗ないし不十分さを補う存在とは、市場ベースでは採算の合わない対象を補完する事業体などとよく言われることがある。しかし、NGOは、政府や市場の機能不全から生じた人間の安全保障の危機に対して、結果として取り組むことがあるが、私たちの研究会では、あくまでも政府からも市場からも自律した存在として、理念・価値を求める目的団体で、特定の機能の代替機関ではないということを重視した。この点は、人間の安全保障の確保が、単に国家の政策や企業戦略の下請け実施団体にならないために、必要な位置づけと思われる。

(3) 国家任務の再建

今述べたことに関連した、NGOが対象とする活動の継続性の問題である。すなわち、NGOと国家の関係である。NGOによる人間の安全保障の確保は、国家が自国民に対して果たすべき国民益の使命にとって替わることはできない。いずれは、民主的に選ばれた国家が教育、保健・医療、水道、最貧層を考慮した土地制度の整備など、租税を通じて実施すべきであろう。にもかかわらず、「南」の国ではこうしたシビル・ミニマム（市民として最低限の権利）の確保を放棄せざるをえなくなっている場合が、しばしば見受けられる。そうした国家は、対外累積債務の返済に追われ、自国の人々の安全よりも外国の投資の安全を優先させるような国家になりかねない。したがって、「南」の国家が自国内で、人間の安全保障を確保できるよう、内外のＮＧＯが明確な予算措置をとるよう働きかけることが重要である。これは一九九五年の国連社会開発サミットで各国政府が公約した二〇／二〇イニシアティブにもあらわれている。すなわち「北」のＯＤＡ（政府開発援助）の二〇％を社会開発に向け、「南」の政府も国家予算の二〇％を社会開発予算に向けるという公約である。

⑷　南北関係の改善

これに関連し、南北関係で「南」の政府が自国の方向を決める国際的取り決めにおいても、より交渉力をもつことによって自国の国内の貧困層の利害を守れるよう、ＮＧＯが国際機関などでロビー活動や提言を行うことは重要である。既に一定の成果を上げたのは、重債務に苦しむ最貧国の対外債務返済が、人間の安全保障に与える負の影響を減らすため、債務帳消し案が数年前から主要先進国首脳会議で具体的に論じられるようになったことである。二〇〇〇年七月の沖縄サミットでも主要のテーマの一つとなった。また、一九九九年末のＷＴＯ（世界貿易機関）シアトル閣僚会議でも、交渉のプロセスが不透明という途上国政府の不満は、この会議が失敗した理由の一つとなった。これらの二つの出来事は、一見、政府間交渉であり、新聞でいえば、従来の安全保障の問題が内政か国際政治経済欄のページにのみおさまってきたのに対し、交渉のプロセスに大きな役割を果したという意味で、今日では社会欄とも関係してきている。

(5) 原因までさかのぼる努力

人間の安全保障とは、紛争予防の側面をもっていることから、武力紛争を防ぐ工夫、起きてしまった紛争の後始末や、二度と繰り返さないための教訓の学び方も、その課題としてあるのではないだろうか。紛争の素地となる被害を与えた方は忘れがちであるが、被害を受けた方は容易に忘れることはできない。この意味で、人間とは記憶する動物である。たとえば、ベトナム戦争の枯れ葉剤の影響は、化学物質ダイオキシンによる広域環境破壊にほかならず、こうした過去の負の遺産を誠意を持って、当事者やNGOを含めた国際社会が、人間の安全保障の侵害として取り組むことが不可欠であろう。

もっとも人間の安全保障を論じることだけでは不十分である。武力紛争一つとっても、国際赤十字で代表を務めたある専門家は、人道的活動に対して、これが「政治にとって代わることも、紛争の原因を説明する分析の枠組みも、ましてや解決そのものを与えることもできない」と述懐しており、[10] 前国連難民高等弁務官の緒方貞子氏も「人道援助には限界がある。政治的解決の代替になりえない」と訴えている[11]。では、そもそも人間の安全保障が脅かされる原因は何か。その国内的、国際的、歴史的要因は何か。今の世界経済や国際関係の仕組みに一因はないのかといった問いも、今後探っていくことが必要であろう。

第五節　本書の構成

本書は三つの部分から成っている。まず、第Ⅰ部と第Ⅱ部において、人間の安全の確保対象を大きく「恐怖からの自由」と「欠乏からの自由」という二つに分けて論じる。第Ⅲ部では、市民社会と国家の役割に焦点を当てて、「人々が安心して暮らせる」社会の方向を、市民社会の実践活動から探る。

第Ⅰ部の「恐怖からの自由」は、人が人を組織的に殺すという異常事態に対し、国際社会とりわけ市民社会は、どう取り組んできたかという現場報告と、現場からの考察が中心となっている。

戦争やジェノサイドによって、地域の人々の安全が危機にさらされていることを、国際社会は見過ごすことができない。だから何とかしなければならない。こうした見方に、まず誰も反対しないであろう。しかし、「人間の安全保障」は、誰もが反対しないほど自明の概念なのだろうか。人間の安全保障の核の一つを構成する人道的介入で問われるべきは、まさに、人々の安全への脅威そのものについての一般的見解ではなく、個々の危機に対して、誰がその危機を認定し、どんな理由ないし根拠のもとで、誰がどのような手段で介入するかという複合的側面である。そこでは、介入側の政治的意図・思惑も、当然さまざまな側面から考慮されねばならないであろう。

近衛論文は、国際赤十字社の活動事例から冷戦終結後の武力紛争を特徴づける国内紛争や「複合危機」を前に、「中立」、「公正」、「平和」の概念が変化していることを考察している。戦時における一般住民の保護を定めたジュネーブ第四条約が守られているかどうかをチェックする役割を担ってきたのは、従来は経験豊富な赤十字国際委員会であったが、大国の政治性が強く出やすい国連の安全保障理事会決議も、軍事力行使を伴う「人道的介入」への道を開くようになった結果、「中立」の座標軸が曖昧となってきたことが指摘される。また、複合危機とは戦時と平時、あるいは人災と天災といった明解な区別ができず、複数の原因が複合的に作用している人道危機を指す。ソマリア、ルワンダ、旧ユーゴスラビアの武力紛争などがこれに当てはまり、「中立」の立場への理解が得られないまま、人道救援活動が行われるため、しばしば救援関係者自身が被害に遭うことがある。さらに、イラク、ユーゴスラビア、ハイチなどを、戦争ではないが、人道が著しく脅かされている、いわば「正義なき平和」に対し国連が経済制裁を課したものの、政権は生き延びるなかで、社会的弱者が最大の犠牲者になるという経済制裁の有効性に疑問が投げかけられている。

こうした新たな人道危機に対して、対症療法としての救援よりも、危機の予防として、国際人道法の普及、対人地雷のような非人道的兵器の禁止、国際刑事裁判所の設置が提言されている。

熊岡論文は、冷戦下の国家間の対立によって、西側諸大国と国連から認知されなかった「カンボジア人民共和国」のもとで、過酷な生活条件を強いられていたカンボジアの人々を、国際NGOがどう認知し、人道支援と復興協力を開始することができたか、現場からの報告と考察が中心となっている。と同時に、和平が確実となる一九九〇年代のカンボジア社会が、今度は性急な市場経済の導入を特徴とするグローバル化のもとで、貧富の格差が拡大し、不安定化していくことが報告され、地元NGOの自主性に基づく社会開発の必要を強調している。

重光論文は、フランスの緊急医療NGOが一九七〇年代末のヴェトナムのボートピープル、九〇年代に入っての湾岸戦争時のクルド系住民問題、ソマリア内戦、ルワンダ内戦、コソボ紛争などに対して、どう人道的介入を位置づけ、試行錯誤したかを、フランスの論調から解説したものである。その考察の重点は、犠牲者を前にして何ができるかではなく、それがどう伝えられ、そのために行動を起こしたアクターと犠牲者の関係はどうであったかを、根源から問い直す批判的側面に置かれている。

したがって、紛争の外部に位置するNGOが、具体的な緊急事態に対して、現在の様々な制度的仕組みをどう利用すべきか、もし利用しないとしたら、どんな仕組みをつくりあげるべきかといったことについての提言はない。むしろ同論文は、強者の論理によらない介入の条件は、現場で「今ここ」にある物質的条件、関係性から出発し、実践する中で捜し求める以外にないという介入のあり方を提示している。

大芝論文は、国家の安全保障が確保されず、人間の安全保障が確保されないこともあるし、また、逆もあり得ると、人間の安全保障と国家の安全保障の関係を国際政治学の観点から分類し、問い直している。ここでも軍事力を伴う人道的介入に対して、介入は介入側の国益に沿うべきとする立場、国家主権より人権を重視する立場、国家主権概念の変化により、国内の人々の安全を守れない国家に対する軍事介入は内政干渉でないとする立場を解説し、その介入の根拠、認定、主体、効果が問われるべきとしている。実際のところ、市民社会の役割は、自ら介入するわけにはいかないが、これらの問いから逃げてはならないだろう。同報告では、誰が介入の必要を認定し、誰が介入するのかという判断を下すとき、適切な情報源として、国民主権として、さらにはジェノサイドのような悲劇を二度と繰り返さないための負の記憶の伝い手として、市民社会の役割が肯定的に提示されている。

第Ⅱ部では、「欠乏からの自由」の視点から、近年顕著になってきているグローバル化現象が人間の安全保障にどんな影響を与えるかをNGOの活動から分析し、考察したものが中心となっている。

久保論文は、ネパールの首都カトマンズでの社会的弱者に注目し、これらの人々の生活・労働状況を「日常生活の安全保障」と「生活源システム」というキーワードを使って解明し、解決策を探っている。ここで「日常生活の安全保障」とは、雇用、所得、食べ物を含めた健康、環境、さらに犯罪暴力などからみた安全性を指す。また、「生活源のシステム」が、人々が生活を営む個人レベルにおいて、社会的およびグローバルな状況によっても変化し、この両者の間の関係は相互関連性があるとする。この生活源システムが、日常生活の安全保障のためにどんな機能を有しているかを見るには、単に経済的側面だけではなく、当事者間の力関係（パワー）や何を公正と定義して追求するか（価値）をも考慮すべきとしている。こうしたなかで、グローバル化が促進する人々の移動を通じて深刻化している首都での結核問題や少女の人身売買に対し、NGOはある時は行政と連携し、ある時は地域をまたがって、国際的に人々や他のNGOとのネットワークを通じて活動すべきと提言している。

このグローバル化のなかで、経済的・社会的にもっとも弱い立場に置かれている最大規模のグループは貧困層の子供であり、子供の安全保障を子供の人権擁護活動から分析したのが、甲斐田論文である。グローバル企業が活躍する中での貧富格差による子供の感染症対策へのアクセスの格差、武力紛争下の子供、子供の商業的性的搾取、児童労働といった個々の人権侵害に対し、単に子供を保護の対象とするだけでなく、対等なパートナーとして、子供の社会化を保障すべきという新しい子供観に立った国際的取り組みを紹介する。この子供参加にこそ、子供が自らの状況に抗議したり、大人になったとき、市民社会の積極的担い手として、次世代の子供をさらに自分のようなパートナーとみなしていくといった、広がりをもった人間の安全保障を築く道への可能性を、同論文は見いだしている。

エイズ感染もまたすぐれてグローバル化時代の人間の安全保障問題である。そして国連の二〇〇〇年末の報告によれば、世界の感染者三、六〇〇万のうち、九割は経済的に貧しい南の国々に住んでいる。広域感染がグローバル化の産物とするなら、またその治療薬を開発し販売しているのも、知的所有権のグローバル化を通して、利潤を独占しようとするのも、グローバル企業という、豊かな北の国からの広域アクターである。

林論文は、こうした状況認識のもとで、二〇〇〇年七月の南アフリカで開催された世界エイズ会議への参加での議論と市民社会の行動を踏まえ、次のように根本的問いを提起する。なぜ、科学の成果は必要とする人に届かないのだろうか。なぜ、開発されてから何年もたった薬が安くならないのであろうか。

この問いに対し、同論文は、医療の商品化と特許が進んだ結果、経済力の格差が直接、人々の生命の長さをますます決めるようになったと答える。そして、南アフリカやブラジルの事例を紹介しつつ、市民社会と途上国政府の圧力によって、すでに米国を中心とするグローバル先端産業は一定の譲歩を迫られたが、さらに、同論文は、お金がなくても、アクセスできる医療に必要なモノや情報は、商業ベースでなく、「世界のみんなのものだ」とする国際公共財の概念を提示して、治療薬国際共有化ネットワークを呼びかけている。

では、医療とならんで人々の生命の安全に決定的役割を果たしている水や食料の経済的、社会的弱者へのアクセスはグローバル化の中でどんな変化を遂げているのだろうか。

まず、佐久間論文は、NGOの明確な位置づけに立って、グローバル化と水と食糧の安全保障を検討している。NGOとは、市民が情報をもっていないか、あるいは情報が多すぎたり、複雑すぎてよく理解できないため、自分達の生活に関係する意思決定に有効に参加できない情報の不均衡性と、他の地域の人々や次世代の運命が企業の影響などで危うくされ得るという、「民主主義の不完全」を補完する存在であるとしている。

同論文は、環境ＮＧＯの活動を通じて、南の地域での水と食料の希少性が、南の人口増加のせいとする短絡的思考を退け、何よりもまず経済のグローバル化ないし市場原理の地球規模の適用に求める。この動きは、日本のような北での農業の性格を変質させると同時に、南に対する食糧援助を通じて、南の農業の自立を失わせ、水のサービスに関しては、民営化の促進を通じて、水資源分野の北のグローバル企業の活躍を可能にしている。この「北」からのグローバル化に対し、同論文は、その負の影響によりもっとも苦しい立場に追い込まれている南の人々が抗議する社会運動も、グローバル化していることを指摘している。しかし、一九九九年の世界貿易機関（ＷＴＯ）のシアトル閣僚会議の決裂に象徴される反グローバル化の動きは、米国の既得権維持勢力や偏狭なナショナリズム運動も加担した、同床異夢の上で展開していると指摘している。

さらに、同論文では、ＮＧＯもグローバル化するといっても、経済活動や制度が複雑化するなか、ＮＧＯの専門化・職業化も進展するため、ともすると、地域の現実生活と乖離する危険も強調されている。

第Ⅱ部最後の勝俣論文は、戦争、飢餓、感染症という負の側面で語られることの多いアフリカ地域に焦点をあて、植民地から独立して三〇～四〇年経つ今日でも、なぜ圧倒的な人々が安心して暮らせないかという問いを、国家と社会の関係から整理しようとしたものである。国家はその領域内の社会によって支えられるものだが、多くのアフリカ諸国の場合、住民に約束した生活向上の別名である「開発」に失敗し、その支持を失ってきたという現状認識に同論文は立っている。その顕著な現象として、行政の機能不全とインフォーマルセクターと呼ばれる都市における零細生き残り活動の増加を、西アフリカの事例を踏まえて解説する。では、どうしたら人々が安心して暮らせる社会を築けるのかという問いに対し、同論文は、民主化の試行錯誤の中で育んできた市民運動が従来の「開発」活動のみならず、政府に働きかけ新たな公共性を創り出そうとしている側面に注目する。最後に同論文は、こうした市民社会のアクターの今後の課題として、前出の林論文も言及しているアフリカのＨＩＶ／エイズ問題を事例にとり、人間の安全保障を実現するためには市民活動も一層グローバル化させ、現行の国際的仕組みをも改善していく必要を強調する。

人間の安全保障とは国家による安全保障を否定するものではない。グローバル化という新たな文脈の中で、人間の安全保障をめぐる市民社会と国家の関係を事例研究を通して考察し、提言する論文が中心となっているのが第Ⅲ部である。

重光論文は、あらゆる上からの人々の安全保障や福祉（開発）を代弁したスローガンや政策は、地域住民運動が体現しているとされる自発性・自律性からすれば、常に警戒や留保の対象と成らざるをえないという立場から論じられている。そこでは、まず西アフリカのマリ共和国の首都バマコにおける住民協力型保健医療センター活動の経験を検討し、そこにこそ外部から定義されるニーズとは無縁に、地域から生み出された住民自らの問題解決法があったという認識が報告されている。したがって、同報告によれば、「人間の安全保障」という概念が、地域社会の外部から持ち込まれるかぎり、抽象的で、否定的な発想にしか行き着かず、住民を広く巻き込み地域社会の力関係を変え得るダイナミックな動員力は望めないのではないかと結論づけている。では、南の国の政府は、住民に対して何もしなくていいのか。国家なき市民社会＝市場社会を夢見る究極の自由主義と、この批判的考察が行き着くもう一つの社会とどこが異なるのか。

同論文は、この問いに対して、行政による上からの地方分権化に対して、まさに、保健医療面でのコミュニティ保健センターのように、市民による下からの組織運動形態が、上からの動きに反応したり、時には対決したりしながら関わっていくダイナミズムを理解し、推進していくことが重要であるとしている。国家から打ち出されるあらゆる安全保障論を、市民社会が常にその意味、背景、対象、方向づけなどを慎重かつ冷静に吟味することは、現民主主義国家においては、ごく当然のことである。

次の大橋論文は、NGOやNPO（Non-Profit Organization）の重要性が叫ばれる時代にあって、南アジアの開発NGOの長年の活動を通じて、人間開発をめざす開発NGOのアイデンティティを問い直している。そして、南アジアにおいても、各国ごとの社会と政府の関係の相違を考慮して、NGOの規模、内容などを見ていく必要性を指摘する。さらに、同論文は、政府による援助（ODA：Official Development Assistance, 政府開発援助）であろうが、市民（NGO）による援助であろうが、外部介入自体は常に当該社会や政府に対して諸刃の効果を及ぼすなかで、NGOは何を目指すのかというNGOのアイデンティティを明確にすることが必要だとする。

その答えとして、しばしば政府や民間企業が抱いてしまう、NGOは単に財やサービスを安く提供する存在という功利的NGO観を改めるべきとする。開発のプロセスにより生じる矛盾を発見し、広く世論に訴え、現行の「開発」を改善したり、もう一つの道を提案するところに、NGOのアイデンティティがあると強調する。

次の上村論文は、南の地域固有の人間の安全保障というより、最も弱い立場にある人々の権利を守る市民活動のなかで、世界各地に存在する先住民族、民族的少数者の人権侵害に注目している。

同論文によれば、今でこそ経済や情報のグローバル化が新たな動きとして論じられるが、国際人権法からみれば、この人権保障の仕組みは、一九四〇年代後半、地球規模の普遍化、すなわちグローバル化を前提に築かれたものであると喚起する。そこでは、人権保障のグローバル化に難色を示してきたのが市民社会と民主主義の先駆者を自負する西側大国でもあったという歴史的背景を検証した後、明確な国際規準をつくり、それに基づいた国際監視システムが二重基準なく機能すべきことを強調している。そこでは、狭義の国策や国益から自律したＮＧＯが今後も、立法府や司法府との開かれた関係の構築作業も含めて、いっそう活躍が期待されなければならないとしている。

日本政府が外交における人間の安全保障の重要性を一九九八年に打ち出す前の九六年、既に外交の方向性として人間の安全保障を打ちだしたカナダを事例に、この概念をカナダの歴史的背景のなかに位置づけ、冷静な評価をすべきとしているのが、加藤論文である。

同論文によれば、カナダ外交の基本的特質を考察すると、人間の安全保障の提言も必ずしも利他的で理想主義だけで打ち出しているわけではなく、ミドル・パワーとして限られた予算で、いかに効率よく外交目標を達成できるかという現実的要請を見逃せないとしている。そこでは、カナダによる人間の安全保障のアピールの背景には、伝統的に積極的に対応してきた平和維持活動に、多くの国家が貢献し出したため、カナダの「独自性」とはならなくなったことがあるとしているが、その後の対象は平和維持活動と一連の活動である平和構築という、武力紛争の予防や解決に重点がおかれている。

いずれにせよ、こうした問題に対するカナダの市民社会は、対人地雷廃絶の国際的規制を実現したオタワ・プロセスを引用するまでもなく、政府との協議を通じて、日本では比較できないほど経験と実力を有していると言えよう。

最後は、この日本の外交政策を人間の安全保障に焦点を当てて考察した平井論文である。日本の無償資金協力の第一の援助受け取り国であり、後発開発途上国のなかで最大の人口を抱えるバングラデシュでの、政府開発援助（ＯＤＡ）とＮＧＯの活動を検討し、人間の安全保障の理念に基づいた援助とはどうあるべきかを考察している。

まず同論文は、外交政策としての人間の安全保障概念を、日本は国連開発計画（ＵＮＤＰ）が打ち出した、どちらかというと、欠乏からの自由のための開発援助を強調するのに対し、カナダの方は、恐怖からの自由のための、武力紛争の解決・処理に重点が置かれていると指摘する。この開発援助を同論文は、バングラデシュで、日本政府と日本の開発ＮＧＯが実施してきている貧困層を直接対象とした支援活動から検討している。そこでも、経済のグローバル化が同時に貧困のグローバル化をも伴い、バングラデシュもその例外でないことが指摘される。したがって、人間の安全保障のための市民社会の役割は、グローバル経済の負の結果の後始末ではなく、その背景にある国際的な仕組みや構造に切り込むことでもあるとしている。したがって、国際金融機関で大きな影響力を有する日本政府は、こうした市民社会の問題提起を重く受けとめ、これらの機関の決定システムの民主化に務めるべきと提言している。

最後に、各論文で使用されている用語や概念は必ずしも執筆者の間で厳密に定義した統一的見解にたって使用されているわけではない。多面性・多義性を有する人間の安全保障の緩やかな位置づけを受け入れ、各執筆者がそれぞれの分野で市民社会のアクターとして、それにまつわる実践を通しての考察、分析、提言が中心となっていることを強調しておきたい。

【注】

（1）もっとも、グローバル化はすべての生産要素が全く自由に国境を越えて移動していることではない。たとえば、国際金融に対して強い影響を持ち続けている国際通貨基金（ＩＭＦ）は、グローバル化について、次のような定義を与えている。

「財とサービスの国境を越えた取引および資本の国際的流れの量と内容の増加、ならびにテクノロジーの急速かつ全般的な普及によって引き起こされた、世界の諸国全体の拡大しつつある経済的相互依存」(Les perspectives de l'économie mondiale, 一九九七年五月版、Le Monde diplomatique, 同年六月号から引用)。

ここで気づくのは、労働の移動が含まれていないことである。実際、労働の移動は、先進工業国を中心に大量の外国人労働力の移入が見られてきたが、自由化を原則として進めようとする対象となる資本に比して、各国政府は近年、専門職を除き、ますます規制を強めている。

（2）地域とは、生産活動のみならず地理的空間の自然、社会生活、歴史などの複数の学問領域から把握されるものである。たとえば「広義の経済学」をめざそうと経済活動の物理的な自然的基盤に着目した玉野井芳郎も、この基礎を大気系と水系と土壌生態系より構成されるゆえ、季節性をも含む「生活と生産の場所」（玉野井芳郎著、鶴見和子・新崎盛暉編『玉野井芳郎著作集三　地域主義からの出発』学陽書房、一九九〇年、七八頁）というきわめて示唆に富んだ定義を与えている。

したがって、「発展途上国」という南の地域の文脈では、経済のグローバル化とは、このように位置づけられた地域にとって、従来自然的基盤によって強く規定されてきたところの生産と生活活動が、まさにグローバルな経済空間に組み込まれていくプロセスともいえる。その結果、生産のみならず、人間の生命の再生産を可能にする自然（空気、水、食料など）を経済活動の展開を通じて、地域外に頼る依存関係を強化していくが、一般に経済理論は、この側面に関心をもたない。ホワン・マルチネス＝アリエは、この点につき「経済理論は商品の特理的性質について（原則として）注意を払わない。たとえば、ある商品はそれが食料品だからといって、あり余っている他の商品より必要性が高いといってはいけないのである」と指摘している（工藤秀明訳『エコロジー経済学』ＨＢＪ出版局、一九九一年、二六七頁）。

（3）　とりわけ、韓国、台湾などの東アジア諸国の急速な工業化は従来の南北二分接近法に大きな疑問をつきつけることになったことは、しばしば指摘されてきた。ここに至って、「南で生産される一次産品」対「北の工業品」の貿易という従来のシェーマが崩れ、両商品の交易条件の動向が、今日の南北格差を論じるときの中心課題でなくなってきている。むしろ、南北間の経済格差で注目すべき側面は、工業品の生産施設が「南」の諸国にあるか否かではなく、工業品に分類される製品ないし部品が、設計、製造工程、販売などの諸段階において、世界市場においてどれほどの競争力があるか否かによって、「南」の「北」へのキャッチアップ能力が決定される点である。グローバル化の直接的担い手である多国籍企業は、「南」の諸国のもつ経済・社会・制度などの格差を、自らの製品開発、製造工程、販売戦略に織り込むことに成功しており、「南」の諸国に製造業が施設として移転されたとしても、「南」の自生的工業化を通じたキャッチアップ能力の拡大を必ずしも意味しなくなってきている。そこで見い出されるのは、今日の「南」の諸国への製造業の拡大は、製品の開発、設計、販売戦略といった資本や技術や知識の集約・蓄積を必要とする領域と、その成果を実行する領域の分離が可能になって初めて、飛躍的に実現したといえよう。

（4）　一九八〇年代以外の対外累積問題に直面してきた多くの「南」の諸国は独立以来の国民福祉型国家（Welfare State）を断念せざるをえず、九〇年代からインフラストラクチャー整備、労働法の改善、税制優遇など、外国企業誘致に尽力するようになる外資歓迎国家（Welcome State）へと変貌している。その事例研究としては、勝俣誠「グローバル化時代の民族国家」『岩波講座：開発と文化４』岩波書店、一九九八年を参照。

（5）　*Le nouvel état du monde*, ed., La Découverte, 1999, p. 105.

（6）*Mondialisation au-delà des mythes*, ed., La Découverte, 1997, p. 75.
国際資本移動において一九八〇年代来、もっぱら投機を目的とした証券投資が、直接投資を大きく上回ってきている（前掲、七六頁）。

（7）一九九四年一月、米・加・メキシコの三国による北米自由貿易協定（ＮＡＦＴＡ）の発効に合わせて、メキシコ南部のチアパスで武装蜂起したマヤ民族による国民解放軍の運動は、この代表例である。

（8）ＵＮＤＰ『人間開発報告一九九四』国際協力出版会、一九九四年。

（9）武者小路公秀は、「ＨＳ（human security）は安全保障を軍事レベルに限定する国家安全保障から、地球規模の諸問題に拡張するために、国連開発計画（ＵＮＤＰ）によって提唱された論争概念（Polemic Concept）である」と整理した。

（10）*Guillaume d'Andlau, L'action humanitaire, Que sais-je?* Presses Universitaires de France, 1998, p. 123.

（11）『朝日新聞』二〇〇一年一月一日、百瀬和元編集委員によるインタビュー。

第Ⅰ部　恐怖からの自由

コソボの穏健派政治リーダー，ルコバ氏とその政党LDKを応援する落書きと，子供たち．(2000年撮影：饗場和彦)

第一章　人道主義と人間の安全保障
——国際赤十字社の活動事例から

近衛　忠煇

第一節　人道的動機

1　赤十字のはじまり

阪神・淡路大震災であれ、有珠山噴火であれ、地下鉄事故であれ、目の前の犠牲者に救いの手を差し延べたいと思うのは人情である。しかし、人手が足りなかったり、助ける技術や手段や方法がなかったら、どうすべきなのか。このジレンマこそが、スイスのジュネーブ生まれの青年実業家であり、赤十字の創始者となるアンリ・デュナン（Henri Dunant：1828～1910）が、一八五九年に北イタリアのソルフェリーノで経験したことであった。イタリア統一戦争の中でも、「一九世紀最大の戦争」とも称されるソルフェリーノの戦い（Battle of Solferino）の際に、たまたまソルフェリーノを訪れ、戦争の惨状を目の当たりにしたデュナンは、居ても立ってもいられず、近所からボランティアを募り、三日三晩不眠不休で傷病兵の救護に当たった。

しかし、何の心構えもなければ、専門的な知識や技術があったわけでもなく、また、活動に対する誰からの支援があったわけでもなかった。その反省から生まれたのが、赤十字のようなボランティアの救護組織を日頃から組織しておき、その活動を保証する国際的な取り決めを結ぶべきではないかという提案であった。もちろん、国家が救護の責任をすべて負えるならば、赤十字は必要なく、あったとしても出番はない。そのため、デュナンの「赤十字構想」に対して、軍の衛生部隊の創設に貢献したナイチンゲールも、戦場での救援は本来国がやるべきことであり、赤十字のようなボランティアの団体がすべきことではないと、当初反対している。しかし、後には、熱心な赤十字の支持者となった。

2　日本赤十字社とボランティア活動

一方、日本赤十字社は一八七七年の西南戦争の時に誕生し、戦時に備え救護員としての看護婦養成のため各地に病院を設立した。第一次、第二次世界大戦後には、戦時救護を目的とする赤十字は不要との議論もあったが、それまでの経験を生かして自然災害の救援にも手を広げ活路を見い出していった。日本赤十字社の内部でも最近まで行政が自力で災害に対処できるなら、赤十字はそろそろ手を引いてもよいのではという声が囁かれていた。しかし、阪神・淡路大震災は、図らずも行政が万能ではないことを露呈した。そして今や、国内的にも国際的にも、あらゆる分野でボランティアあるいは市民社会の協力が不可欠とさえいわれ、それらの担うべき役割や協力のあり方が語られるようになってきている。わが国では、阪神・淡路大震災まで、これほど多くの市民が自発的に、大規模かつ長期的に多面的な救護活動に参加した例はなく、それをもって「ボランティア元年」というのも、あながち誇張とはいえない。

それまでの日本のボランティア活動は、どちらかといえば、誰かから与えられた目標あるいは活動に無欲無私で献身的に「奉仕」するという受動的な姿であり、ボランティアという言葉が本来意味する「自発的」との部分が欠落していた。事の善し悪しではなく、「汝の欲することを他人にも施せ」と説き、遠くポルトガルからザビエルが日本に一人でやって来て福音を広めたり、今日では他国の人権問題に当然のごとく容喙《ようかい》するキリスト教的伝統と、「己の欲せざることを人に施すことなかれ」と説き、相手の気持ちに配慮する余り同情から行動へとなかなか移せず、運命論や諦観に甘んじる傾向のある仏教的気質の違いが、少なくともこれまでは見られた。国際ボランティア活動は、カンボジア難民が大量にタイに入ってきた一九七〇年代の終わりごろから活発になったが、阪神・淡路大震災をきっかけに、国内においてもボランティア活動に対する姿勢が変化しつつある兆しを見て取ることができるのではないだろうか。

3　人情から人道主義へ

どんな文明に属そうとも、人間愛があることに変わりはない。問題はその表し方、現われ方である。一般的な傾向としては、戦争の犠牲者よりも自然災害の犠牲者への同情の方が厚いこと、また身近な人々の悲劇により同情が集まることが見てとれる。言い換えれば、災害や悲劇にも人気の有無があり、同情の質と量が異なることである。世界的にも、そして特に日本において圧倒的に人気のある災害は地震である。

何と言ってもインパクトが強く、ドラマがあり、絵になる。そのため、大きな地震の救援には義援金がどんどん寄せられる。阪神・淡路大震災には一七〇〇億円、台湾には三〇〇億円、トルコには二五億円が日本赤十字社だけでも集まっている。それらは国際赤十字全体で集めた台湾向け義援金の八〇・一五％、トルコ向け義援金の三三％をそれぞれ占めている。それに引き替え、被害額や被災者の多さではるかに大きくても、洪水や飢饉に寄せられる義援金はわずかである。毎年一二月に、日本赤十字社がＮＨＫと合同で行っている「海外たすけあい」キャンペーンは、年間を通じての世界中の人道危機の犠牲者救援を目的としているが、ここ数年その額は六億円前後で足踏みしている。

義援金が人々の自発的な善意である以上、世間の関心が集まっている災害にだけ同情が集まるのが人情というものであろう。しかし、人間愛がいかに美しく人間の自然の情であっても、それが特定対象にしか向けられないならば、それは所詮「人情」にすぎず、「人道」やそれに行動を伴う「人道主義」とは呼べないのではないだろうか。「人道」を標榜する救援機関の役割は往々にして身勝手だったり、思いつきだったり、情緒的で不条理だったり、動機も定かでないといった種々の「人情」を、普遍的な「人道」に組織し、目的にそって最大限に生かすことだろう。これに対し、人々の情に訴え、媚び、マスコミ受けを狙い、そこに存在価値を見出そうとするならば、到底人道機関の名には値しない。

人道的、救援団体としては、どんな犠牲者に対しても中立で公平であるべきである。国際赤十字は、メディアの関心を引かず人々に知られていない“non-CNN disasters”とも呼ばれる人道危機の犠牲者救援への支持を、どのようにして確保するかに腐心している。例えば数年来、アフリカの人道危機は深刻さを増しているにもかかわらず、冷戦後戦略的重要性を失ったために先進国の関心は薄れ、コソボや東チモールの影に隠れてしばしば無視され、忘れられている。

とにもかくにもＮＧＯの救援活動を支えるのは、一般市民の善意と協力である。大災害のニュースが流れた途端に、もっと早く救援班を出せ、もっと多くの人や物資を送れ、もっと情報を寄越せ、ボランティアを派遣しろ等々、さまざまな声が寄せられる。こうしたさまざまな圧力のもとでの活動を強いられるＮＧＯは、たとえそれがどんなにナイーブな無理難題であっても、その気持ちに配慮せざるをえない。しかし現実の救援には厳格な公平性や合理性が求められ、妥協は許されない。

実際には、多くの被災者は被災直後はともかく、広く信じられているように無気力でも、立ち直れないほど打ちひしがれてもいない。しかも職場に戻れないとなれば単純労働のマンパワーは有り余っていることになる。そこに善意とやる気だけのボランティアが大挙して、遠路はるばる高い運賃を払って出かける実際的な意味は少ない。もちろん本人にとっては有益な体験となろうし、ＮＧＯの代表として現地での活動や見聞を報告し、より大きな関心を引きつけ、支持を広げるためなら出かける意味があるだろう。しかし、近年の大規模な人道危機においては、救援に携わるプレーヤーが著しく増えている。そして今や活動の調整が国際社会の最も大きな課題となっている。したがって、現場で求められ役立つのは、国際的な救援の仕組みやルールに通じ、語学力と交渉力、専門性を備え、救援への適性をもった人材である。善意と情熱とやる気に満ちたボランティアを、「人情家」ではなく専門性を備えた「人道主義者」に育成していくことが急務である。

生存に必要な救援を受けることは当然の権利と考えられるようになってきているのに対し、救援することが果たして義務として定着しているかといえば、答えは一つである。途上国ではたとえそう受け止められたとしても政府の権力が伴わず、もっぱらチャリティに頼ってきたというのが実情である。しかし冷戦終結後には、救援することは人類の普遍的義務であるという考え方に変わってきている。そのため国際赤十字では、災害救援にあたるすべての機関（NGOを含む）が最低限分つべき基本的な共通の認識として、次の一〇カ条からなる「行動規範」を提唱し、遵守を呼びかけてきた。既に多くのNGOが加盟しているほか、一部の国際機関はNGOを支援する条件として、この行動規範の遵守を求めている。

災害救援における国際赤十字とNGOのための行動規範（仮訳）

一、人道の原則
人道援助を享受し、あるいは供することの権利は、あらゆる国のあらゆる国民にとっての基本的な人道的原則である。

二、公平の原則
援助は受益者の人種、信条あるいは国籍に関係なく、またいかなる逆差別なしに、人道上のニーズに基づいてのみ与えられる。

三、中立の原則

援助は特定の政治的あるいは宗教的な立場を利するために供されてはならない。
四、独立の原則
援助は、政府の政策の具とされてはならず、援助機関は政府に利用されないよう、その独立に注意を払わなければならない。
五、文化と習慣の尊重
活動地域の文化、社会構造、習慣を尊重しなければならない。
六、自立の促進
被災地の能力を見極め、人材、資材、企業等の活用を通して自立を促す。
七、参加の促進
援助を押しつけるのではなく、救援から復旧までの計画から実施まで被災者、地域をパートナーとして進める。
八、長期的な影響への配慮
依存心を植えつけたり、環境への悪影響を与えたりすることがないよう努める一方、災害に強い地域の体質作りに配慮しながら救援を行う。
九、救援活動の透明性の確保
協力者、被援助者の双方に責任を有し、活動が効率的に効果的に行われているかを評価し、その結果を報告する義務を負う。
一〇、被災者を広報活動において尊厳ある人間として扱う
被災者のイメージがネガティブにならないよう、マスコミとの対応に配慮する。

第二節　人道主義

1　新しい「中立」概念の模索

人道主義を救援において実践するには、人道ニーズを有するすべての人々に「公平」でなければならない。また、それを可能にするのが「中立」であり、しかもその事が支持者にも受益者にも知られていなければならない。特に紛争時の救援では、紛争当事者すべてに救援機関の中立の立場が認知され尊重されなければならない。

一九世紀半ばまで、戦場での慣行や指揮官の裁量にもっぱら委ねられてきた『犠牲者』の扱いに人道的な共通ルールを取り入れ、それに基づいて活動できる中立の組織を設け、その活動を国際的に条約で保障しようとしたのが、赤十字の創始者アンリ・デュナンであった。そしてジュネーブ条約(Geneva Conventions) で保障された「中立」を背景に、厳密な中立性が要求される人道危機において、中心的な役割を果たしてきたのが、赤十字国際委員会（ＩＣＲＣ）であり、各国赤十字社はそのもとに人や資金や資材を提供してきた。

赤十字国際委員会の中立が尊重されてきたのは、ジュネーブ条約で中立を保障されていることの他に、一八一五年のウィーン会議以降、唯一永世中立を保ってきたスイスの法人であることを挙げることができる。スイスは中立を守るために、いまだ国連にも欧州連合（ＥＵ）にも加盟していない。ただし、最近スイスの国民投票では七六%がEU加盟を支持している。また第二次世界大戦中、スイスは中立といいながら枢軸国に協力していたではないかなど、スイスの永世中立に対しても、いろいろな疑問が出てきている。しかし、それ以上に大きな問題は、中立の座標軸が冷戦後大きく変わってきたことである。では、何がどのように変わったのだろうか。

(1)　一般市民の犠牲者の増大

第二次大戦後、約一二〇の紛争があったが、そのうち四分の三にあたる九〇の紛争が、冷戦後の五年間に六一カ所で起きている。ほとんどは国内紛争であり、犠牲者のほとんどが一般市民である。一九九九年には、大戦後最高の二〇カ所で紛争があり、四〇カ所が紛争の危機を抱えていた。また、九〇年代には、四〇以上の紛争があり、五二〇万人の民間人と、一一〇万人の軍人が犠牲となったとする統計もある。その結果、国際社会の平和維持のコストは嵩み、冷戦終結前の八八年と、ピーク時の九四年とを比べると、その差は一六倍にもなっている。今日、国連の平和維持活動（PKO）は一五カ所で展開されており、三万人が携わっている。これを見ても、冷戦が終わっても「平和の配当」はまだないと言わざるをえない。こうしたなかで繰り広げられている平和維持について、以下のような見解が述べられている。

> 古典的な平和維持では、政府は国内でのコントロールが効き、インフラが機能し、法律制度が存在し、国際ルールが機能したが、今日では、しばしば政府は非効率で統治能力を欠き、政治的に分裂し、インフラは崩壊するか存在せず、司法制度はあっても腐敗している。こうした現実の下

で、市民に犠牲を強いることは政治的な戦略とすらなっている。現代の平和維持は、政治、経済、社会の統合に焦点を当てた業際的、国際的なものでなければならない。

第二次大戦中に無差別攻撃が増え、その反省から一般住民の保護に関するジュネーブ第四の条約ができたものの、冷戦後の紛争では圧倒的に一般住民が犠牲となっている。その条約の遵守を、監視するアンパイアの役割は従来赤十字国際委員会が担ってきたが、国連の安全保障理事会の決議に基づく人道的介入の道が開かれたことによって中立の座標軸が曖昧となったことが、時には混乱を招く原因となっている。安全保障理事会の決定は政治性が高く、人道的なグローバル・スタンダードの適用にあたっても、西側に都合のいいダブル・スタンダード（二重基準）ではないかとの批判も聞かれる。さりとて赤十字国際委員会に代わる知識と実績を備えた中立の機関も生まれていない。

(2)　人道救援機関と軍との関係

一九九〇年以降、国連や多国籍軍による平和維持活動の枠組みのなかで、軍と平行して、また時には協力して救援活動をする事例が増えてきており、人道救援機関と軍との関わり方を整理することが必要になっている。軍隊活動を平和維持活動に限定している場合にはあまり問題とはならないが、軍自らが救援にまで乗り出したコソボのような場合には、人道救援機関にとっては軍との距離の取り方がむずかしい。北欧諸国のように、政治的意志よりも人道的配慮が優先する場合には、軍隊と非政府組織（NGO）との協力はあまり問題がない。

しかし、国によっては赤十字が軍隊と同じ指揮命令系統に属し、単にラベルを付け替えて出てくるという場合すらある。そのため、赤十字国際委員会や国連難民高等弁務官（ＵＮＨＣＲ）が「人道的目標と政治的義務が混同され、中立性と公平さを混乱させる」ことを心配せざるをえないような状況が生じている。実際、ソマリアやボスニアでは平和強制型の国連軍介入により、国連の救援活動までが攻撃の対象となり、しばしば中断を余儀なくされた。東チモール、コソボでも、ＰＫＯは戦闘に巻き込まれ、シエラレオネでは五〇〇人以上のＰＫＯ要員が人質にされるという事件も起きている。

(3)　国内紛争における「中立」とは何か

冷戦終結後の紛争のほとんどは、国家間の紛争ではなく、国家と国家以外の主体との紛争が中心であり、「低強度紛争」とも呼ばれる。「国家」対「国家」の紛争の時には保てた赤十字の中立も、「国家」対「非国家主体」の紛争になった時には簡単にはゆかなくなっている。宗教・民族の対立、国家崩壊に伴う混乱等による紛争にあっては、「中立」の意味するところは自ずと異なるからである。例えば、インドネシアはもともとイスラム、東チモールはポルトガル系でカトリックである。そのため、スイス人中心の赤十字国際委員会の活動に対しても、インドネシア人は色眼鏡で見ることがあり、そのため例えば宗教的に中立の日本人から人を出すなどの配慮が求められることもある。また、インドネシア赤十字の前の総裁はスハルト前大統領の令嬢であり、そのため反スハルトの政変の際の救援活動では、中立のイメージで見られず、十分な活動ができなかった。

紛争当事者の一方を助けることは、敵対する側から見れば利敵行為と映り、しっぺ返しを食うこともある。双方を助けることは、どちらからも「こうもり」的としか理解されないことがあり、現地住民との摩擦も起きる。人口四四〇万人のシエラレオネの内戦では、二〇万人の死者を出しているが、二〇〇〇年五月には国連平和維持活動の要員約五〇〇〇人が人質となり、赤十字国際委員会も一時退去した。タンザニアにいるルワンダのフツ族難民は、ツチ族が支配するルワンダに向かう赤十字国際委員会のコンボイ（輸送団）に対して敵意を抱いていた。国家主権を尊重するとなれば、政府の了解を得なければならず、反乱軍の側を支援するのはむずかしい。中立の座標軸は、事例ごとに変わってこざるをえないというのが実状である。

こうした状況下でも、陥落直前の南ベトナムの赤十字がそうであったように、その国の赤十字で「中立」「公平」であると両方の側から信頼され力を発揮できれば問題はない。しかし、インドネシアでは赤十字は政府や軍と癒着していて信頼がなく、ボスニアやコソボにおいては、民族ごとに赤十字が存在するために、全国的な活動を展開できない状況であった。バングラデシュでは、赤十字自体の国際的な信頼性がない。こうしたローカルな問題が解決されないと、中立な立場を生かした赤十字ならではの活動はできない。私は、中立が相対的な概念であるならば、事例ごとにより中立的でありうる国からなる国際のチームを組織し使い分けるといった工夫が、より必要と考える。

国内紛争の結果生じた人道危機の救援活動のむずかしさを象徴したのが、一九九四年にルワンダで起きた大量虐殺事件であった。この時には、一七〇万人がザイール（現コンゴ民主共和国）、タンザニアなどの周辺諸国へ流れ込んだ。それから二年半、国境のキャンプで国際救援活動が行われたが、そのなかに虐殺の下手人を含む、多くの政府関係者や武装勢力が含まれており、難民を人質としてその帰還を妨害していた。ルワンダ政府は、国際機関が反政府勢力に手を貸しているために、難民の帰還が進み、治安がいつまでたっても回復せず、国の再建もできないと非難した。こうしたなかで、「国境なき医師団（ＭＳＦ）」は、「悪者」を助けるのは本意ではないとして、真っ先に撤退した。事実、ザイールでは難民が略奪や暴行を繰り返し、住民が反発していた。そして、九六年一一月に、ザイール国内の混乱に乗じて武装勢力が排除された途端に、六〇万人の難民が堰を切ったように一気に帰国し、タンザニアからも数万人が帰国した。

その直後の、九六年一二月一六日にキガリで開かれた救援機関の会議では、「悪者」をも助けなければならないことの矛盾や、これまで国境でやってきた支援活動の意味を問う議論が百出した。救援をしたために問題の根本解決を遅らせたのではないか。それはスーダンやアンゴラ（一九九二〜九四年）での援助が、反政府勢力の戦争継続の能力を高めたのと同じではなかったか。その一方で、「国際社会の問題解決への政治的意思がないことの代償として、救援機関に過剰な期待が寄せられている」ことを多くの団体が認識していた。結局、赤十字国際委員会は、「我々は救ける相手がいい奴か悪い奴かを判断する立場にはない」と言明し、国連難民高等弁務官も「餓え、あるいは紛争の『犠牲者』で救いを必要とするものは、政治的立場と無関係に助けるべき」と述べ、こうした同情の混乱に一応の結論を出した。

(4)　複合危機

冷戦終結後の特徴として、諸々の原因が複合的に作用して起きている人道危機が増えており、従来のように「戦時・平時」あるいは「人災・天災」といった単純な分類ができなくなっている。ソマリア、ルワンダ、旧ユーゴスラビア等の状況がそれにあてはまるが、こうした状況は「複合危機」と呼ばれ、国連機関間常設委員会（UN Interagency Standing Committee）ではそれを次のように定義している。

一つの社会、地域、国の中で、国内・国際紛争、あるいは自然災害の結果、政治・経済・社会状況が劇的に混乱し、人々の生存のための能力や国家の対応能力が著しく弱まり、分野を越えて総合的な国際的な対応を要する人道危機

このような状況のもとで、冷戦終結後の救援活動は、往々にして人道的動機と、それを裏づける「中立」の立場への理解が得らないまま行われており、そのために、救援関係者の事故が急増している。赤十字国際委員会では、第二次世界大戦をはさむ一九四二年から九〇年までの間の殉職者が一五人だったのに対し、冷戦終結後わずか六年間の殉職者の数は一八人にものぼっている。九二年にはボスニアで首席代表が殺害され、九六年にはブルンジで白昼三人の代表が殺害され、またチェチェンにおいて各国赤十字社の看護婦五人を含む六人が殺害されたことは、条約で保障された「中立」へのあからさまな挑戦であり、赤十字国際委員会は大きな衝撃を受けた。

国連難民高等弁務官でも九二年以降百数人が殉職している。赤十字国際委員会ソマルガ（Cornelio Sommaruga）会長は、「冷戦後、平和の配当どころか、冷戦のツケを命で払わされている」と怒りをふりまいている。日本赤十字社は幸いにも殉職者を出していないが、九九年には二一カ国に九四人を派遣しており、そのなかには、コソボ、チモール、スーダン、コーカサス、中央アジアなどの危険地帯も含まれている。九八年は難民・避難民と地震の被災者救援で、アルバニア、コソボ、トルコを移動して活動したチームもあり、安全確保には一段と気を使っている。

2 「平和」の概念の変化と人道主義の抱えるジレンマ

冷戦終結後のもう一つの変化は、「平和」の概念が変わり、紛争ばかりでなく「正義なき平和」の状態をも正そうという動きが強まったことである。戦争状態ではないが人権が公然と蹂躙されたり、貧困のもとで国民があえいでいるといった状況をも、対象とするようになってきている。

(1) 経済制裁のジレンマ

国連は平和に対する脅威となったり、大幅な人権抑圧が行われている国々に対し、「経済制裁」を課してきた。冷戦終結後には、イラク、ユーゴスラビア、ハイチに経済制裁を課し、その結果、これらの国々では物資の不足、価格の高騰、餓えや貧困、健康悪化を生み、それが人道上深刻な問題を投げかける結果となっている。そのため、国際赤十字は、その対応に大きな力を削がれている。医薬品、食料は経済制裁から除外されているものの不足し、結果として、社会的弱者が最大の犠牲者となっている。赤十字国際委員会は、経済制裁が「人道的犠牲という非常に高い代償を払って、最低限の政治的配当を手に入れた」にすぎないと断じ、ガリ国連事務総長も「制裁は最も弱い立場にある人々の苦しみを増幅するために、その苦境に対して無関心な政治的指導者に圧力をかける手段として正当性があるかどうかという倫理上の問題を投げかける」ことを認めている。確かに、イラク、ユーゴスラビアに対しては、経済制裁が続いているにもかかわらず問題の政権は依然として続いており、経済制裁が所期の成果をもたらしたかは大いに疑問があると言わざるをえない。

(2) 人道的干渉・人道的介入のジレンマ

国連は、「人道上」の理由から必要と認められる場合には、国家主権を一時制限しても軍事力行使を伴う「人道的干渉」への道を開いた。つまり、人道的支援を可能とするためには、軍事力を行使してでも救援活動の場を確保しようという考え方であり、そのためには、国家主権を一時的に制限するのも止むを得ないというものである。こうした立場を代表する一人に、「国境なき医師団」の創設者でもあり、現在コソボ暫定統治機構の代表を務めるベルナール・クシュネル（Bernard Kouchner）が挙げられる。彼は、赤十字の下でビアフラ戦争での救援活動に参加したが、公平・中立な立場で両側を助けようとする赤十字が、国家主権の壁にぶつかり柔軟に動けないことにジレンマを感じ、赤十字を飛び出して「国境なき医師団」を設立した。フランスにはより過激な「世界の医師団」という組織もある。国際法学者のなかにも、人道上の問題のある時には、国家主権は制限してもかまわないとの立場をとる人が増えてきている。湾岸戦争以来、人道的介入がしばしば行われるようになってきており、コソボの時には、軍事的介入までが人道的介入といわれた。

しかし軍事力を使う人道的介入の成果はといえば、湾岸戦争後に行われたクルド救援では成果を上げたものの、ソマリアでは失敗に終わった。特定のグループを排除しようとして反発を招き、一九九三年一〇月にアメリカ兵が一八人ほど死亡した（全期間では三〇人が死亡）際には、その死体が町じゅう引きずり回され、その映像がCNNで世界中に流れたアメリカは屈辱を味わい、PKOそのものが中止に追い込まれた。ガリ国連事務総長は、「紛争当事者の合意、公平・中立、自衛以外に武力を行使しないといった幾つかの基本原則を尊重することが、ここ数年の平和維持活動の成功の鍵であると確信するようになった」と反省を込めて報告している。赤十字でも、「片手に銃を持ち、もう片方の手でパンを配る」といった器用なことはできないという見方をしている。

人道的介入はフランスが先行し、欧米諸国がかなり同調してきている。しかし、アジアでは依然として国家主権の考え方が強い。日本政府も、主権国家の同意なしには、PKOは出すべきではないとの立場をとっている。コソボでは、国家主権を重視するロシアと中国の反対が国連安全保障理事会で予想されたため、国連はPKOを出せず、NATO（北大西洋条約機構）軍が介入した。その一方で、NATOはロシアとの対立を招きかねない面倒なチェチェンには介入せず、「人道的干渉」を使い分けしている。いずれにせよ、国連が国際社会の総意をまとめられず、あるいは国連の行動が人道上の問題を投げかけた時に、救援機関が取るべき「中立」の立場とはいかなるものか、検討していく必要がある。

第三節　人道危機の予防

大きな人道危機が起きてからの救援は必要だが、同時に「予防に勝る治療なし」と昔から言われるように、人道危機の原因を取り除く努力も求められる。そのルーツは、人道上のニーズが急増し始め、早くも「援助疲れ」が囁かれるようになった一九七〇年代の初めに遡ることができる。対症療法としての救援よりも、紛争の勃発を防ぎ、災害の影響を軽減するための対策（disaster preparedness）に関心が向くようになったが、冷戦時代はグローバルな対応は極めて難しかった。八〇年代に入ると、さらに災害の原因である環境破壊や、人口増、貧困など、その背景にある問題に目を向けることにより、災害を予防する視点から、開発協力の重要性が叫ばれ、「救援から開発へ」（From Relief to Development）のスローガンも掲げられるようになった。しかし、災害の誘因が大きくなるほうが遥かに速く、国際社会がいかに開発に努力しても、その速度を遅くすることは困難である。紛争についても、近い将来なくなる見通しが暗いとすれば、むしろ起きることを前提として、何ができるかを考え、それと並行して紛争予防や予防外交の可能性を探ることが重要であろう。赤十字の立場からも、人道危機の予防に何ができるかさまざまな角度から検討がなされている。その幾つかを以下に拾ってみたい。

(1)　国際人道法（ＩＨＬ）の普及

まずは、国際人道法の普及である。国内紛争が起きている地域では、その基本すら知られていないために、多くの残虐な事件が生じているからである。国際人道法の中心となっているのは、一九四九年に第二次世界大戦の反省に基づいてつくられた四つのジュネーブ条約（陸戦、海戦、捕虜、一般住民の保護）である。冷戦時代にはイデオロギー対立のためにその普及はむずかしかったが、今日では、国際赤十字は人道上問題のある旧ユーゴスラビア、旧社会主義国、アフリカ、ラテンアメリカなどでの普及活動に、特に力を入れている。主として国内紛争が増えたために、四条約を補足すべくできた七七年の二つの追加議定書についても、各国に対し批准を促している。

日本政府は、講和条約を結ぶ時の条件として、他の条約と一緒にジュネーブ条約に加入させられたという経緯から、国会でもいっさい議論がなされず、国内法も整備されなかった。一九七七年の追加議定書には批准すらしていない。憲法第九条の関係から、戦時に備えるための条約を普及することには抵抗があり、実際に戦争をしないのであれば必要ないと考えられてきた側面もある。

しかし、本当にそれでいいのだろうか。例えば、ペルーの日本大使公邸人質事件において条約上公邸内はまさに戦場であり、戦場の中に人質がいるという状況であった。日本のマスコミが報道するのは、人質の安全や健康ばかりであり、人質を条約に則りどう保護すべきかについての言及は一つもなかった。なかには蛮勇を奮い、公邸の中に入り取材する者まで現れたが、これは条約で禁止されている挑発行為である。こうした事態が増えることが考えられ、条約を普及していくことが、日本においても重要な課題であるといえよう。そのため日本赤十字社は、九九年のジュネーブ条約五〇周年には、日本政府にも働きかけを行った。その他にも在外の邦人が紛争に巻き込まれたり人質とされたり、自衛隊が海外派遣されるケースが増えており、国際人道法は日本にとっても到底無視できないものとなってきている。

(2) 非人道的兵器の禁止

非人道的兵器（軍事的必要性・有用性を上回る非人道性がある兵器）の禁止に向けて、赤十字国際委員会は一九八〇年の特定非人道的兵器条約に、対人地雷、レーザー兵器を加えるよう努めてきた。対人地雷廃絶に向けての動きは、救援現場の医師や看護婦の声が集約されて国際的な大きな動きとなり、ついには各国の政府を動かして新しい条約となって結実したが、このことは大きな成果であり、冷戦後の新しい動きといえよう。

(3) 国際刑事裁判所の設置

戦時には、極限状態であっても最低限守らなければならないジュネーブ条約に代表される人道的ルールがあるの対し、冷戦後は平時においてすら残虐行為があちこちで行われるようになっている。冷戦終結まで、国際人道法の違反に対する制裁は、事実上行われてこなかったが、旧ユーゴスラビア、ルワンダでの大規模組織的な人道に対する犯罪をきっかけに、制裁の必要性への認識が高まり、国連安全保障理事会により臨時国際刑事法廷の開設が決められた。ルワンダでは、部族対立から相手の大虐殺が行われ、いまだに八・五万人の容疑者が裁判の当てもないまま、劣悪な状況下に収容されている。その待遇改善に、赤十字国際委員会では、一二の刑務所と一九七カ所の収容施設の建設を手伝わざるをえなかった。また、司法制度再建のためには一九〇〇万ドルが必要といわれる。法律家も殺害されいなくなったため、四カ月の特訓により裁判官や検事を養成するといった活動も、国際機関の手で行われている。これまでにやっと七四件を裁き、一九九五年にやっと八人が起訴された。旧ユーゴスラビアでもミロシェビッチ大統領など大物容疑者逮捕は進んでおらず[2]、国際的にも警察と司法機関との協力が進んでいない上に、財政難が加わり、やっと五二人を裁き、一二人を起訴するに留っているという状況である。

また、国連は一九九三年に人権高等弁務官を任命し、各地に人権監視員を置いて活動を開始している。九八年には、オランダのハーグに常設の国際刑事裁判所を設立することが条約で決まり、六〇カ国の批准により発効する。既に九カ国が批准しているが、国家主権との調整など、いまだ多くの課題を残しており、発効の目途は立っていない。赤十字にとっては、残虐行為の目撃者として裁判所から証人喚問があった場合、中立の立場を犯さずにどういう対応をするかが懸案となっている。

第四節　日本の対応

最後に日本について考えてみたい。日本は、世界に冠たる政府開発援助（ＯＤＡ）大国である。一九九二年に制定された政府開発援助大綱は、基本理念として、人道的配慮、自助努力及び世界連帯を挙げ、実施の方針として、①環境と開発との両立、②平和的用途、③被援助国の平和志向に注意、④民主化促進、市場経済の導入、基本的人権と自由の保障に対する注意を挙げている。「民主主義国家間に戦争はなかった」とする研究（ブルース・ラセット）[1]や、所得・平均寿命・教育達成度を合わせた、いわゆる「人間開発指標（ＨＤＩ）」の高い上位三〇カ国（九四年のトップは日本）から難民は出ていないという報告（ＵＮＤＰ）を見ても、ＯＤＡが紛争の芽を摘み、平和への大きな貢献になりえることは確かだろう。

しかし、絶対額では一位を誇っても、ＧＮＰ比では開発援助委員会（ＤＡＣ）加盟国二一カ国中で下から三番目であり、また途上国の実情の分析や援助の方法について独自の見解を欠くとの指摘がある。開発協力や、その一部である緊急人道援助についてＮＧＯと理念を共有するなど、実施にあたって協力する姿勢も、欧米各国と比較して格段に弱いと思われる。今後の日本の検討課題をいくつか挙げてみたい。

第一に、官民を問わず、理念の面で問題があるのは、紛争の犠牲者への対応である。法的制度や、安全の絶対的優先、管理者の責任逃れ、犠牲者への同情の薄さ等々が重なり、対応に原則や一貫性がなく、人材も育たないうえ、活動の資金も不足がちである。戦時と平時の区別が曖昧になり、総合危機が増えるなかで、介入の規準を明確にし、国際社会からも評価される救援のあり方を模索すべきである。

第二に、日本では政府が中心になって救援チームを派遣し、日の丸を高々と掲げないとやった気がしないという思いが、政治レベルでも行政レベルでも相変わらず強い。この背景には、救援を委ねられる実力のあるＮＧＯが十分育っていないことが挙げられる。欧米諸国では、政府のＮＧＯへの財政支持に加えて、国連、政府、ＮＧＯ間を自由に移動しながら、救援活動のキャリアを積めるために、いい人材がどんどん育つ環境がある。国際的に通用するＮＧＯを育てるためには、官民協力の在り方を見直す必要がある。最近では国連難民高等弁務官事務所と救援ＮＧＯとの情報交換の場が設けられ、大規模救援の際の協力のあり方を議論するための会合が、定期的にもたれるようになっている。政府、ＮＧＯ、財界が、日本のプレゼンスを高めるため、ロジスティクスを中心とする協力構想が出され、二〇〇〇年には「ジャパン・プラットフォーム」が設立されている。

第三に、救援の理念、内容、調整の仕組み等あらゆる分野でグローバル化が、急速に進むなかで、わが国の発言力も存在感も、援助の規模に比べて依然として小さいままである。これまでは、国際的な枠組みに捕われず国内向けに活動をし、情報発信していれば済んできた。そのため、国際的にどう評価されるかなど、グローバルな視点に欠けていたきらいがある。

第四に、救援が大規模、長期化するなかで、国際的な取り組みがますます増えており、そのために国際救援機関の政策決定にかかわる日本人をもっと増やしていくことが、日本全体のプレゼンスを上げていくためにも必要となっている。

　こうした日本独特の状況を打ち破るには、官民の協力、ＮＧＯ間の協力、ＮＧＯに対する公的支援、情報交換、人材の交流等を促進することが不可欠であると考える。官庁間のセクショナリズム、ＮＧＯ間の無用なライバル意識、ＮＧＯ・政府双方の間での不信感を早く払拭しなければならない。また救援活動に携わる団体のスタッフ同志がつながっていてこそ、協力が可能となる面があり、日頃からの交流が重要となってこよう。他に国際救援ＮＧＯがなかった時代にできた日本赤十字社にとっても、他のＮＧＯとの交流を通じて互いに切磋琢磨していくことが一段と必要となろう。

【注】

（1）Bruce Russett, *Grasping the Democratic Peace*, New Jersey : Princeton University Press, 1993が、特に有名である。

（2）その後、ミロシェビッチは二〇〇一年四月一日に逮捕された（編者）。

第二章　カンボジアにおける人間の安全保障とＮＧＯの役割
――実践的事例研究

熊岡　路矢

はじめに――なぜカンボジアか

人間の安全保障が、どのように安心して生きていける状態をつくり出すかであるとすれば、普通の人々が生きていくうえで必要な安全保障とは、生命、肉体的安全、食料・水その他生存に必要な物資・サービスの確保という「欠乏からの自由」から、一般的治安・犯罪や戦争・内戦という「恐怖からの自由」に至るまで、多岐にわたる。これに対し、カンボジアは、第二次世界大戦後の世界において、「冷戦構造」下の局地戦争、独裁政権などの原因により、最悪の生存条件が普通の人々に強いられた国の一つである。そうしたなかで、カンボジアの人々は、一九九一年に結ばれた「パリ和平協定」を境に、恐怖と欠乏をともに経験してきた。そして、市民による自発的な国際協力団体であるＮ

GOが、こうした課題に実践的に挑戦し、また現在も挑戦し続けている国でもある。一九九一年のパリ和平協定調印以降は、カンボジア人自身のNGOも誕生している。

本章では、こうした歴史を踏まえつつ、カンボジアの人々が経験してきた人間の安全保障にとっての大きな二つの課題を、二つの時代を比較しながら、NGOの果たしてきた役割とともに考察する。

第一節　冷戦に翻弄されたカンボジア現代史

人間の安全保障を論じる時、ある時代のある地域の人々が問題となるのであって、抽象的な「人々一般」ではない。カンボジアにおける実践的事例を取り上げる際も、この国の人々の歴史的背景をしっかりと踏まえることが不可欠である。そこでまず、カンボジアが独立した一九五三年からの半世紀近くを、政変を中心に六つに時代区分し、簡単にまとめてみたい。

カンボジアは、フランスからの独立（一九五三年）以降、政権交代、革命などが連続して起きてきた。特に七〇年代の内戦とポル・ポト政権の一〇年間で、国と社会は徹底的に破壊され、消滅の危険すらあった。人々は、自分と家族の生命を必死に守ろうとしたが、戦争・内戦など極限状況のなか、多くの命が失われた。

(1)　比較的平和な王制時代（一九五三〜七〇年）

独立により、シハヌークを国家元首とする「カンボジア王国」が誕生した。比較的平和な一七年間の最後は、右翼片肺政権となり、七〇年、ロン・ノル将軍ら親米派によるクーデターにより、シハヌークは外遊中に失脚する。ベトナム戦争に巻き込まれる。

(2) 内戦の共和制時代（一九七〇～七五年）

ロン・ノル将軍を大統領とする「クメール共和国」が誕生する。しかし、五年間におよぶ「赤色クメール」＝「カンボジア共産党（ポル・ポト派）」との激しい内戦に敗れる。米国による空爆が行われる。シハヌークは赤色クメールと連携し、北京に亡命政権をつくる。

(3) 粛清・虐殺の共産制時代（一九七五～七九年）

ポル・ポトを首相とする「民主カンボジア」政権が成立する。中国による支援を受けながら、同政権はわずか三年八カ月の「粛清・虐殺」支配により、殺害もしくは強制労働・栄養不足・病気などで、一七〇万人もの自国民を死亡させる。また、ベトナムとの国境紛争を抱え、攻撃を繰り返す。七八年一二月、ベトナム軍と数百人のカンボジア人（ヘン・サムリンなど「親越派」およびポト政権反対者など）は、国境を越えカンボジアに攻撃を開始し、極度の粛清で自ら弱体化していた「民主カンボジア」ポル・ポト政権を二週間で倒す。翌年一月、「カンボジア人民共和国」（ヘン・サムリン政権）を樹立する。

(4) 復興を志したソ連・ベトナム型社会主義政権の時代（一九七九～九一年）

ヘン・サムリンを国家元首とする「カンボジア人民共和国」の時代である。フン・セン外相が、後に首相となる。ベトナムの「かいらい政権」という事で、西側諸国および国際社会から孤立し、いっさいの開発援助、貿易等、経済関係も拒否される。後に詳述するが、国連の議席も与えられなかった。

ここで、これまでの政治的構図をまとめてみると、以下のようになる。


【政権側】

プノンペン政府（ヘン・サムリン政権）は、一九七九年一月以降、ソ連東欧圏・ベトナムが支援する。


【対抗するゲリラ側・亡命政権側】

カンボジア共産党（ポル・ポト派）は、中国が支援する（タイ政府・軍部の一部も支援）。

自由クメール（ソン・サン派）は、米国など西側諸国が支援する。

王党派（シハヌーク派）は、中国、およびフランスなど一部の西側諸国が支援する。


こうした構図のもと、カンボジア内戦は国内紛争というより、いっそう複雑で解決しがたい国際紛争の様相を呈し、約一〇年間膠着状態にあった。戦争、内戦、カンボジアの孤立を通して、一般のカンボジア人の苦難と流血が長く続いた。

国際的には八〇年代半ば、ソ連におけるゴルバチョフ書記長の登場とその「緊張緩和」を含む「改革（ペレストロイカ）」政策の採用により、東西対決構造が弱まり、東欧の自由化などと並行して、最終的には「カンボジア問題」の解決にもつながった。

(5) パリ和平協定から総選挙まで（一九九一〜九三年）

九一年一〇月、「カンボジア紛争の包括的政治解決に関する協定」（パリ和平協定）が結ばれる。カンボジア対立四派、関係国、国連の代表者が調印する。国連カンボジア暫定行政機構（ＵＮＴＡＣ）により、一八カ月の暫定統治と総選挙（九三年）が実施される。「赤色クメール」＝ポル・ポト派が抵抗し、選挙妨害を行う。

パリ和平協定により、「ケマラ（ＫＨＥＭＡＲＡ：クメールの女性）」、「カンボジア人権・開発協会（ＡＤＨＯＣ）」など、カンボジアの地元ＮＧＯの誕生が可能となる。

(6) 総選挙から現在まで（一九九三年〜現在）

一九九三年五月の総選挙の結果、王党派が第一党、フン・セン人民党が第二党という政局に基づき、議会が発足し、憲法が制定される。「カンボジア王国」（シハヌーク国王）として再出発する。政府は全与党連合政権である。ラナリット王子を第一首相、フン・センを第二首相とする、珍しい二人首相制で出発する。

さらに新政権発足以降、国際協力も含め、援助あるいは投資ブームが一時的に起きる。しかし、受け入れ能力の限界や深刻な汚職などの問題から根づかなかった。九五年、サム・ランシー元蔵相などが野党を結成する。また、その指導により、外国資本による織物・衣服工場などでの劣悪な労働条件の中で、労働組合・労働運動も発足する。

九七年七月になると、第二首相（フン・セン）が第一首相（ラナリット）を放逐（クーデター）する。ラナリット（フンシンペック党）側が攻撃され、国外退去、もしくはカンボジア人民党側の武力により屈服する。この年、アジア経済・金融危機がタイを手始めに発生し、脆弱なカンボジア経済・社会を揺さぶる。

九八年、ラナリットの帰国などを経て、第二回総選挙が実施される。総選挙実施前後の約一年間で、百人以上が政治的な背景で殺されるが、一人も逮捕されなかった。国際的監視団も複数、派遣されたが、総選挙自体は、カンボジアの政府、人々、NGOの手によって行われた。特に投票・開票過程において、「受け入れられうる」結果をもたらした。開票結果、カンボジア人民党が第一党となったが、この結果をめぐり、数カ月、政治的な混乱が生じた。野党支持者のデモは、厳しく鎮圧された。紆余曲折を経て現在に至る。

以上、カンボジア独立以後の歴史を簡単に紹介した。本章では、こうした歴史を踏まえた上で、カンボジアの人々の安全保障を考えていきたい。

第二節　二つの時代のカンボジア民衆とNGOの役割（一九七九年〜現在）

カンボジアという国とその人々は、一九七〇年から約二〇年間、米ソ対決＝「冷戦構造」を背景とした局地戦争・紛争という国際政治の狭間で荒波にもまれてきた。そのカンボジアが、一九九一年の「パリ和平協定」以降、経済の「グローバル化」の波のなかで、性急に「市場経済」を導入した結果、極端な貧富の差と、開発独裁ともいえる政治・社会状況に、苦しんでいる。この二つの時代におけるカンボジアの人々の置かれた状況と、それに対するNGOの役割を比較対照するという意味も含め、冷戦時代後期と冷戦体制崩壊以後の二期に分けて検討する。そのため、ここでは、①「冷戦時代後期」（カンボジアにおいて一九七九年から九一年の「カンボジア人民共和国」＝ヘン・サムリン政権時代）と、②「冷戦体制崩壊以後」（一九九一年のパリ和平協定、および新政権誕生以降現在まで）を主に取り上げる。

1　「カンボジア人民共和国」の時代（一九七九〜九一年）

この時代を一言でいえば、先に述べたように、「復興を志したベトナム型社会主義政権の時代」であった。政治的には、ベトナム型社会主義をとり、東側（ソ連・東欧圏）の一員であった。カンボジア人民革命党（現在のカンボジア人民党）による一党独裁であったが、実質的には、ポル・ポト時代の破壊から「生き延びる」ための政権であった。内戦が継続し、十万人単位の戦死者が出た。経済的には、中央計画経済をとり、東側陣営からのみ援助が供与された。「ゼロあるいはマイナス」からの再出発であった。一人当たりのGNPの正確な統計はないが、五〇〜一〇〇ドル以下であったと推定される。八〇年代を通じて世界最貧国の一つであった。

ポル・ポト体制から生き残った者にとっても、政治・経済・社会的に極めて脆弱なカンボジアで、さらに生きぬくことは非常に厳しかった。総じて人々の体力は弱く、高血圧、心臓病、肝臓病、マラリアなど熱帯病やポル・ポト時代の心身の傷などから、四〇代、五〇代での死亡が多かった。乳幼児死亡率も著しく高く、八〇年代前半には、一〇〇〇人中二三〇人以上（約四人に一人）の乳幼児が、五歳になるまでに亡くなった。

(1) 国際的要因

こうした状況を長引かせてきた国際的要因として、次の三点が挙げられよう。

第一は、この国の戦乱の国際性である。もともと国際紛争としての「カンボジア問題」は、冷戦構造によって強いられた戦争・内戦から始まっていたが、一九七九年一月ポル・ポト体制崩壊以降も、この構造は続いた。西側の諸大国、国連からの認知を得られないカンボジアに対しては、限定的な緊急救援以外、いっさいの復興・開発援助、経済関係が拒否された。人々は健康状態・栄養状態が改善されないまま、食うや食わずのぎりぎりの生活を続け、また上記の国際的支援構造に支えられた内戦が継続したために、人々の不幸は続いた。

第二は、援助と国際政治の関係である。東西対決構造は、著しい国際援助の不均衡を生み出した。難民一人に約一四二ドルの国際援助が提供されたのに対し、国内のカンボジア人に対しては、一人当たりわずか約一・五ドルであった。私たちNGOが現地で目の当たりにしたのは、こうした援助の不均衡がさらなる難民流出を起こし、紛争と不安定な状態の継続に寄与していることであった。八〇年代の米国政府の戦略に位置づけられた難民援助は、多くの場合極めて政治性が高かった。援助が「磁石」となって難民を引き出すだけでなく、難民を出している国の内側で働こうとするNGOに対する資金支援に、あえてブレーキがかけられることもある。

第三は、国家による和平イニシアティブの欠如である。西側の国際社会のメンバーのうち、カンボジア国内での唯一の活動者であった国際NGOは、国内および国境の両方で、内戦による多くの死、地雷・銃創による負傷、著しい栄養障害による病気、若年者、幼児の死亡などを日撃してきた。自分たちの力不足に悩みながら、給水、学校、保健所の再建、農業・灌漑などの人道支援・復興協力を展開した。それと同時に、カンボジアをめぐる国際社会による「平和外交の欠如」を批判し、市民レベルでの平和アピールを行ったのも、ＮＧＯであり、政府ではなかった。八〇年代終わりに「冷戦構造」の終焉が見えてくるまでは、東西陣営のどの国家も、カンボジア和平へのイニシアティブを発揮できないでいたのである。

(2)　人々の状況と人道的介入——恐怖からの自由

以上の点から、ポル・ポト体制崩壊以降のカンボジアの人々の苦しみは、一〇年以上続くことになったといえよう。この間、ソ連東欧圏およびベトナムによる一定の援助・融資を別にすれば、緊急支援・人道支援のために国内に入った、少数の（西側）国際ＮＧＯが、基礎教育、基礎保健、福祉を含む社会サービスだけでなく、灌漑工事などの社会基盤整備すら引き受けることとなった。

八〇年代前半、井戸掘り給水活動で回ったタケオ州、プレイヴェン州などの農村地域における成年男性の少なさ、心身障害者の多さ、女性・子どもたちの健康栄養状態の悪さ、肝臓障害や感染症の蔓延は、忘れることができないほどの酷さであった。「カンボジア処罰」を狙った西側諸国による、カンボジア「孤立化」政策は、現地で実働するＮＧＯの人道的な観点からは、著しく妥当性を欠くものであるように映った。

国家公務員を含め、都市部の住民の衣食住の状態も非常に悪かった。公務員の給料は、米・塩・砂糖・石鹸などの現物支給であり、ドル換算でも月五～一〇ドルくらいであり、出会う人は皆、生活と家族を守るのに苦しそうであった。ただし、国境付近の密貿易や非合法商売で儲ける、ごくごく少数の政府・軍部・警察幹部がいたことも事実である。

時代が異なるため、止むを得ないことだったのかも知れない。しかし、九〇年代の言葉でいう「人道的介入」（たとえば、ＮＡＴＯによるユーゴ空爆など）を、ポル・ポト政権「民主カンボジア」に対して行ったベトナムが罰を受け、さらに理解しがたいことに「侵略」され、ようやく解放された側のカンボジアの人々が、ベトナム以上に罰を受けた。この八〇年代のカンボジアをめぐる状況は、歴史の「皮肉」として、日本を含む国際社会は、忘れてはならないと考える。

(3)　人々の状況――欠乏からの自由

全体としては、暗黒状態としても描ける八〇年代、より正確には、一九七九～九一年において、カンボジアの国内状況において、現在と比べてなお良かった部分もあった。「貧しさ」がかなりの程度、等しく共有されていたことである。土地（居住と耕作のための）の所有権・使用権の売買はできず、相互扶助もそれなりに有効に働き、その結果「土地なし農民」は生まれず、小農・貧農もなんとか生きていくことができた。たとえば土地に関しても、狭くても最低の土地使用権は保障されていた。したがって、子売り・娘売りのような否定的現象も非常に少なく、底辺層にも、人間として生きてゆける基本的条件があったのである。

もう一つの理由は、農村共同体などにおいて「相互扶助」の考え方や仕組みが生きていたことであろう。カンボジア農村の伝統的な「助け合い」精神と、社会主義的「連帯」＝「サマキ」の混合といったものであったが、労働力（男手や牛・水牛）の弱い世帯の田畑にも、地域の一〇～一五世帯が応援に入ったりして、田植え、草取り、稲刈りなどの農繁期を凌ぐことができた。都市においても、弱肉強食型の資本主義経済が入る前であったので、生活は苦しかったが、今日のような著しい貧富の差は生まれていなかったのである。

2　国際NGOの役割――「カンボジア人民共和国」の時代

この時代、カンボジア人自身によるNGOは、設立が許されていなかった。(西側)国際NGOは、自分たちの力にあまる復興支援を、カンボジアの政府機関・地方政府と協力して実施しながら、その一方で、西側国際社会からの唯一の代表者として、復興協力と平和のための提言を国際社会、関係諸国に対して行っていった。

この時期にカンボジア国内で活動した国際NGOは以下のとおりである。多くは、自国政府の反対を押し切って、支援者である市民の募金だけを頼りに、プノンペンでの活動を続けた。

アメリカン・フレンズ・サービス委員会(AFSC)、メノナイト中央委員会(MCC)、チャーチ・ワールド・サービス(CWS)、ワールド・ヴィジョン[以上、本部米国]
オックスファム(OXFAM)[英国]
カトリック「開発と経済連帯(CIDSE)」[欧州]
SOS「カンボジアの子どもたち」[フランス]
ルーテル教会ワールド・サービス(LWS)、世界キリスト教会協議会(WCC)[本部：スイス

（ジュネーブ）」
日本国際ボランティアセンター（ＪＶＣ）［日本］
赤十字国際委員会（ＩＣＲＣ）［スイス］
各国赤十字（フランス、スイス、スウェーデンなど）
（注）なお、タイ側では、一〇〇を超える団体が、政府や国連の公的資金も活用しながら、大規模難民救援活動を行っていた。協議体として、ＣＣＳＤＰＴ（タイにおける難民・避難民への救援調整委員会）がつくられていた。

これらのＮＧＯの一部は、それぞれ自国の市民団体などと協力して、一九八六年に「カンボジア国際ＮＧＯフォーラム」（事務局はオクスフォード。後にロンドン）を結成した。政治的に偏向することなく、一般のカンボジアの人々の声を世界に伝え、援助の不均衡是正を主張し、和平実現に向けた外交努力が開始されるべきことを、国連、各国政府に訴えた。Eva Mysliewcic, *Punishing the Poor*（エバ・ミシリエビッチ『ＮＧＯが見たカンプチア――国際的な弱い者いじめ』）をいくつかの言語で共同出版し、国際アピールの道具とした。

また、カンボジアが国際社会にようやく認知され復帰できる見通しをつくった「パリ和平協定」前後の九〇年から九一年にかけて、国際ＮＧＯはカンボジア地元ＮＧＯの誕生を支援し、次の時代と段階に備えた。

3　再生「カンボジア王国」の時代（一九九一年～現在）

この時代を一言で言えば、国連カンボジア暫定行政機構（UNTAC）管理下の九二～九三年を経て、総選挙後に新政権が誕生した時代である。

政治的には複数政党制をとり、二度の総選挙後、いずれも連合政権が誕生した。行政面を含め、実質的にはカンボジア人民党系の影響力が強い。法の支配というよりも、「強い人」（政治家・軍人など）による支配が行われているといえる。また、暴力が横行し、政治的暴力や殺人が起き、武器の拡散とともに、一般的治安を脅かす犯罪が横行した。

経済的には、弱肉強食型「市場経済」が拙速に導入され、極端な貧富の差が生まれ、さらに拡大していった。地元経済はあまり育たず、政治と癒着した海外資本（台湾・中国・タイ・マレーシア等）が登場した。また、土地売買が可能となり、経済的強者による買収や、政治的強者による強制接収により、「土地なし農民」が急速に増加した。社会的には、一部を除き、「相互扶助」システムが瓦解し、子売り・娘売りが急増した。「社会的安全網」が無く、ごく一部の有力者のための「経済開発」が進行した。

一九九三年の総選挙が、国連カンボジア暫定行政機構（UNTAC）の管理下で行われた際には、カンボジア人および地元NGOも、人権・有権者教育、選挙監視で活躍したことは確かであるが、すべてがバラ色であったわけでない。政党間の争いや、批判的な報道者・人権活動家の弾圧などで、四〇〇人以上が殺害された。権力側の犯罪では、容疑者の逮捕すらなされないことがほとんどであった。

こうした暴力の横行の背後には、暴力を働いても罪が問われない“IMPUNITY”文化があると言われる。

一方、織物・衣服工場など、収奪型海外資本による劣悪な労働条件に反発して、労働組合・労働運動も開始される。人権、開発、民主化、福祉などの分野で、カンボジアNGOが誕生し、成長するに従い、国際NGOは側面支援に回る。玉石混交、大小さまざまであるが、現在数百のカンボジアNGOが活動している。

4　NGOの役割——再生「カンボジア王国」の時代

「カンボジア国際NGOフォーラム」（一九八六年発足。九一年に「カンボジアNGOフォーラム」となる。事務所はプノンペン）を構成していたのは、カンボジア国内で活動していた救援および開発NGOであるが、その集合体として、「内戦」泥沼の八〇年代に、カンボジア和平への提言を各国政府・国際社会に行っていた。本来、国際NGOは、地元NGO、CBO（地元社会に根ざした団体）と緊密に協力して働くのが常であるが、当時の政治体制のもと、八〇年代を通じて、「地元NGO」は設立が許されなかった。和平実現がある程度見えてきた九〇～九一年の段階で、同フォーラムは、女性の開発NGO「ケマラ（クメールの女性）」（代表はSochua Leiperさん）や、人権・開発NGO「ADHOC（カンボジア人権・開発協会）」（代表はThun Saray《トゥン・サライ》さん）などの誕生を支援した。

八〇年代と異なり、国際NGOは、コミュニティ・レベル（地域開発）での活動、国内NGOへの支援、公的機関による開発援助など全体の動向の監視・提案へと活動の方向をシフトしていった。

弱体な政府機関および国内状況や必要性を反映し、九一年以降、誕生した国内NGOは、国際NGOや国連、国際機関の協力を得ながら、相互に関係する以下のような分野で活動していった。

〔緊急／難民救援分野〕
・緊急救援／国内避難民　・難民帰還／社会への再統合
〔開発分野〕
・地域開発／農村開発　・農業／農学　・水利／灌漑　・畜産／獣医　・女性と開発　・森林保護　・水／公衆衛生　・保健医療／HIV感染症対策
〔福祉分野〕
・心身障害ケア／リハビリテーション　・福祉／社会サービス　・子どもの福祉
〔教育／文化分野〕
・教育／訓練　・文化／芸術／芸能
〔社会・人権分野〕
・人権／民主化／市民社会
〔その他〕
・運輸／通信　・工業　・その他

短期間に結成された、カンボジアのNGOは一〇〇を超える。カンボジア全体の人材不足を反映し、力量・組織性において、総じて未熟な団体も多かった。欧米（特にフランスと米国）などから急遽帰国したカンボジア人がつくった半国際NGOや、国内NGOのなかには、活動自体より、外国政府援助、国際NGOからの資金を得ることを第一目的とするものや、名誉職的な意識の強いものもあった。しかし、NGOの淘汰を含めたすべての過程が、カンボジアにおける「市民社会」形成過程であり、「安心して生きていける社会」がつくられる過程であるともいえる。

一九九一年以降、カンボジアの問題は、貧富の差を拡大しないこと、および弱い立場に置かれた人々も生きていける道の確保（社会安全網の構築）、政府機関や権力者へのチェック機能強化を含む、より公正な社会の実現などへと、焦点が移った。農村での地域開発という意味で、CBO（地元社会に根差した団体）やNGOが、村単位での自然資源（森や水など）管理、土地・土壌と継続的に付き合える有機農業の普及、相互扶助の考え方と仕組みの普及などの活動を展開している。こうした活動は、直接には開発分野での活動でありながら、社会内の亀裂や対立要因を未然に摘む努力という意味では、紛争（再発）予防にもつながる活動とも位置づけられる。農村で生活できる人を増やす事は、何割かでも都市のスラムの問題を解決することにもつながる。

次に、政治的レベルとも関連して、紛争後復興という意味でも、次の紛争を防ぐという意味でも、最も重要でかつ難しい「社会・人権分野」で活動するNGO・活動者を取り上げ、現況と課題を示したい。

5　「社会・人権分野」で活動するNGOの事例から

一九九八年の第二回総選挙において、COMFREL（カンボジア自由公正選挙連盟）を率いて、総選挙前の有権者教育、有権者登録、投票日・開票日の監視活動を率いたトゥン・サライさんは、カンボジアの現代史を象徴するような厳しい人生を生きてきた。

行商を営む母に支えられ、プノンペン大学法学部に進んだサライさん（一九五一年生まれ）は、一九七五年四月に、ポル・ポト派によるカンボジア「解放」に遭遇し、農村部に強制移動させられる。大規模灌漑工事、樹木伐採などに従事する中、地方のポト派幹部からの言いがかりで、「政治犯」として数カ月拘置所に閉じ込められた。一九七八年後半のベトナム軍の侵攻とともに、ベトナムの支持を受けた「カンボジア人民共和国」が誕生し、ようやく拘置所から出ることができた。カンボジアはこの時点で、多くの知識人・人材を失っていたので、政権は、生き残った元教員、元学生に声をかけて公務員募集を行い、行政府をつくった。

サライさんは、社会科学院の副所長として研究者の道を歩むが、九〇年、複数政党制を提唱したという容疑で、他の五人の政府高官とともに、再び政治犯として逮捕された。プノンペン市内刑務所の「明かり取り」もない狭い部屋に閉じ込められ、病いにも倒れた。九一年一〇月のカンボジアについての「パリ和平協定」が彼の命を救い、調印直前にようやく釈放された。当時の政権（カンボジア人民党）や、海外から帰国する各政党（王党派や共和派）は、彼に政府や政党内の高い地位を申し出た。しかし、過去二度の政治犯としての苛烈な体験から、彼が選んだのは、市民・NGOの立場からカンボジアの市民社会（ふつうの人が安心して生きていける権利が守られる社会）を実現していく道であった。

サライ氏など複数の元政治犯や友人たちが、「パリ和平協定」直後に創設したADHOC（カンボジア人権・開発協会）は、全国に三〇〇人を超える職員、千人単位のボランティアが、被害者などの訴えに基づき、政治的殺人や権力濫用（土地の不法徴用など）のケースを調査する。他方、人権に関わる教育、あるいは民主的選挙を実施していくための有権者教育を行い、全国一〇万人を超える会員を擁し、選挙過程の監視にもあたっている。国連主導の管理下で行われた第一回総選挙（一九九三年）の時も、選挙の実施と監視の両面において、ADHOCなどのカンボジアNGOの活動は、現場レベルでの実務を支えた。また、権力者との緊張を生む人権侵害事件の調査などは、場合によっては「命懸け」になる活動である。人権および第二回総選挙に向けた一般市民教育、そして特に公務員（軍人・警察官を含む）教育は、カンボジアの民主化という長い道のりの実現に、徐々に効果をもたらしていった。

一九九七年七月の、第二首相（フン・セン）派による、第一首相（ラナリット）派放逐の「クーデター」は、もちろん不幸な政治的事件ではあったが、カンボジア人権NGOの活動とその意義・効果を再認識させる契機ともなった。局地的には「内戦状態」になったため、百名を超えるラナリット派の兵士・家族が、戦闘中あるいは逮捕拘留中に拷問を受け殺されるなど、悲惨なケースも起きた。しかし、人権NGOが行ってきた前記のセミナーなどが契機となり、両派の戦闘に至らなかった地域もある。また、追われる側の人員の庇護、逮捕された者への接見・保護が可能となった事例もある。人権NGOの活動者が、セミナー講師として、各派幹部・一般兵士・警察官との面識や話し合いのチャネルを確立していたことから、こうしたことが可能となった。日本のNGOネットワーク「カンボジア市民フォーラム」が、カンボジア人権NGOを支援するために、事件直後にプノンペンを訪問した。その際には、ADHOCシハヌークビル事務所に逃げ込んだラナリット派兵士二名が、ADHOC本部と人民党幹部との話し合いに基づき無事解放され、故郷のバッタンバン州に戻るという現場を目撃した。

現在ＡＤＨＯＣなどカンボジア人権ＮＧＯは、たえず権力側の圧力を受けながら、二〇〇一年（最新情報では二〇〇二年二月三日）に予定されるクム（＝集合村。行政の基本単位）レベルの選挙、二〇〇三年の第三回総選挙に焦点を置いて、活動を展開中である。

（注記）［日本の市民・ＮＧＯとの協力関係］

なお、参考までに、日本の市民・ＮＧＯとの協力関係について、簡単に紹介しておきたい。日本からは、前記「カンボジアＮＧＯフォーラム」と連携する、「カンボジア市民フォーラム（日本）」（事務局は日本国際ボランティアセンター（ＪＶＣ））が、一九九七年八月以降、九八年の第二回総選挙までに、現地に訪問団を三回派遣した。カンボジア人権ＮＧＯに同行する形で、カンボジア政府（人民党幹部）、各政党、国防省、軍、内務省、警察幹部に対して、①「内戦」に伴う逮捕者の人権保障、②政治的殺害・暴力の調査、容疑者の逮捕　③国際社会との協調、（地元・国際）ＮＧＯとの協力などを要望し、会談を行った。民主化におけるカンボジアＮＧＯとの連携を重視し、「カンボジア市民フォーラム（日本）」は、九八年七月の第二回総選挙に際しては、ＣＯＭＦＲＥＬ（カンボジア自由公正選挙連盟）の要望に基づき、民間の立場で選挙監視に参加した。実際には、ＡＮＦＲＥＬ（アジア自由・公正選挙連盟）（事務局はバンコク）の選挙監視団に参加し、タケオ州を受け持った。

第三節　カンボジア社会の現在と人々の安全保障の課題

カンボジア政府が、日本政府からのものを含め、かなりの額（三〇億ドル）の国際援助を受けながら、土地問題、基礎教育、基礎保健、福祉などの各分野において、カンボジアの普通の人々が安心して生きていける条件を有効につくっていない現実がある。そのため、①政府機関の援助受け入れ・実施能力・透明性を高める過程において、NGO・国連などとの連携を条件にしていく、②各分野において実績のある、地元NGO・国際NGO経由の支援も、積極的に選択肢としていくことが、必要であると考える。

一九九一年以降の流れを見ていくと、「社会的安全網」もないまま、市場経済導入が安易に導入され、極端な貧富の差（全人口の数%の援助・経済利権につらなる「富裕層」、少数の中間階層、農村・都市スラム中心に八割以上の貧困層）を生み出し、底辺の生活レベルを「貧しかった」八〇年代よりさらに押し下げ、崩壊させるという結果をもたらしている。

現行の国際援助のなかには、市場経済導入と民主化が両輪となって、社会経済発展をもたらすという考え方がある。しかし、カンボジアのような後発国や、中央計画型経済社会から市場経済へ最近、移行したばかりの国々に、単に「市場経済」を持ち込めば、社会開発、民主化などが進んでいないため、ごく少数の政治的経済的強者に富が集中する「弱肉強食」・「貧富の格差の拡大」型の社会になるだけである。人々の生活の安全は失われ、こうした社会構造の不安定が、次の段階での混乱や紛争につながることとなりうる。これが、NGOが社会開発・人間開発を強調し、経済活動においても、コミュニティや小さいグループの互助体系や、管理運営能力を高める流れのなかでの生産や商業に力を入れる理由となっている。

(1) 外部から国際協力を行う側の問題

社会を下から強くすることに一番必要であり、かつ困難を伴う「社会・人権分野」での活動に関しては、たえず外部社会との注意深い連携が必要となる。

① 人権・民主化等の課題に関して、外部からの「非難・説教型」アプローチと、「忍耐・関与型」アプローチがあるが、役割の整理・分担が必要であろう。軍事的威嚇、非難の「外発・外圧型」アプローチのみでは、一時的・表面的な改善しか得られないことは確かである。さまざまな外部援助における条件づけは、現地の人々・NGOの安全がより保障され、関与・発言権が強まる方向なら、肯定できるのではないかと考える。

② 法制化など法律面での整備も重要である。これに並行して、既に人権・民主化の活動を実践している地元の人々・NGOの活動を支え、安心して活動できる環境作りを支援していくこともまた、肝要である。現地NGOによる「人権・民主化」セミナーや選挙監視などに関して、国連、政府、国際NGOは積極的に支援すべきである。

ただし、カンボジアなどを例にとれば、地元NGOは、「仏教・寺・僧侶」や地元「長老」と連携するなど、地域の文化・価値観に根差したアプローチを工夫・活用している。「人権」は、西欧政治・社会・文化からきた普遍概念といわれているが、欧米日あるいは国連機関などからの外部者は、地元のアプローチを大いに尊重し、学ぶべきである。

③　繰り返しになるが、社会開発を意識しない、単純な「市場経済導入」や経済開発協力では、多くの場合（特に「開発独裁」的状況において）、既存の貧富の格差を拡大し、政治的な意味でも、強者―弱者の力関係を拡大するだけに終わる。極論を言えば、協力の大きな枠組を社会開発・人間開発に置き、経済開発をその一手段として位置づけるといった、抜本的な発想転換が必要であろう。

(3)　提案――各論

以下の具体的分野・観点で支援を行うことを提案したい。

①　一九九七年の二派衝突時において、カンボジア人権NGO等が、ある程度有効に「調停や逮捕者の保護など」に介入できた理由は、第一回総選挙以来、人権・選挙に関する「公務員セミナー」を開き、地域の軍・警察の幹部や一般兵士・警察官と面識をもち、話ができる関係を確立していたことが大きい。こうした活動は重要であり、現地NGOから政府・地方政府への影響の回路を拡大するものである。

②　選挙監視は、通常、「投票・開票」時点の前後に限定して語られることが多い。しかし、人権・民主化の問題は、はるかに長く広い関わりでしか解決できないものである。現地NGOなどの自主性を尊重しつつ、少人数であっても、長期の観察者・関与者を派遣すべきである。

③　国際社会、外部者がたえず関心をもち、注目しているということを、現地権力者（政治家、軍・警察幹部など）に伝えることは、権力乱用という状態に対する抑止になる。また、現地の活動者（野党、報道人、人権NGO）、一般の人々への保護にもなる。

第四節　むすびにかえて

過去二〇年、日本のＮＧＯメンバーとして、「マイナスからの復興」から「総選挙の実施や監視」に至る過程において、カンボジアの人々の「命懸け」に近い努力にたびたび触れてきた。たとえば、政治的殺人事件の追及、圧力のなかでの投票監視活動、一票を投ずるために何キロも歩いてくる山村の有権者の姿などである。ひるがえって、日本における政治に対する市民の乖離・無関心・嫌悪、その結果としての政治・経済・社会的状況の悪化を目にする時、単に「援助する側」「先進の側」と位置づけられない日本を、強く意識せざるを得ない。カンボジアの人々の活動は、「可哀相な後進の国」の事例ではなく、日本にもインパクトの大きい学びの事例である。

補　説　最近の状況について現地ＮＧＯ報告

二〇〇一年四月、筆者は約一〇年ぶりにタイ国境の町アランヤプラテートを訪れた。「難民景気」に沸いていた頃より、いくらか静かで落ち着いた町になっていた。しかし国境の検問所近くには、炎天下、多くのカンボジア（クメール）系の人々・子どもたちが、お金や水を乞い、あるいは旅行者の荷物を運び、日傘を差し掛けるなどして小銭を求めていた。一〇年前に調印された和平協定により、曲がりなりにも平和に生きていく環境ができたにもかかわらず、カンボジア社会からはじき出され、タイ側に押し出された人々である。九一年以来、カンボジアでは、政治的に国際社会に受け入れられることと、統合化する地域経済・世界経済（「グローバリゼーション」）の最下部に位置づけられることが、同時に進められてきた。「孤立」の八〇年代にはなかった大きな貧富の差が社会内につくられていった。

「カンボジアNGOフォーラム」（九一年に「カンボジア国際NGOフォーラム」から、名称を変更する。第二節4参照）は、平和と開発に関わる諸問題に関して提言を続けてきたNGOネットワークであるが、同時にカンボジアに関する多くの情報（「カンボジア情報事業」）を、地元から発信し続けている。最近の例を挙げて、安全保障に関わる現在の状況の一端を示したい。

【第一例　観光産業の伸長と、貧困層の子どもの苦しみ】

「観光の暗黒面がカンボジアの子どもたちを苦しめる――WTO（世界観光機関）プノンペン会議に向けて」

ローレンス・グレイ

国連および、子どもの生命・尊厳を守るため活動するNGOの統計によると、毎年約百万人の子どもたちが、数十億ドル規模のこの不法な性産業に引きずり込まれる。子どもたちは収奪され虐待され、HIV（性感染症）の危険にさらされる。年少者とのセックスを望む男性のための買春旅行案内が地下にもぐるとともに、インターネットが海外の子どもへのアクセスに利用されている。タイなどの国が買春旅行抑制において一歩進んでいる時に、これらの男性は、カンボジアなど、周辺のより貧しい、より低開発の国々へ向かう。
カンボジア底辺層の年間一人当たりの収入は一〇〇ドルにも満たない。貧困層の子どもが教育や保健医療を受けられる機会は限定されている。特に少女たちは、家計を支えるために学校から離脱する。他方、観光産業全般は上り坂である。アメリカ人旅行者の数は、九八〜九九年で約二倍、三万人となった。大部分の旅行者は、アンコール・ワットに代表される、豊かな歴史遺産や自然の美を鑑賞するために、この国を訪れる。カンボジア政府は、観光産業の経済的価値を高く評価し、次の三年間で観光客が三倍になることを期待している。しかし不幸なことに、買春観光も増大しており、この国における性労働従事者の三分の一は、子ども（一二〜一七歳）である。もっと小さい子どももいる。

性経験の全くなかった一五歳のリーは、叔母により四〇〇ドルで、五〇歳余りの米国人に売られた。のちにリーは、二〇代の日本人と五〇ドルで寝るよう強いられた。その後、中国人に三〇ドルで売られた。四〇歳のフランス人は、休暇の一カ月間、リーを占有した。彼が去ったあと、リーは「クラブ」で次のお客を待った。リーは心理的・肉体的な傷を受けていた。ある日警察とＮＧＯの手による売春宿の捜索により、解放された。

しかし、他の何千人かの少女・少年は、リーほど幸運ではない。たとえばＨＩＶに感染し、エイズ（ＡＩＤＳ）を発症し、年少のまま死を迎える可能性も高い。カンボジア政府と国際社会は、各国内法の強化（たとえば、米国では一九九四年の連邦法により、年少者を買春した者が厳しく罰せられるようになり、一定の抑制効果を伴った）と、監視と行動のための国際ネットワークにより、リーのような境遇にある子どもたちを救うべきである。

（注記）Laurence Gray は米国NGO、World Vision「カンボジアこども保護プログラム」の責任者である。この内容は、『ロサンゼルス・タイム』二〇〇〇年一二月一二日号に掲載されたものである。

【第二例　安定、安全に関わる現在の問題の諸相】

「カンボジアの〝安定〟は高まる圧力を支えきれるか?」

ピーター・エン『コリア・ヘラルド』二〇〇〇年一二月一一日

二〇〇〇年一一月二四日早朝に、「自由の戦士」グループが行った、プノンペン市内、閣僚会議、国防省攻撃は、一夜の突発的な出来事か。それとも、カンボジアでは何でも起こりうるという証明なのか。多くのカンボジア人は、政府批判者を抑える口実をつくるために、権力自体が「攻撃」を演出したという疑いも捨て切っていない。

権力者が犯罪を行っても罪に問われないという事実（〝IMPUNITY〟の問題）は、「政府は、国民を助け指導するというより、支配し搾取するために存在している」という感情を国民全般にもたらしている。過去数年間の数百にのぼる「政治的殺人」と思われる事件について、一人の容疑者逮捕も行われていない。私的な側面もあるが、政治的有力者の愛人が硫酸を浴びせられるなど、残酷な方法で襲われたり殺されたりしたが、容疑者（直接には、これら有力者の妻たちが疑われている）の捜査・逮捕も、過去一年間、一切行われていない。

地方政府による権力の濫用。兵士が農民から土地を奪う。売春宿経営者が若い女性や少女を誘拐する。警察が容疑者を裁判抜きで即決処刑する。法執行者が腐敗しているか、権力の上層部から影響を受けているために、権力者が罰されることは稀である。

ますます富んでいく少数者とますます貧しくなる多数者の間の、また都市と農村との間の、緊張関係は悪化している。一九九一年以来、三〇億ドル以上の外国援助にもかかわらず、生活条件の改善について国家はほとんど何もしていないように見える。平和時においても、国家財政の四〇%が軍事・警察に使われており、保健、教育に関しては、ほんの少しの予算しか回されていない。WHO（世界保健機構）は、保健ケアに関して、カンボジアを一九一国中一七四位に位置づけた。アジアでは、軍事政権のミャンマーを除き、最悪である。

多くの人々が、経済の不公平や収奪に怒っている。わずか数年前と異なり抗議デモも一般的になった。野党、学生、教師、タクシー運転手、織物工場労働者、土地なし農民が、デモに参加している。特に土地問題は深刻である。カンボジアの八〇%の人々は、農村に住み、生活のために農業を営む。英国のNGOであるオックスファム（OXFAM）の調べによれば、土地なし農民は既に一三%を超え、さらに増加している。その多くは、一度は土地を持っていたが、貧困のために売らざるを得なくなったか、あるいは何ら補償も無く、軍隊または地方行政官によって奪われた人々である。

日程がまだ決まっていないが、クム（集合村＝commune）レベルの選挙および旧ポル・ポト派幹部への裁判も、紛争の種となる。一六〇〇強のクム（基本的な行政単位）の首長は従来すべて、政権党である「カンボジア人民党」が選んだ。今回、選挙となれば、民主化への初めての挑戦となる。ただし、選挙・行政法はカンボジア人民党に有利につくられている。

また、国連とカンボジア政府とが協力するポル・ポト派幹部の裁判も、長期的には、国民の「癒し」と融和に役立つであろうが、短期的には、敵対関係の再燃になる危険性が強い。ポル・ポト時代に家族を殺された被害者は無数にいるが、他方で、当時の「殺人者」が近隣で自由に生活している。裁判による被告が多くなるほど、社会的安定が崩れるという脅威がある。特にイエン・サリ元副首相（一九九六年に数千人の部下とともに現政府に帰順・降伏した）を標的にした場合、カンボジアの安定は大きく揺らぐ可能性がある。

また「改革」に熱心な援助国、融資機関から、カンボジア政府への圧力も大きくなっている。不法伐採の禁止、税の徴収、公務員・兵員の削減、法制・機関の改正、良き統治の促進などを目的として、カンボジア政府に対して改革を迫ってきたが、実施の速度は極めて遅い。こうした改革の最初の段階はともかく、徐々に、権力者の力と役得ないし特権を浸蝕する段階に入れば、既得権益者からの反発・反動は大きいものとなる。行政（公務員）と軍（軍人）は、フンセン人民党の権力基盤である。

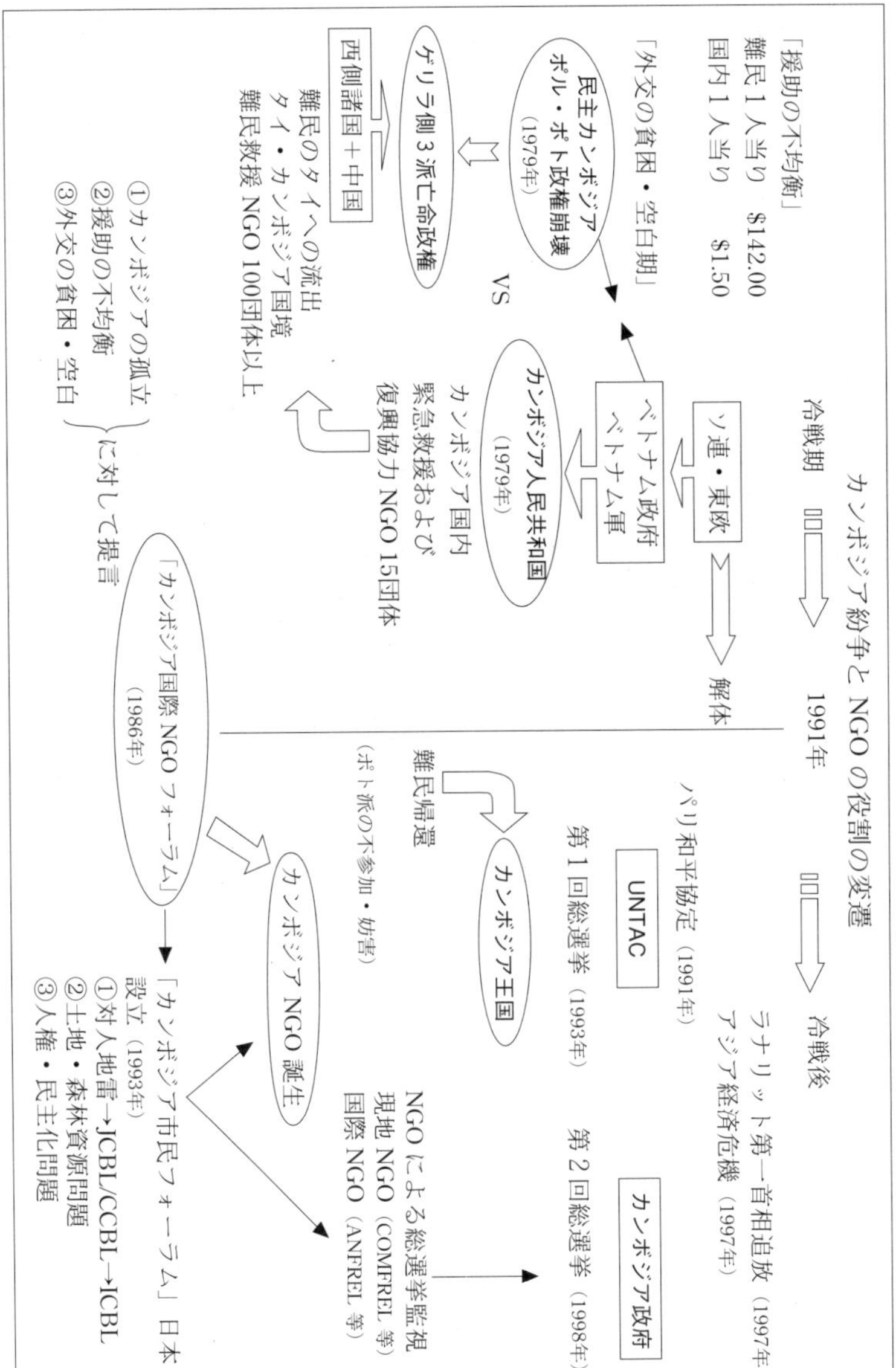
カンボジア紛争とNGOの役割の変遷
冷戦期
1991年
冷戦後
「援助の不均衡」
難民1人当り　$142.00
国内1人当り　$1.50
「外交の貧困・空白期」
民主カンボジア
ポル・ポト政権崩壊
(1979年)
ソ連・東欧
解体
ベトナム政府
ベトナム軍
カンボジア人民共和国
(1979年)
VS
ゲリラ側3派亡命政権
西側諸国＋中国
難民のタイへの流出
タイ・カンボジア国境
難民救援NGO 100団体以上
カンボジア国内
緊急救援および
復興協力NGO 15団体
①カンボジアの孤立
②援助の不均衡
③外交の貧困・空白
に対して提言
「カンボジア国際NGOフォーラム」
(1986年)
パリ和平協定（1991年）
UNTAC
第1回総選挙（1993年）
カンボジア王国
難民帰還
（ポト派の不参加・妨害）
カンボジアNGO誕生
「カンボジア市民フォーラム」日本設立（1993年）
①対人地雷→JCBL/CCBL→ICBL
②土地・森林資源問題
③人権・民主化問題
ラナリット第一首相追放（1997年）
アジア経済危機（1997年）
カンボジア政府
第2回総選挙（1998年）
NGOによる総選挙監視
現地NGO（COMFREL等）
国際NGO（ANFREL等）

【参考文献】


池田維『カンボジア和平への道――証言　日本外交試練の五年間』都市出版、一九九六年。

今川幸雄『カンボジアと日本』連合出版、二〇〇〇年。

エバ・ミシリエビッチ著、栗野鳳訳『ＮＧＯが見たカンプチア――国際的な弱いものいじめ』ＪＶＣ／連合出版、一九八八年。

熊岡路矢『カンボジア最前線』岩波新書、一九九三年。

クリストフ・ペシュー（Christophe Peschoux）『ポル・ポト派の素顔』日本放送出版協会、一九九四年。

河野雅治『和平工作――対カンボジア外交の証言』岩波書店、一九九九年。

近藤順夫『ゆれ動いた三七二日――カンボジアＰＫＯ』日本評論社、一九九四年。

三好範英『カンボジアＰＫＯ』亜紀書房、一九九四年。

山田寛『カンボジア現代史二五年』日中出版、一九九八年。

第三章　フランス緊急医療NGOにみる人道的介入

重光　哲明

はじめに

日本では、七〇年代末のカンボジア難民の事態をきっかけに、海外援助や医療援助NGOの活動が本格的になった。しかしながら、「人道的介入」——つまり「人道主義」を主張した海外への「介入」という考え——が押し出されてきたのは、南の地域住民への、単なる「連帯」や「援助協力」を目的とするボランティアやNGOではなかった。「人道的介入」を主張し始めたのは、政府や行政であった。公的援助の限界を、NGOやボランティア団体と有機的に結合させて解決するという、八〇年代から国際社会で主流となった方式を、日本でも採用して、外交戦略にも利用しようとするものであった。

こうして、八〇年代半ばに、政府外務省によって、緊急医療援助のための日本緊急災害医療援助チーム（ＪＭＴＤＲ）が結成された。国家による上からの「人道的介入」の組織化である。この時初めて、保健医療ＮＧＯの活動家の一部から、「人道的介入」をめぐる議論が出された。保健医療を突破口に、自衛隊海外派兵容認につながることへの危惧であった。その後、この問題が真剣に討議されることはほとんどなく、当時の保健医療ＮＧＯの活動家の大多数は、なし崩し的に、外務省や厚生省が組織するこのチームに関係し協力した。

しかし外交的効果はともかく、緊急災害医療の実際の効果は限られ、結局はメディアや世論操作に巧妙に使われただけだった。そして、組織力と機動力のあるプロフェッショナル（専門的）でより効果的な緊急援助へ脱皮するために、国際緊急災害援助チームの主体は、緊急医療から、機動力、組織力、緊急機材に勝る消防救助隊、警察、自衛隊へと移行した。緊急医療スタッフは、むしろ国内世論や外交対策のオブラートにすぎなくなった。こうして、日本政府や外務省は、「国際的貢献」や「人道主義」の名のもとに、国連平和維持活動（ＰＫＯ）への参加を通して、日本の国際社会での地位向上に利用しようとする意図を実現した。

一九九五年の阪神・淡路大震災は、国内の事態とはいえ、ボランティア運動や民間ＮＧＯと地方自治体、中央行政や自衛隊との関連で、「人道的介入」の議論をさらに深める機会となった。最近、東京都の震災予防訓練で用いられる上からの論理も、国外での「人道的介入」についての政治的考えを、国内に敷延したものと考えられる。

これに対し、フランスでも日本と同様、国外だけでなく国内の貧困対策でも、「人道的介入」の理念のもとに、人道ＮＧＯと政府の協調した活動が実施されている。本章では、「人道的介入」について、フランス緊急医療ＮＧＯの事例をもとに、検証していきたい。

まず、フランスの国際緊急医療ＮＧＯにみる「人道的介入」をめぐるこれまでの論議と、実際の活動のいきさつを簡単に述べる。次に、ルワンダとコソボの事態の際に、この「人道的介入」が、実際の現場の地域住民が体験した現実の「苦痛悲惨」、「生きられた現実」をどのように変形操作して、政治的目的実現に使われたかを検証する。そして、「人道的介入」の問題点を挙げることにする。

第一節　フランスの緊急医療ＮＧＯと人道的介入

フランスで「人道的介入」が議論され始めたのは、政府や行政など、上からではない。南の現場で救急医療に参加した医師を中心とする専門家たちの活動や、ＮＧＯなどのボランティア団体の具体的な現場の行動の限界からであった。国家主権、国境、国際政治関係の制約が、被災者や被害者である住民へのアクセスの障害となる問題を、どのように解決し、分け隔てなく緊急援助が実施できるかという、具体的な行動のなかから生まれたのである。

つまり、あらかじめ抽象的で普遍的な「人権」や「人道」から出発して、「人道的介入」の発想が起きてきたのではなかったといえる。しかし、この「人道的介入」を言い出した医師やＮＧＯの活動家たちのほとんどが、六八年のフランスの学生運動の経験者や、政治活動家であり、既に一定の政治経験をもっていたことも事実である。そのために、八六年以降のフランスの政権には、保守革新を問わず、必ず緊急医療ＮＧＯ出身の医師が、人道援助大臣などの閣僚に名を連ねているのである。

1　「国境なき医師団」創設グループと人道的介入

フランスのNGOの間で、「人道的介入」が公の場で取り上げられたのは、一九八七年一月二六日から三日間パリで開かれた、「人道的権利と道徳」を主なテーマとする国際シンポジウムにおいてであった。ベルナール・クーシュネル医師の率いるフランスの緊急医療NGO「世界の医師団」と、国際法の専門家マリオ・ベッタティ教授が所属するパリ南大学法学部が共催した。「人道的（内政）干渉の義務」を国際社会や国連に提案し、「人道的介入権」の呼称は一般的になった。当時のフランス大統領や国連事務総長を動かして、「国家主権を侵犯しても人道主義活動を保障する」という国連提案を実現し、国際法的解決の道を開いた。

クーシュネル医師は、一九九九年度ノーベル平和賞を受賞した、フランス生まれの国際緊急医療NGO「国境なき医師団」の創立者であり、名付け親でもある。六八年にナイジェリアで起きたビアフラ紛争で、国際赤十字から派遣されたフランス人医師（クーシュネルら）を中心に、七一年に緊急医療援助を目的として結成された。内政干渉を避ける国際赤十字本部の決定で、現地での住民犠牲者に対する緊急医療活動を諦め撤退を余儀なくされた経験が、創立のきっかけであった。

六八年世代の創立者グループは、当時から、従来の赤十字の国家主権尊重、内政不干渉原則により、国内紛争や内戦時に活動ができないという限界を超えて、敵味方、加害者・被害者の差別なく、被災者救援のための介入が実現できるかを、活動の課題にしていた。そのため、国内紛争時にも国家主権を侵犯しても介入して活動するという実践行動の政治性については、一貫して自覚していた。現地の事情を伝え北の世論を動かすためには、メディア、有名人、政治家を動員し、被災者救済の目的を実現するためには、政府、国際機関、軍隊との共同行動も辞さなかった。弱者への連帯、団結、少数派への加担を一方では主張しても、だからといって、緊急援助の中立性を主張するようなナイーブさもなければ、政治的党派性を隠すような路線の不透明性もなく、明解であった。この創始者グループは、七九年に、ヴェトナムのボートピープルの救援、受け入れをめぐって、後の新世代メンバーに追い落とされ、ほぼ全員が組織から集団脱退して、クーシュネルを中心に、新組織「世界の医師団」を創設したのである。

一九八七年の「人道的介入」の国際シンポジウム以降も、紛争が起きるごとに、国際機関や国際法の領域で、「人道的介入」路線を積極的に主張し、推し進めてきた。それだけでなく、コソボ紛争の収拾に際して、クーシュネル医師は軍事対立収拾後、初代の国連コソボ暫定統治ミッション（ＵＮＭＩＫ）の最高行政責任者となった。

2　新世代「国境なき医師団」と「人道的介入」

一方、一九七九年に旧世代を追い落として指導権を握った、「国境なき医師団」のパリ本部の新世代のリーダー（クロード・マリュレ医師、ロニー・ブローマン医師）たちは、八〇年代に入ると、普遍的人権、人道主義や政治的中立性を唱えた。また、北の高度技術を駆使し、最先端機材を集中投与した、効率よいプロフェッショナルなＮＧＯの企業化（本部の常勤化、有給化）、アングロサクソンの援助ＮＧＯを見習った、巨大な組織力を誇る緊急医療のチャリティー・ビジネス化に邁進した。当時のレーガン、サッチャーなみのネオリベラル路線である「小さい国家」を原則とし、国家や軍隊によるＮＧＯへの干渉や操作に対し拒否を唱え、国家論理、国際社会、国連政治からの独立を主張した。しかし、まだ冷戦体制下にあったので、実際の派遣行動は国際政治から無縁ではありえず、客観的には中立どころか、単なる反ソ親米路線でしかなかった。

クーシュネルらの「世界の医師団」が一九八七年に「人道的介入権」を主張した後は、一貫してこれに反対の論陣を張っていたが、実際には競合する組織同士の単なる反発にすぎなかった。その証拠に、対抗組織による「人道的介入」国際シンポジウムの翌年には既に、スーダン紛争に際して、南部でのＮＧＯ活動の安全を保障するために、現地への国連平和維持軍派遣を要請している。これは、新世代「国境なき医師団」の代表、ブローマンが、同組織の前任代表マリュレが人道大臣をしていた、当時のフランス保守政府を通して要請したものであった。

一方、九一年の湾岸戦争のイラク内少数派クルド系住民、シーア派住民への食料援助や、九二年のソマリア紛争中の食料援助に対して、国連が人道援助を可能にするために介入した際には、これに協力した当時のフランス革新政府にいた人道大臣クーシュネルに対する非難の大キャンペーンを、フランス国内のマスメディアを使って展開した。表向きには、外国軍や他の国家の干渉による「人道的介入」、「国家による人道活動」に反対する非政治ＮＧＯの旗手を演じていたのである。

しかし、ルワンダの事態に際して、「国境なき医師団」は、フランス政府に対し、人道的軍事介入を率先して提案し、自らもフランス軍支配地域（「人道ゾーン」）での緊急医療に協力した。結果的には、大虐殺を起こし敗走する親仏多数派フツ系政府軍の延命に加担した。「国境なき医師団」の八〇年代からの新世代指導者たちは、他のＮＧＯ組織や組織内部から、今までの「人道的介入」に関する主張に反するだけでなく、フランスの覇権主義的国家利害と新植民地主義的政策に加担したとして非難され、指導部は交代を余儀なくされた。

そして、冷戦後の情勢のなかで、民間である緊急医療NGOの活動の限界が明らかになり、緊急派遣現場が激減し、さらに集金力も停滞したため、今までの路線を一八〇度転換することを余儀なくされた。コソボ紛争では、NATOの軍事介入時や、国連平和維持軍管理下の難民キャンプで協調して活動し、実質的には、「人道的介入」派に合流した。この直後の一九九九年に、この組織がノーベル平和賞を受賞した。しかし、今は競合する別組織「世界の医師団」に所属するクーシュネルら「国境なき医師団」創設者グループの、三〇年来の「人道的介入」路線の業績が評価され、国際政治を動かし平和に貢献したとして与えられたため、組織内外に戸惑いと論争が起きた。

第二節　ルワンダの事例

一九九四年春、中部アフリカのルワンダでは、多数派フツ系政府支持派が、少数派ツチ系住民や反政府派を大規模に虐殺するという混乱が発生した（筆者はフツ、ツチなどの部族分類を認めない立場であるが、一般報道で使われたので便宜上使用する）。その直後、国境外に長年移住させられていたツチ系反政府軍の反攻で、虐殺の責任者を含む政府軍とフツ系住民が国外へ追撃され、大規模な難民が発生する事態を引き起こした。その際、人道ゾーンにおける緊急医療援助NGO「国境なき医師団」の活動と、フランス軍の軍事介入とがセットになった人道的軍事介入（「トルコ石」作戦）が実施されたが、人道的な目的も、和平への意図も貫徹できず、失敗に帰した（結果的には敗走するフツ政府軍の延命と立て直しになり、紛争の長期化と周辺国への地域紛争拡大の原因となったのである）。その後も、中部アフリカの地域紛争や戦乱がさらに拡大し、住民に大量の犠牲者が発生した。北からの人道的介入の波が去って、この地域の現在の膨大な犠牲者は忘れ去られている。

それでは、ルワンダの事態の具体的な局面で、フランス政府や国際機関が、「人権」や「人道」、「人道的介入」の概念をマスメディアや世論で操作し、緊急医療援助ＮＧＯを巻き込みながら、どのように軍事介入を正当化し、自分たちの政治的外交的目的を貫いていこうとしたか、を示すことにする。

1　事態発生以前——人権や人道の選択的適用

事態発生以前は、ルワンダで多発する現地住民の間の日常的な政治・社会・経済的紛争は、すべて「人種」や「部族」対立に翻訳された。「人権」や「人道」などの普遍的な理由で、救援や介入の対象にされることはなく放置された。「人権」や「人道」的観点からの保護は、ごく一部の要人や有力者と、西欧の旧植民者、外国人居住者、国際機関、駐留軍だけを対象として適用されていただけであった。多数派フツを中心とした政府権力の一部が煽りたてる人種主義的な宣伝が、ルワンダ社会の現地住民の間で日常的に進行していることや、私兵による少数派の迫害、物理的排除の準備のための組織化には、ほとんど目をつぶっていた。

ルワンダの首都キガリや国境周辺などを中心に、フランスの緊急医療援助ＮＧＯ（「国境なき医師団」、「世界の医師団」など）が、いずれも長期にわたり活動を続けていた。しかし、「人権」や「人道」を語るのは難民キャンプの内部だけであった。皮肉なことに、大虐殺事態発生の一週間前には、首都キガリで、「表現の自由に関する国際シンポジウム」がルワンダ政府の主催で開かれ、ルワンダの政府要人や有力者知識人だけでなく、世界各国から「報道の自由」や「人権」の専門家やＮＧＯが参加した。

2　事態発生直後――人道的介入の無力

大統領搭乗機の墜落をきっかけに大虐殺が開始すると、徐々に犠牲者の映像が北のメディアで報道された。また、住民虐殺の際の凄惨なあり様を映像で流すことによって、この虐殺の野蛮さと異常性とを強調し、「苦痛悲惨」をことさら悲壮化し、センセーショナルに演出し、スペクタクル化した。特に、国連平和維持軍の複数のベルギー兵虐殺事件が、北のヨーロッパの世論の反響をいっそう増大させた。

この時点では、今まで「人権」や「人道」を口にしていた現地のフランスの緊急医療ＮＧＯは、実際には事態に反応せず沈黙を保ち続けた。すぐ反応した宗教ミッションとは好対照であった。それは、メンバーの安全確保もあるが、組織的な大虐殺の場合、ほとんどが既に遺体となった犠牲者ばかりであり、北の高度な医療技術で効率よく救命救助できる治療可能な犠牲者の数が、限られていたからでもある。こうした「絶対的な」惨事の場合、「人道的介入」は対応できないのである。「大惨事」、「絶対的な苦痛悲惨」の際には、「加害者も被害者も差別しない」、「敵も味方もない」と中立性を主張したり、抽象的で普遍的な「人間一般」から出発し、「人権」や「人道」を主張する人道的介入型の緊急医療NGOは、無効である。そこは、機動力と組織力を誇る軍隊組織による責任者追及、秩序回復の独壇場なのである。

さらに、ルワンダの事態のように、大虐殺の直後から加害者と被害者が明瞭に断定され、責任がはっきりしている場合、現状告発の役割は少ない。これとは逆に、救助や治療が可能な「相対的な苦痛悲惨」に関してのみ、北のNGOなどの人道的救援や介入は有効性を発揮できるだけである。緊急医療NGOや外部からの人道的介入を正当化する時に用いる、被災現地の住民や犠牲者といった直接の当事者からの呼びかけ（援助要請）は、「絶対的惨事」の際には、実際にはほとんどありえないことである。

3　人道的軍事介入までの過渡期——人道的介入の準備と始動

フランス政府の国家的理由による人道的介入を可能にするためには、「人権」や「人道」の名のもとに、「被害者への無差別」の救援、「政治性のない」介入から、「加害者を犠牲者」に変える「哀れみ（憐憫）の政治」の成立条件が必要であった。つまり、「人道的介入」により救助可能な、憐憫の対象となりうる、「苦痛悲惨」をもった犠牲者を選んだり、新たにつくり出す政治的操作が必要なのである。事態発生から、フランス軍による人道的軍事介入（「トルコ石」作戦）までの三カ月は、メディアや世論操作を通じて、その条件をつくりあげるための政治的な準備期間であったといえる。

さらに、ルワンダから押し出された旧政府軍や多数派フツ系避難民が、ザイール領内に流入し、自然発生的な難民キャンプが臨時にできはじめると、この傾向はさらに加速した。北のメディアの論調は、「大虐殺の規模の大きさと残忍性」、「加害者フツの野蛮性」から政治的分野に移行し、「旧政権への大虐殺責任追及」から「ツチ反政府軍の同様の報復虐殺の危険性」、「反政府軍に追われる多数派フツ系住民難民化の悲劇」へと誘導され、「かつての加害者もまた犠牲者」へと移行していった。大虐殺が既に起きてしまって救済不可能と判断されたこと、ザイール領内の応急的なフツ系難民キャンプの「苦痛悲惨」には、援助が可能であると判断されたからである。

こうして、ルワンダ国内ではまだ少数派に対する虐殺が進行していたにもかかわらず、問題がずらされた。また、国内は紛争中でメディアは取材できないが、逆に難民キャンプでは駆つけ始めた人道NGOを通して、主観的な主張や人道主義メッセージの伝達報道（客観的な情報ではなくプロパガンダ）が、容易に取材でき、「苦痛悲惨」の映像が大量に流された。そのため、避難民の「苦痛悲惨」やNGOの医療活動は報道されても、難民キャンプで同時に進行した、敗走したフツ系政府軍による軍事的活動は全く黙認された。

この難民キャンプの事態の「苦痛悲惨」の「悲壮化」によって呼び起こされた、北の住民の「人権」や「人道」的介入を求める感情に乗じて、北のNGOの指導者たちが、マスメディアで競ってキャンペーン発言をはじめ、政府の世論操作の主役になった。

4　人道的軍事介入後――人道的介入の実際

フランス政府は、自分たちが長年支持、加担していた多数派フツ政府が引き起こした大虐殺の汚点を消し去り、敗走する政府軍を何とか立て直し、フランスにとって地政学的に不利な形勢を逆転させようと初めは多国籍軍派遣を考えていたが、他の国が消極的で実現できなかった。フランス保守政府の国防省課長であり新世代「国境なき医師団」の副代表であったジャン・クリストフ・リュッファン医師と、八〇年代から一〇年以上同組織代表を続けていたブローマンが、フランス軍による人道的軍事介入のシナリオを練り上げた。「国境なき医師団」がフランス軍の人道的介入を政府に要請し、軍事介入に際しては緊急医療援助を自分たちが分担することを約束したのである。軍事介入の正当性を「人道的な装い」で隠したり、それに人道的NGOを利用するのは、現代の軍事外交の常套手段である。

一九九四年六月二五日に、フランス軍の「トルコ石」作戦が実行に移された。「人権」、「人道」を侵犯する事態には、あらゆる軍事的対処も辞さないとうたったものであった。ツチ系の反政府軍であるルワンダ愛国戦線（RPF）は、ルワンダの三分の二を既に支配下に置いていたので、敗走する多数派フツ政府軍支配下に、NGOの「国境なき医師団」が活動する「人道ゾーン」はつくられた。このとき、「国境なき医師団」本部はフランス政府に積極的に加担したとして、他のNGOから非難されたので、フランス以外からのスタッフを派遣した。

反政府軍支配下の報復はもちろんのこと、フランス軍と「国境なき医師団」が介入した「人道ゾーン」内においても、敗走する政府軍やフツ系多数派住民による少数派殺害が実際には頻発し、完全に押さえることはできなかった。つまり、虐殺予防という名目のもと、フツ系多数派の政府系住民の避難民保護に実際の活動の焦点は既に移っていたことに、注目する必要があるだろう。

このように、「人権」や「人道」のイデオロギーに適合するような新たな犠牲者を選び、つくりあげ、「介入」の正当化のレトリックをメディア操作でつくり替えながら、政治的（軍事外交的）な意図を隠蔽して準備を整え、人道的軍事介入を実現した。

5　ザイール難民キャンプ――人道的介入の限界の露呈

ルワンダ全土をツチ系の反政府軍が制覇した段階で、国内の「人道ゾーン」は消滅し、フランスの人道的軍事介入は無意味となった。「トルコ石」作戦は終了し、国連平和維持軍の権威のもとに、ザイール領内に国際援助機関や多数の人道援助NGOが参加した大規模な難民キャンプがつくられた。ここに、戦乱と報復を恐れる多数派フツ系の避難民や、旧政府や反政府軍に押し出されて敗走する軍関係者が収容された。

多数の緊急医療NGOの活動が競合する場となり、世界中のマスメディアの目は、拡大の一途をたどっていたコレラの蔓延と犠牲者数の膨大さ―悲惨さに集中した。慎重な現地調査の後に、遅ればせながら介入したアメリカ軍が持ち込んだ給水車の登場と、大規模で組織的な安全な飲料水の配給確保、衛生施設の設置によって、コレラの問題は一挙に解決した。このことは、人道的介入の緊急医療NGOやメディアが、現地の状況や犠牲者の惨状を悲壮化したのとは裏腹に、実際の専門的な緊急集団医療の実践活動面では無力であったことを示している。

ザイール難民キャンプの特徴は、ザイール（現コンゴ民主共和国）のモブツ政権と覇権国の権限のもとに、キャンプが一つの聖域となり、一種の「移動する主権」をもった国家に近いものとして扱われていったことである。また、今までは、北の強力な「人権」、「人道」イデオロギーでも、「反人道的」、「戦争犯罪者」と断罪されていた旧政府のフツ系虐殺責任者（政府や行政、軍関係者）たちまでが、被災者住民に合流することによって、いとも簡単に免責免罪され、犠牲者に仕立て上げられた。この難民キャンプ内の自治運営では、旧来の政府や行政システム（難民の内部治安を守る警察、軍、私兵、難民の地域代表など）と権力が、そのまま復活した。また援助団体の権威のもとに選ばれた特権的難民を頂点とした新しい利権集団と秩序が、補完的に形成された。

要人はヨーロッパにも、正式ビザで自由に渡航していた。この裏には、これらの難民キャンプ内で、旧政府系の権力復活の動きを黙認するザイール政府（当時のモブツ大統領）の国家的理由や、それを最後まで支えた国際社会の国際秩序維持の意図が、隠されている。このザイール難民キャンプでは、フツ系多数派である旧政府軍の軍事活動は極めて活発で、後方基地化していたが、人道的介入を行う国連平和維持軍も、緊急医療人道NGOも、この事実を黙認した。こうして難民キャンプは、「人道侵犯者」や「戦争犯罪者」とともに運営された。

その後、ルワンダ国内の中央政府権力の支配決定と難民キャンプへの攻撃、国連による難民の国内帰還の促進、ザイールや中部アフリカなど国際環境の変化（モブツ政権の崩壊、周辺国への戦乱の波及、新政権の攻勢、フランスの外交政策の揺らぎ）などから、難民キャンプは閉鎖に向かった。ツチ系少数派のルワンダ新政権成立後、「人道に対する犯罪」で大虐殺の責任を司法上追及する動きは、実際に現地で大虐殺を生き延びた住民犠牲者から起きたのではなく、北のNGOや長年難民で外部にいた新政権（反政府軍）から起きたことにも注目すべきである。

第三節　コソボの事例

コソボの場合はルワンダとは異なり、突発的で予期しない出来事から出発したのではなく、あらかじめ覇権国家群によって、作為的に計画された人道的軍事介入であった。もちろん、ヨーロッパ各国内部の国際的人権団体や亡命者団体、政治政党が、それぞれ圧力をかけた点も見逃せないが、むしろ国際的な政治的・軍事的秩序を、だれが管理しコントロールするかが問われ、準備された介入であった。この人道的軍事介入の計画実施が推移する過程では、対象となる「苦痛悲惨」はその都度ずらされ「悲壮化」され変化した。それでは、人道的軍事介入を正当化するために、どのように目的対象(「苦痛悲惨」の被害者や犠牲者)が作り替えられ、変化していったかを、時間を追って見ていくことにする。

1　軍事介入前――「虐げられた住民」の苦痛悲惨

この過程では、北太平洋条約機構（NATO）がコソボ紛争に対し、既に介入を前提としており、その軍事的・政治的正当性をつくりあげる準備期間といえる。

旧ユーゴスラビアの解体再編過程で、他地域の紛争の陰に隠れていたコソボ地方のアルバニア系住民への政治的弾圧に、突然焦点が当てられた。住民の苦痛悲惨が、「弾圧下、圧政下にある少数派住民」、「民族差別にあえぐ住民（アルバニア系コソボ住民）」として、大々的にキャンペーンされる。ここでは、ユーゴスラビア中央政府とコソボのアルバニア系住民との支配関係は、民族問題や国家の問題として、抽象的・普遍的用語で語られる。しかし、コソボのセルビア系住民との現場での関係や、独立軍組織の活動内容や資金源、麻薬や武器の密貿易などの非合法経済活動の実態、コソボからのアルバニア系非合法移民がヨーロッパに大量に流入し、各国で強制国外退去処置などの非人間的な弾圧の対象になっていた事実は忘れられ、一転して、虐げられた民族ということで、逆に「人権」や「人道」の対象に変えられていった。

このバルカン半島地域でせめぎあう関連諸国の、国際政治、軍事戦略、経済的利害の地政学的意図は、完全に忘れ去られた。民族差別政策を進めるユーゴスラビア中央政権（ミロシェビッチ）に対する批判は、等質化したセルビア民族一般への批判となり、同じ民族論議の土俵に転落していった。ユーゴスラビア社会の複数性や多様性が無視され、内部の反対派の動向も軽視された。こうして、他の解決法は放棄され、国内変革勢力との連帯の道は閉ざされ、唯一の軍事的解決へと議論は操作され収斂していった。

2　軍事介入時――「強制移住させられ追放された難民」の苦痛悲惨

この段階では、今までの地域の住民紛争、「弾圧された少数派住民の苦痛悲惨」は、「強制移住させられ追放された避難民の苦痛悲惨」にずらされている。コソボ地域内部の解決は完全に放棄され、「避難民の苦痛悲惨」を解決するものとして、ＮＡＴＯの人道的軍事介入を正当化する論理が追求されている。それだけでなく、NATO軍の軍事行動、空爆後に引き起こしたコソボからの膨大な難民の流出、「苦痛悲惨な難民の発生」は、ユーゴスラビア中央政府軍やセルビア系住民の残虐行為に原因があるとされた。そして、「強制移住させられた難民の惨状」は、軍事介入のさらなる強化を求める材料に使われるようになった。避難民の膨大さの前で無力であった難民キャンプでの活動の効率化、安全確保を求めるために、人道的緊急医療NGOの一部からは、NATO軍の軍事的不徹底さを非難し、空爆強化、地上軍派遣など、軍事行動の強化を求める主張も出た。

一方、「国境なき医師団」は、国境の難民キャンプ内で、精神的・身体的状況について、難民を集団として扱った疫学的調査を行った。「難民の苦痛悲惨」が、強制移動させられた集団の特異な疾病、病理として扱われ、難民キャンプの閉鎖的状況下での問題を、医学や生物学的需要の解決（予防、治療、介護）に求めようとしている。苦痛悲惨や惨事の医学化であり、難民キャンプが発生した根本原因である政治的・社会的原因や、具体的解決は考慮されない。

3　軍事介入終了後――「残留した住民犠牲者」の苦痛悲惨

NATO軍の人道主義をうたった軍事行動が終了すると、難民問題から、空爆下にコソボに残存したアルバニア系住民の犠牲者や被害者の苦痛悲惨に、焦点は移された。軍事介入中に宣伝されたアルバニア系住民犠牲者を示し、軍事行動を正当化しなければならない。空爆下の住民虐殺の証拠である死体探索が行われ、虐殺の「残酷さ」や「野蛮」を示す映像や、生き残った住民へのアンケートや聞き取り調査の報道が氾濫する。同時に空爆下にあり、戦闘終了後は逆に追われる立場となったり、移住を強制されたセルビア系住民の「進行しつつある苦痛悲惨」には、目が閉じられた。

人道主義や人権NGOの関心は、「戦争犯罪」や「人道、人権に対する犯罪」の追及など、戦後処理の秩序維持のための国際法的問題に移り、もう一つの「生きられた苦痛悲惨」には目は向けられなかった。ましてや、NATOの軍事介入、空爆による直接的な犠牲者や被害状況が、客観的に調査されることはほとんどなかった。

第四節　人道的介入へのもう一つの視点

1　人道的介入の問題点

ルワンダとコソボの事態に見られた、NGOを含めた人道的介入の問題点を列挙する。

① 人道的介入は、介入側の意図と能力にあった独自の苦痛悲惨をもつ被害者、犠牲者をつくりだす。他の犠牲者は作為的に隠蔽される。「苦痛悲惨」の内容もまた、政治的コンテキストの変化次第で自在に変わるものである。介入する側による「つくられ、悲壮化された苦痛悲惨」と、介入される側にとっての「生きられた苦痛悲惨」とは、区別されなければならない。

② 人道的介入の内容は、介入する側の意図（やりたいこと）に左右されるのであり、現地の介入される側の住民被災者や被害者の求めるものが、考慮されることはない。人道的介入が現地で見る現実は、住民の生きられている現実とは全く関係ない。

③　人道的介入の目的は、現状維持、介入以前の秩序回復、均衡を求める。新たな現状変革、新秩序追求、力関係の変化は決して求めない。だから、事態発生の原因は解決されず、介入によって問題はさらに複雑になり、解決はさらに遅延されたり拡大する。

④　人道的介入の方針は、自分たちの組織の条件に従って決定される。介入現場のローカルな力関係や社会運動、それを取り巻く国家行政や社会制度、国際関係に関する情報ももたないので、決定の際には考慮されない。

⑤　人道的介入に際して導入される技術、機器、資源の量と質は介入する側のものであるため、介入中はうまく機能しても、介入終了後は全く放棄され、元の状態に戻ってしまう。現地にあった技術、資源をも往々にして解体してしまうので、むしろ介入前よりさらに悪化することが多い。

⑥　人道的介入の現地活動の組織形態、システム、スタッフを、最初は介入する側が選択して導入するが、現場では適用できず、結局は事態発生以前のものをそのまま流用することが多い。そのため、現地の既存の権力ヒエラルキーや力関係がさらに強力に維持されてしまったり、国際機関やＮＧＯなどの介入者の権威のもとに新たな特権層をつくってしまう。介入終了後には、介入前よりさらに強化された現状維持型の特権システムが残ってしまうことになる。

⑦　人道的介入の当事者が、現地活動の経験をもとにしてまとめた証言や報告は、現地の他の職種スタッフ（事態発生以前からの宗教ミッションや現地の救助担当スタッフ）のものに比べ、客観性や実証性に乏しい。なぜなら、人道主義は政治的イデオロギーだからである。

⑧　人道的介入の行使を背後で保障するのは、従来の既存の権力（経済的、政治的、軍事的）、国家、強者である。その行動は、強者を頂点とするヒエラルキーをさらに強化し、安定させ、顕在化させる。

近代以前の宗教的権力や、王侯貴族の慈善と憐憫の政治に近い。

⑨　人道的介入に際して、「人道」と「人権」は、権力をもつ強者によって、都合よくプラグマティックかつイデオロギー的に操作され、結合したり分離したりして使われる。

⑩　人道的介入に際しての、「人間の身体」の扱いは、生者については苦痛悲惨を受けた身体として扱い、死者に対しては死亡状況の証拠、残虐を証明する遺体としての扱いである。

⑪　人道的介入の決定に際して、人道的侵犯が行われ介入の意図があったとしても、介入する側の身体的危険性がある場合は実行されない。軍隊だけでなくNGOですら、現在は犠牲者ゼロ原則を打ち出している。このことは、一方で、軍事的に安全が保障された地域での、軍隊と人道NGOとの相互補完的共同行動の機会を急増させた。他方、人道的介入をする側が、介入される側の「人間」の価値に関しても階層性（ヒエラルキー）を設け、介入の時期（緊急性）、対象（被害者の選択）、地域（具体的介入場所）、方法（技術的レベル）に優先性を設けたり、選択していることを意味する。つまり、介入権力をもったもの（強者）の政治的・イデオロギー的な選択が行われる。「人道的介入の政治的中立性」も、「普遍的で平等な人間」も、それを前提として主張される「人権」、「人道」も、介入する側の幻想にすぎない。

2　人道的介入へのもう一つの視点

フランスで「人道的介入」の論議を主導したのは、緊急医療援助NGOであった。保健医療は、当然人間の身体的・精神的存在に関連しているが、他方、社会的・政治的領域の間で構成され、歴史的に規定される領域でもある。したがって、保健医療の領域の問題は、生（生命、生活）と生者（生きているもの、生活するもの）の統治（支配、被支配）に関する「生政治（バイオポリティクス）」の領域のなかでの、主観化の過程と密接に関連しているのである。つまり、社会的・政治的空間のなかで、身体の処遇・処置が現代的主観性の形成にいかに関与するかを、必然的に考慮せざるをえないのである。

「苦痛悲惨」の問題は、社会的混乱や災害時の身体や精神に与えられた痕跡を評価する様式に、とりわけ顕著に現れる。その問題が喚起する社会的・政治的反応（「同情」あるいは古典的な形での「哀れみ、憐憫」）は、貧困の日常的管理といった国内的なローカルな場面でも、「人権」、「人道」といった、抽象的「普遍的人間」の良心を実現しようとする国際的緊急惨事の場面においても、現れている。しかし、そこにおける苦痛悲惨な事態は、そこに作用する社会的・政治的権力によって、作為的に選別され、隠蔽され、補強され、変容されている。それを避けるために、苦痛悲惨の問題は、「公共」の名による現存権力の秩序保障の原則や国家的論理（国益）とは、一線を画して考える必要がある。

外部からの介入者が、スラムの「貧困」や難民キャンプの「苦痛悲惨」を評価する際に、こうした状態を主観的に「悲壮化」することが見られる。この「悲壮化」を、他にも存在しうるさまざまな政治の主観化様式の可能性と、切り離して考えてはならない。同時にまた、この「悲壮化」によって、その事態の背景にあるさまざまな「不平等（政治的・経済的・社会的・文化的）の生産」といった、より客観的な事実が隠されてしまうことがあってはならない。「人道的介入」のように「悲壮化」の効果を考慮し計算しつくしたうえでなされる、権力や強者による「公的」決定処置の方式には、批判的に対抗しなくてはならない。

第五節　おわりに――提言およびさらに議論を深めるために

人道的介入に際して、「国益」、「国家的理由」、「国家論理」は、犠牲者の「苦痛悲惨」を操作し、「悲壮化」する。「苦痛悲惨」の管理（マネージメント）は、当該国民国家の手から離れつつある。冷戦後のグローバル化が進行する現在では、一つの《帝国》（トランスナショナルな統合的世界資本主義と、その秩序を保証する覇権国家と追随する権力国家群）の《主権》行使として、国際的な「人道的干渉権」や「予防外交」を行使する様式を求めている。そして、住民の生と死を管理する「生政治（バイオポリティクス）」は、世界の新しい統治様式の一つであり、重要なものである。

NGOは、この新しい秩序の底辺で、住民と接して活動している。そのなかで、強者による「人道的介入」のもとで活動しているいくつかの巨大な国際人道緊急医療NGOは、抽象的な「普遍的人間」から出発し、「人権」、「人道」を主張する北のいくつかの強大な国際人権団体と同様に、実際にはこの新しい統治秩序ピラミッドシステムに組み込まれている可能性が大いにある。生政治権力を一元的に掌握しようとする統治秩序の分権化された様式のなかで、末端権力の役割を演じている可能性である。そして、現場で生きる住民の生と生活を具体的に管理しながら、秩序逸脱、力関係の変化、現状変更を監視している（「予防外交」、「人道的介入」、「人間の安全保障」）。そこでは、外部から持ち込まれ、住民に内面化させようとする均質な一つのシステムだけが善とみなされ、異質性、多数性、個別性を求める他のシステムが排除される。

経済のグローバル化のなかで、この秩序を管制するピラミッドの頂点にある覇権国家を中心とした国家群（政治的、軍事的、経済的、文化的権力をもつ）にとっては、今までの冷戦体制のなかで、国民国家を単位とした、一国一票、内政不干渉を前提とした国連中心の国際社会や、国際法の過去の経験の蓄積は、支配を強める新しい秩序構築の障害物である。「人道的介入権」は、一九世紀からの国際社会の規範、国際法上の判例を混乱させ解体し、新しい秩序の構成と維持に都合の良い「国際法システム」をつくりあげようとする一つの武器となっている。

権力をもったもの、強者による普遍的「善」（「人権」、「人道」）の押しつけは、全体主義である。権力をもった強者による「介入」の論理は、複合的な問題を単純化し、「悪」である敵を定義決定し、「唯一の善」以外の解決法を切り捨てる戦争や軍事行動の論理、マニ教的善悪二元論の論理である。だから、権力をもった者や優位な者が、抽象的な「普遍的絶対価値」から出発して行動すること、それに加担することは拒否すべきである。

しかし、このことは、犠牲者や被災者の「苦痛悲惨」を前にして、何も反応しない、行動しない、放置するということではない。それでは、全体主義に陥らない「人権」、「人道」は、どのようにして可能なのだろうか。強者によらない「介入（関係の仕方）」はありえるのだろうか。

そのための条件は、現場で、具体的な「今、ここ」にある物質的条件、関係性から出発する試行錯誤的共同の実践のなかで模索するほかはない。犠牲者や被災者の呼びかけに応え、現場（ミクロ、ローカル）から出発すること、現場の弱者（犠牲者、被災者）の「生きられた現実」から出発すること、現地にすでにあるもの、具体的な現場の関係を組み替えながら、柔軟で複数の可能な解決法から出発することである。現地の具体的な弱者の行動や運動のなかで、他者との出会いと交渉からにじみでてくる「共同性」、「普遍（「人権」や「人道」）に向かうもの」こそが、垂直的なヒエラルキーの論理を超えることができ、善悪二元論、唯一的解決、独善主義、全体主義の落とし穴を避けえる。

現場の具体的な弱者の関係性の内側から生成される横断的な「共同性」、「普遍に向かう運動」こそ、複数の解決法、多数性、多様性に開かれ、「強者による人道的介入」のような、「現場なき普遍主義」による「全体主義」への陥穽から免れ、それに抵抗し、それを打ち破り、「苦痛悲惨」を解決し超えていく、オルタナティブなもう一つのシステムへの可能性なのである。

第四章　人間の安全保障と人道的介入

大芝　亮

第一節　国家の安全保障、人間の安全保障

人間の安全保障という考え方は、国家中心ではなく人間中心という視点を据え、軍事的脅威からの安全のみならず非軍事的脅威からの安全をも対象とする点で、伝統的な安全保障観に対して挑戦するものである。

まず、人間中心の視点についてである。伝統的な考え方では、国家中心の国家安全保障と人間の安全保障は両立するものであった。国家の安全が確保されてこそ、国民の生存も守られると考えられたからである。市民は国内秩序維持と外敵からの身辺安全確保のために国家に政治権力を委任するという社会契約を結んだというフィクションに沿うものであった。

しかし、人間の安全保障という概念は、国家安全保障が確保されても人間の安全保障が確保されな

図 4–1　人間の安全保障と国家の安全保障の関係

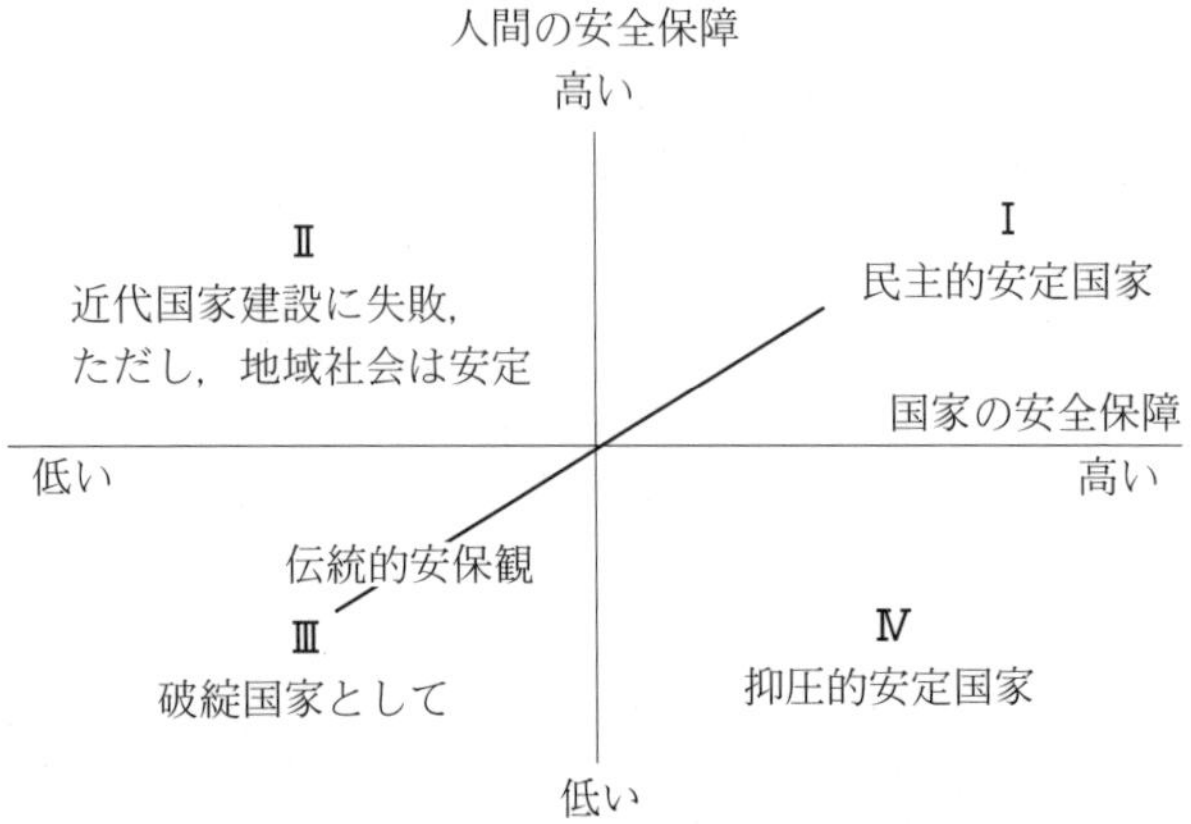

いこともあれば、逆の事例もありうることを提示する。図4–1で説明したい。図4–1の第Ⅰ象限は、国家の安全保障が確保され、人間の安全保障が確保されるという伝統的な考え方である。第Ⅲ象限は、逆に国家安全保障が確保されないために人間の安全保障も確保されないという状況である。たとえば国家が破綻すると、社会秩序も混乱し、その結果、多数の人々の基本的人権が保障されえない状況が生じている場合である(1)。第Ⅲ象限の発想は第Ⅰ象限と同じである。

これに対して、第Ⅱ象限は、国家の安全保障は確保されていないが、人間の安全保障は確保される状況である。近代国家の建設には失敗したものの、必ずしも社会秩序の混乱をもたらすわけではなく、意外に地域社会は安定しており、その結果、人間の安全保障も確保されている状況である。はたしてこのような状況が現実に存在しうるのかどうか、議論の余地はあるが、少なくとも、破綻国家という表現から社会秩序も混乱してしまっていると考えるのは短絡的ではないかという疑問を投げかけるのである(2)。

最後に、第Ⅳ象限は、国家の安全保障は確保されているが、だからといって人間の安全保障は確保されていない状況である。政治的には安定しているが、抑圧的である国家はここに該当しよう。特定グループの人権が抑圧されたり、少数民族の権利が剥奪されているケースなどである。また、一九九五年の沖縄における米兵による少女強姦事件に象徴されるように、軍隊や基地が女性に対してもたらす苦しみの問題もまた、国家安全保障は必ずしも人間の安全保障の確保につながるわけではないことを示している(3)。

このように、第Ⅱ象限、第Ⅳ象限の存在を明示できる点で、人間の安全保障という概念は用いるに値するといえる。そうでなければ、人間の安全保障は単なる政治的に便利なことばにとどまるのである。

人間の安全保障の概念は非軍事的脅威を強調する。その理由のひとつには、冷戦直後の世界観が反映していることがある。冷戦終結直後は、米ソ対立の終結により国家間の軍事的対立の時代はおわり、これからは人類がテロやドラッグ、また地球環境や飢餓・貧困などの脅威に対して一致団結して取り組んでいく時代になるとして、非軍事的脅威への対処が冷戦後の人類の共通の課題であると主張されたのである。ただし、人間の安全保障には軍事的脅威からの自由という意味もある。冷戦後の国際関係においては地域紛争が多発し、民族間の軍事的衝突が深刻になるのに伴い、この側面も注目されるようになったからである。

人間の安全保障をいかに確保するか。人間の安全保障を確保するための行動は表4－1のように類型化できる。まず、人間の安全保障に対する脅威が差し迫ったものであり、緊急の行動が要請されるとき、人道的援助や人道的介入が行われる。前者が紛争地域を実際に支配する勢力の承諾を得て行われるという意味で非強制的であるのに対して、後者はそのような承諾を得ていなくても行われる点で

表 4-1　人間の安全保障確保のための行動類型

	緊急的取り組み	中長期的取り組み
非強制的手段	人道援助	人間開発
強制的手段	【組織的・体系的な脅威に対して】 人道的介入 【個別的な脅威に対して】 人権コンディショナリティーなど	民主化コンディショナリティ・人権コンディショナリティ

強制的性格を有する。いつ強制力を伴う人道的介入が必要とされるのか。それが人道的介入をめぐる議論の争点であるが、大前提とされていることは、ジェノサイドのように人間の安全保障に対して組織的・体系的に脅威が加えられている場合、人道的介入の必要性が論議されるということである。言い換えると、人間の安全保障に対する脅威であっても、それが個別的なものである場合は、たとえば人権コンディショナリティ（融資条件）という形で人権問題を理由とする経済援助停止などの行動にでることはあっても、人道的介入まで現実的に検討されることは少ないのである。

これに対して人間の安全保障の確保をより中長期的視点から取り組もうとするならば、それは国連開発計画（ＵＮＤＰ）が提起するもうひとつの重要な概念である人間開発や、民主化努力を経済援助とむすびつける民主化コンディショナリティの行動となる。人間開発と民主化コンディショナリティの差異はやはり非強制的か、それとも強制的かという点である。

それでは人権コンディショナリティはどこに位置するのか。コンディショナリティという点で強制性を有するが、援助供与国が人権保障制度の充実を求める場合には中長期的取り組みであるが、これに対して、たとえば中国の魏京生の人権をめぐる制裁措置は緊急的取り組みとして分類できよう。人権コンディショナリティは具体的事件をめぐるものか、それとも人権保障制度一般をめぐるものかにより、緊急的取り組みの場合と中長期的取り組みの場合の双方がありうるといえよう。

第二節　人道的介入についての三つの理論的解釈

人道的介入という行動について国際政治学の理論を用いると、次の三つの解釈を提示することができる(4)。第一は、現実主義的見方であり、国家は基本的に重要な国益が絡む場合には外国の内政にも干渉するのであり、「人道的」というのは単なる口実にすぎないというものである。それゆえ、仮に人間の安全保障の確保という点から介入が必要であるとしても、実際に大国が介入するかどうかはそれぞれの国益に影響されるとする。その結果、ある場合には介入し、ある場合には介入しないという選択的介入あるいは作為・不作為の問題が生じる。

介入の可能性が議論されても不思議ではないにもかかわらず、非介入であった例としては、たとえば一九七五年にインドネシアが東ティモールに侵入した際の国際社会の対応をあげることができる。この時、確かに国連安全保障理事会（以下安保理）はインドネシア軍の即時撤退を求める決議を行い、翌年にも同様の決議を採択しているが、具体的な行動はとられなかった。その後、安保理では議題にのぼることはなかった［山田：5］。総会でも八二年の決議を最後に、東ティモール住民の民族自決権の尊重を求める決議は行われなくなった。それどころか、ティモールの天然資源をめぐり、オーストラリアはインドネシアと開発協定を締結するに及んでいる［同右：6］。

第二の解釈は、リベラリズムの考え方を参考にするものであり、人道的介入が行われるようになってきた状況をもって、いよいよ人権が国家主権よりも重視される世界に変化してきているとする見方である(5)。そもそも一九七〇年代以降、国際的相互依存の深化により内政と外交の境界線が不鮮明になり、内政不干渉原則が崩れ、国家主権の絶対性が動揺してくる。そして冷戦が終結すると、人権・民主主義の普遍性が唱えられ、経済援助の領域でも、人権擁護や民主化努力を経済援助供与の際に考慮するという政治的コンディショナリティ政策が公式に採用される。このような国際社会においては、組織的・体系的な人権侵害に対しては武力を行使してでも、これを制することが重要な責務となってきていると解釈するのである。

たしかに、国際人道法が発達し、民族浄化や集団強姦などの責任者を処罰するために、まず一九九三年に旧ユーゴスラビア国際刑事裁判所がハーグに設置され、翌年にはルワンダ内戦での残虐行為の責任者を裁くためのルワンダ国際裁判所が、タンザニアのアルーシャに設置されている。そして、九八年には犯罪人個人を裁く常設の国際刑事裁判所（ハーグ）の設立がローマ外交会議で決定されるに至った［藤田：288–295］。しかし、九三年のウィーン人権会議などをみると、はたして世界の人々に共通の人権規範が共有されるようになっているかどうか怪しいとの見解もある［納家：9］。

第三の解釈は、上記の二つの中間的な内容であり、構成主義（コンストラクティビズム）とよばれる理論に依拠する［Wendt］。この解釈では、まず現実主義的解釈と同様に、国際関係の主体は主権国家であり、内政不干渉原則が後退しているとはみなさない。むしろ、実は変化しているのは、主権国家の構成要件であると主張する。すなわち、現代の国際関係では、人間の安全保障も確保できないような国家は主権国家としての資質を欠くものであり、もはや国際社会の構成員たる主権国家としての扱いをうけるに値しないとみる。それゆえ、こうした国家に対しては仮りに人道上の必要性から軍事力をもって介入したとしても、「内政干渉」には該当しないとするのである。

この解釈に従えば、ソマリアの場合のように人道援助活動が危険にさらされているような状況での人道的介入は許されるのであり、また、コソボにおけるアルバニア人に対する迫害や、逆にセルビア軍撤退後のアルバニア人によるセルビア人への迫害などに対して、国際社会が武力介入することも許容されることになる。さらに、一般的にいえば、安定的ではあるが抑圧的な国家がもし組織的・体系的な人権侵害を行うならば、その場合にも介入は許されることになる。軍事力を伴う緊急的な行動であれば人道的介入とよばれ、非軍事力による場合は経済制裁などをその具体的な行動としてあげることができる。

しかし、ここでの問題点は、主権国家の資質をもはや失っていると誰が判断するかである。判断者の第一の候補は安保理である。その場合、安保理の決議に基づかない人道的介入は認められない。第二に、補完性の原理に基づけば、欧州の問題はまず欧州で決定すべきであるとなる。この場合、ＥＵ（欧州連合）やＯＳＣＥ（欧州安全保障協力機構）が判断者としての役割を担うことになる。第三に、人道的介入は武力行使を伴うがゆえに、人的コストも大きい点を考慮すると、コストを支払うものが介入・非介入を決定すべきであるとの考え方も登場しうる。そうすると、多くの場合において、やはり米国の判断が尊重されてしかるべきであるという主張がでてくる。

コソボ紛争でのＮＡＴＯ（北太平洋条約機構）による空爆決定はこうした問題を考えるうえでひとつの興味深い事例である。国連安保理では、チベット問題などへの波及を恐れる中国がコソボ問題でＮＡＴＯによる空爆に対して拒否権を行使することが予想されたため、米国は国連安保理での審議を回避した。日本では米国の行動を安保理軽視として批判的にみる向きが強かったが、米国では、中国の予想される態度こそ拒否権の乱用であると考えるものも多かった。確かに、コソボと地理的にも社会経済的にも距離のある中国が、別件と結びつける判断を行い、拒否権を行使し、コソボ近隣諸国が支持する空爆を否決する状況は納得しがたい。それゆえ、現在、ジェノサイドの問題については安保理での拒否権の行使を認めるべきではないとする国連改革案も提示されている［Schnabel］。しかし、それでも、米国が国連安保理を無視して、自己の判断で行動するのでは、やはり「だれが国家の資質を失っているのかを判断するのか」という問題を考えざるをえないのである。

第三節　現実的諸問題

人間の安全保障の確保はきわめて現実的な要請である。そのために人道的援助を行うことについては広く受け入れられているのに対して、人道的介入となると、論争が絶えない。人道的介入の現実的問題を正統性、実効性、そして責任体制の三点から論じたい。

1　正統性――人道的介入は認められるか

もし国際社会による人道的介入が認められるとすれば、その正統性の根拠はどこに求められるべきであろうか。ひとつの可能性は国際人道法である。国際人道法違反の行為に対しては、軍事制裁をも含む行動をとりうるとする考え方である。

しかし、この場合でも国際人道法に違反する行為に対して、国際社会が武力介入することははたして権利か義務かという問題が登場する。この問題については、一九七〇年代以降、国際法学者の間で論争が行われてきた。権利だとすると、介入する場合もあれば非介入の場合もあるという作為・不作為の問題が生じる。義務だとすると、次項で論じる実効性が常に確保できるのかという問題に遭遇する。

そもそも国際人道法違反を人道的介入の根拠とするのであれば、なぜあえて人道的介入という曖昧な表現をしようとするのだろうか。納家は「確立された正当化根拠が見つからないが、見過ごせない事態に対する強制措置として」人道的介入が存在するのではないかとみる［Schnabel : 9］。国連憲章でいう平和に対する脅威に該当するかどうかを基準に人道的介入の必要性を判断すればよいとの解釈もある。しかし、これに対しては、平和に対する脅威が拡大解釈されるのではないかという疑問が投げかけられている。

2　実効性――人道的介入はその目的を達成できるか

人道的介入の目的のひとつは人間の安全保障に対する組織的・体系的な脅威を取り除くことである。はたして、軍事力を伴う人道的介入によりこうした状況に終止符を打つことができるのであろうか。これが実効性に関する第一の疑問である。より詳細に述べると、まず、軍事力による人道的介入は、単に軍事的報復につながるだけではないか、そして人道的介入の主体が紛争当事者になってしまうのではないだろうか。ボスニア・ヘルツェゴビナ紛争においてＮＡＴＯに対抗して、セルビアが国連職員を人間の盾とする行動にでたり、ソマリアにおいて国連が実質的にもうひとつの紛争当事者となり、ソマリア人から批判対象となったことは、その実例であろう。

次に、軍事力を伴う介入は、介入する側にも多大なコストを要求することを考えると、はたして本当に人道的介入の目的達成のためのベストな手段が採用されているのだろうか。米国では、冷戦後は大国間の対決はもはや終わったとの空気が支配するだけに、人命の政治的コストはきわめて高くなった。その結果、介入方法については、極力、米国兵士が危険にさらされる行動を回避する傾向が強く、空爆が好まれる。集団的殺戮や難民に対する襲撃などを予防するには、作戦的には地上軍の投入が必要であるといわれるにもかかわらずである。実際に、コソボでは、空爆が始まってから、難民に対する襲撃は急増し、かえって人間の安全保障に対する侵害は際だつことになった。

実効性に関する第二の疑問は、人道的介入のもうひとつの目的は人道援助活動に対する危険を緩和し、取り除くことであり、そこでは人道援助は中立であることが前提とされているが、この前提は常に満たされているのだろうかということである。たとえば、難民の第一次庇護国にとっては、隣国の市民をうけいれることは緊張を高め、紛争に巻き込まれるという不安も強い［小泉］。また、紛争が、エスニック・グループの民族自決運動に絡んで発生した場合、難民キャンプが政治性をもつことも再三、指摘されている［山田：3］。ルワンダでの難民キャンプにおける大量殺戮はひとつの例であろう。実際、UNHCRは、難民キャンプは必ずしも政治的に中立性が常に確保されている場ではなくなっていることを認識し、難民キャンプにおいて、軍人と民間人を区別して受け入れるなど、個人の安全により配慮した措置を執るべきであるとしている(6)。

第三の疑問は、人道的介入の効果はせいぜい一時的でしかないのではないかということである。一時的効果しか生まないことを知りつつ、それでも国際社会は一生懸命に努力したとする姿勢をみせなければならないというのでは、単なるポーズであり、責任回避でしかない。そもそも人間の安全保障を確保するためには、人道支援や人道的介入だけでは不十分であり、最終的には国家管理の問題にまで及ばざるをえないのではないかとの意見もだされている。

第四の疑問は、中長期的な視点からみるとき、紛争当事者間の融和・共存を前提として復興作業や民主化を進めていくが、人道的介入という行動はこの点についていかなる影響を残すのであろうか。人道的介入は強制力をもって行われる行動であり、まさにこの武力行使により、紛争地域の対立はますます増幅し、かえってコソボでみられたように大量の難民や死傷者が生まれ、紛争後の民族共存をきわめて困難にしているのではないかとの指摘もなされている［納家：8］。紛争後、セルビアでミロシェビッチ政権が倒れ、民主化が進展しようとも、コソボ地域でのアルバニア人とセルビア人の対立は解消されていない。

以上のような理由から、非人道的行為が組織的・体系的になされている時、国際社会による介入の必要性は比較的容易に認識されるものの、人道的介入が一時的にせよ、効果を挙げられるかどうかは、自明ではない。また、仮に一時的効果はあったとしても、中長期的に見た場合、人道的介入が引き起こしかねない武力対立は、かえって紛争後の融和に悪影響を及ぼしかねない。

人間の安全保障を確保するための緊急の強制行動が人道的介入であるとすると、この緊急行動がじつは中長期的には人間の安全保障に必ずしも寄与しないところに、人間の安全保障と人道的介入のジレンマがある。

3　責任体制――誰が介入を決定し、誰が実際に介入するのか

誰が人道的介入の必要性を判断し、そして誰が実際に介入を行うのか。人道的介入に関する責任体制とは、人間の安全保障が脅かされている状況を外部の制度・団体がどのように発見し、分析し、そして解決方法を見い出していくか、という "human insecurity" の認定の枠組み・プロセスの問題であり（序章参照）、この問題は人道的介入の正統性および実効性を大きく左右する。

現実主義者の考え方に従えば、いうまでもなく介入を決定するのは国家であり、その判断基準は国益である。人道的というのは行動を正当化するための口実にすぎない。国益に照らして、ある場合には介入し、別の場合には介入しないという決定がなされる。とはいえ、実際にはそれほど一貫性のある行動がとられるとはかぎらない。決定を下す場合の状況が実に多様であることによるが、同時に、後述するように、そもそも国益の内容は一定ではなく、変化しうるからである。

リベラリスト的に、主権よりも人権が重視される時代に入っているとみる場合、人道的介入の必要性を判断する主体としてまず国連が注目される。国連安保理において武力行使が容認されうるからである。しかし、たとえ国連で武力行使が容認されても、国連憲章で定めるような国連軍は存在していない。そこで、ボスニア・ヘルツェゴビナ紛争では、国連平和維持活動の職務権限を拡大させることにより対応しようとした。国連保護軍（UNPROFOR）は平和執行部隊としての任務を与えられたが、しかし、有効には機能しなかった。すると、この国連保護軍を支援する目的でＮＡＴＯによる空爆が行われたが、今度は逆に空爆阻止の手段として、国連平和維持活動要員が人質となる事件が生じたの

である［望月：10］。こうした失敗を経て、現在では、実行主体としては多国籍軍が組織されることが多い。ここに、人道的介入を決定する主体と実行する主体の乖離が生まれる。

最後に、構成主義（コンストラクティビズム）理論を参考にして、形式的には主権国家であっても、実際には人間の安全保障がとても確保されていない状況の場合は人道的介入が許されると考えるとしても、主権国家としての形式と実際の乖離を問題とするだけに、その判断基準は容易ではない。その際に重要になるのが情報である。この点で、メディアについてはＣＮＮ効果としてその役割の大きさが広く認識され、いかに欧米のメディアを味方につけるかが、紛争当事者にとって重要な目標になっている。

しかし、メディアは紛争当事者から宣伝のターゲットとされるだけに、かえってメディアの報道をそのまま受け止めて良いのかどうか、不安が生じる。そこで注目すべきはＮＧＯからの情報である。人道援助の現場に立つものもあれば、中長期的な視点から復興支援や開発援助を展望するＮＧＯもいる。ＮＧＯが人間の安全保障と人道的介入の問題を考えるうえで欠かせない情報源であることはいうまでもない。

第四節　おわりに――人道的介入をめぐる市民社会の役割

人道的介入は強制力を伴う行動であるだけに、その実施主体は軍事力をもつ国家（中央政府）である。しかし、市民社会が人道的介入の問題に及ぼす影響は次の三点で大きい。

第一に、市民が人道的介入に正統性を付与する。まず現実主義者によれば、人道的介入の決定は介入する側の国益に基づくという。しかし、なにが国益か。国益は決して与件であり普遍的なものではない。実際には人々や政策決定者の考える国益が国家の行動を規定するのであり、人々や政策決定者の認識が変化すれば国益の内容も変容する。市民は国益の内容を変化させうるのである。

リベラリストは人権が主権よりも優位に立つ時代になったから人道的介入が許されるようになったといい、構成主義は何が主権国家の資質かが問われているという。こうした問題に対する回答は自明ではないだけに、市民がこうした問題に対していかに認識するかが重要であり、多くの市民に共有される価値観がやがて国際関係の規範を形成する。

第二に、実際に介入に踏み切るかどうかの決定するうえでも市民の影響力は大きい。人道的介入の目的は戦闘行為ではないとはいえ、人命を落とす危険性の高いものであることにかわりはない。国家もしくは中央政府といえども、国内動向を無視して介入の決定をできる状況にはない。

第三に、人道的介入はジェノサイドのような状況に対して行われることが多い。紛争が終結した後、ジェノサイドのような事件はいかに記憶され、伝えられていくのであろうか。虐殺や内戦につていかなるメモリーが形成されるかということは紛争後社会の和解・融和にきわめて大きな影響を及ぼさずにはいられないであろう。メモリーが、国家やエスニック・グループの指導者によって形成されるのではなく、市民としての視点から形成されていくことは非常に重要なことであろう。

【注】

（1）破綻国家の例としてしばしば指摘されるソマリアへの人道的介入については、滝沢を参照のこと。

（2）国際関係のレベルで、世界政府はなくても一定のルール・秩序は存在しうるとする国際社会論（H・ブル）と相通じる考え方である。ヘドリー・ブル参照。

（3）二〇〇〇年六月二四日、東アジアとアメリカのNGO関係者がこの問題を討議するために「国際女性サミット」公開シンポジウムを那覇で開催している。『朝日新聞』二〇〇〇年六月二五日(http://www.ne.jp/asahi/matt/ism/news/20000625.htm)。

（4）国際政治学における現実主義的見方およびリベラリズム的見方については、野林他、第二章を参照のこと。

（5）国家主権との関係から人道的介入を議論したものとして、Simon Caneyがある。

（6）人道的介入がUNHCRに投げかける問題については、Clauena M. Skranを参照のこと。

【引用・参考文献】

小泉康一「『難民キャンプ』のイデオロギー分析」『国連研究』第二号、二〇〇一年。

滝沢美佐子「ソマリアと人道的介入」『国連研究』第二号。

藤田久一『新版国際人道法（増補）』有信堂、二〇〇〇年。

ヘドリー・ブル著、臼杵英一訳『国際社会論――アナーキカル・ソサイエティ』岩波書店、二〇〇〇年。

納家政嗣「国際政治構造の変容と人道的介入」『国連研究』第二号。

野林健他『国際政治経済学入門』有斐閣、一九九六年。

望月康恵「ボスニア・ヘルツェゴビナと人道的介入」『国連研究』第二号。

山田哲也「東ティモールにおける国連の活動と『人道的介入』」『国連研究』第二号。

Simon Caney, "Humanitarian Intervention and State Sovereignty," Paper presented to the Third Pan-European International Relations Conference and Joint Meeting with the ISA, Vienna, 16–19 September

1998.

Albrecht Schnabel and Ramesh Thakur, eds., *Kosovo and the Challenge of Humanitarian Intervention: Selective Indignation, Collective Action and International Citizenship*, Tokyo : United Nation University Press, 2000.

Clauena M. Skran, "Paradigm Shift in Refugee Assistance: The Challenge of Humanitarian Intervention for the UNHCR," Papaer delivered to 2000 Annual Meeting of the Academic Council on the United Nations System, Oslo, Norway 16–18, June 2000.

Alexander Wendt, *Social Theory of International Relations*, Cambridge : Cambridge University Press, 1999.

第Ⅱ部　欠乏からの自由

穀物（ミレット）をつく女性たち．
（1992年マリ共和国にて撮影：勝俣誠）

第一章　日常生活の安全保障

――ネパール・カトマンズにおける移動労働者とスコーター

久保　祐輔

本章は日常生活の安全保障に焦点を当て、その概念の整理と実用性を考えることを目的とする。グローバル化の過程で日常生活の安全保障がどのような過程を経て維持、増大あるいは困難になるのか、ネパール・カトマンズでの移動労働者やスコーター（無権利の土地に居住している者）を例として考察する。また、ＮＧＯによる開発介入がどのような形で日常生活の安全性に影響するかをみる。

第一節　国家の安全保障から日常生活の安全保障へ

1　人間の安全保障

第二次世界大戦後の世界は工業化を進め、驚異的に生産を増大し市場を拡大してきた。その一方で、陰鬱な貧困やさまざまな恐怖は解消されてきていない。このような状況のなかで国連開発計画（UNDP）は、従来の領土偏重の安全保障から人間の安全保障へ、軍備による国家の安全保障から持続可能な人間開発への転換を唱えている。つまり、国家の安全保障（武器によって保障されるとされてきた）とともに、あるいはそれとは独立して、人々が日々営む日常生活の安全保障にまつわる不安が重要視されてきたことを意味する。

また、人間の安全保障という概念のなかに、それがもつ二つの構成要素である恐怖からの自由と欠乏からの自由のうち、従来強調されてきた恐怖からの自由に加えて、欠乏からの自由が強調されるようになった。日常生活の安全保障とは雇用、所得、健康（食べ物も含めて）、環境や犯罪のない安全性である。しかしながら、UNDPの『人間開発報告書』は日常生活の安全保障について言及しながらもその分析指標、方法について、またその接近方法については充分な議論を行っていない。むしろ、従来の分野別接近方法（雇用、所得、環境、マイクロクレジット等）の議論に終始している。

日常生活の安全保障を考えるにあたって三つの点を指摘しておきたい。まず、日常生活の安全保障はより高いレベルでの安全保障（たとえば、地域や国家）によって影響されるという点である。たとえば、紛争（国の内外を問わず）、自然災害、伝染病の広範囲な蔓延は個人レベルでの安全保障を危機に陥れる。また、人間の安全保障はそれが達成されている状況を考えるより、達成されていない状況を考えることに意味がある。その意味では安全保障という言葉は正の概念をもっているが、その意味するところは負の概念が重要といえる。さらに、これら日常生活の安全保障にまつわる不安は、特定の地域あるいは個人にのみ存在する場合がある一方、ある特定の地域や個人にのみ適用される単独な問題ではなく、より広い地域や集団に共通の問題である場合もある。

ＵＮＤＰは人間の安全保障には「持続可能な人間開発」が必要であるとしている。ここでいう持続可能な人間開発とは「人びとを開発の中心に据え、経済成長を目的とせず手段と考え、現世代だけでなく将来の世代がこの世に生きる条件を保護し、あらゆる生命体が依存しあう自然体系を尊重しようという」開発パラダイムであるとしている。ここで注意しなければならない点は、人間開発は安全保障に貢献する場合もあるが、必ずしも常にそうなるという保証はないということである。人間開発は安全保障に貢献しない場合があるばかりか、むしろ安全保障を脅かす場合さえあるのである。たとえば、第二次世界大戦を見てもわかるように、先進国が自負してきた教育水準の高さ、科学技術の高さなどが安全保障を必ずしももたらさなかった。つまり、人間の安全保障をもたらすためには、人間開発の質が問われなければならない。教育水準や科学技術の高さ、あるいは所得水準の高さなどといった指標は不十分であるばかりか不適切でもある。

2　恐怖からの自由という視点からみた日常生活の安全保障

日常生活の安全保障を脅かす恐怖とは、暴力に対する恐怖、飢えに対する恐怖、病気やけがに対する恐怖、社会的排除や孤独に対する不安や恐怖などであろう。日常生活の安全保障を恐怖からの自由という視点でみるならば、それらの多くは個人に帰するのではなく、個人が属している国家、地域、あるいは家族や親類、友人にまで行き着く問題である。特に、社会や家庭内での不安や恐怖の量的および質的拡大が見られる。

グローバル化が進展するなかで、空間的に範囲を限った概念である「地域」（コミュニティ）に比べて、空間的な範囲がより明確にされない概念である「社会」（ソサエティ）が、人々の日常生活に重要なものとなってきているといえる。社会による個人への圧力や社会からの排除は人々にとって大きな恐怖となってきている。つまり、村八分などの例にみられる地域からの排除の重要性は下がり、それとは別に社会的な圧力や社会からの排除が重要になってきているといえよう。それゆえに人々は日常生活のなかで社会への適応を強めようと努力してきている。この適応という試みは日常生活の安全保障にとって効果を及ぼすものであると同時に適応の試み、あるいは適応そのものが安全保障を脅かす原因ともなっている。

3　欠乏からの自由という視点からみた日常生活の安全保障

日常生活の安全保障を欠乏からの自由という視点から見るならば、国連開発計画（UNDP）は雇用、所得を重視している。しかしながら、雇用や所得はそれ自体が欠乏からの自由をもたらすという意味で、日常生活の安全保障を高める役割をもつが、安全保障の危機がどうして起こるのか、あるいは起こらないのかというメカニズムや原因の探求には充分なものとはいえない。本章では、生活源の安全保障（livelihood security）という概念を用いて、欠乏からの自由という視点からの日常生活の安全保障をみていく。

チャンバースやコンウェイは、生活源（livelihoods）を生活の糧を得るために必要な潜在能力（capabilities）、財産（assets）、活動（activities）であるとした。財産（assets）はさらに資源（resources）や貯え（store）といった有形で物質的なものから、主張（claims）やアクセス（access）といった無形で非物質的なものに分けられる。潜在能力とはアマルティア・センによる定義であり、潜在能力の欠乏は高い幼児死亡率や栄養不良、文盲などを特徴として表面に現れているとする。潜在能力を高めるためには、価値ある機能を発揮する手立てとそれを可能ならしめる自由を必要とする［Nussbaum & Sen, 1993］。

これらの要素が組み合わされて個人レベルでの生活源の安全保障の危機が起きたり起きなかったりする。その場合、このうちの一要素によって安全保障が完全に脅かされる場合もあるし、また他の要素の存在によって欠乏状態がカバーされ、欠乏が起こらない場合もある。さらに、各要素は相互に連関している場合があり（通常そうであろう）、その場合各要素が相互連関して欠乏を抑える場合がある一方、一要素がそれのみではさほど欠乏してなくても、他の要素によって欠乏状態に置かれる場合もあろう。また、それらにはレベルがあり、たとえば、食料はそれが貯えとしてあるかぎり飢えからの自由をもたらすが、国家という単位において貯えがあるからといって必ずしも飢餓が起こらないとはいえない。アマルティア・センがベンガル飢饉で指摘したように、国家内に食料の貯えがあるとしても人々がそれにアクセスできない状態がある場合、飢餓は起こるのである。

4　生活源システム

アマルティア・センやチャンバースなどの生活源に対する視点は、必ずしも欠乏からの自由にとどまるものではない。特にセンの視点は明らかに欠乏への視点と同時に、恐怖に対する視点にも重きが置かれている。この自由という概念は現在のグローバル化のなかでの個人を重視したネオリベラルな枠組みのなかで捉えられている。

欠乏や恐怖からの自由のレベルは、それを認識する個人の適応過程において変化しているものである。人はその状況において欠乏や恐怖からの自由のレベルを常に設定し直している。あまりにも大きい欠乏や恐怖は、彼らが起こす設定のレベルを下げる傾向にある。つまり、生活源の安全保障は常に個人が欠乏や恐怖に対して起こす対応の質によって変化するものといえる。それゆえに、開発介入を行うＮＧＯ等が、個々人や社会的グループのエンパワーメントという視点を強調し、教育やその他の社会文化的、政治的あるいは経済的なアプローチをとっている。

生活源はこのように個人レベルで捉えられるべきものであるが、それがどのように保障されているかあるいは保障されていないかを知るためには、生活源をつくりだしたり、維持したり、あるいは減少しているシステムをみなければならない。私は生活源システム（livelihood system）とは、人々が生活を営むシステムで、それにより生活源の安全保障が確保されたり、あるいは確保されないシステムと狭く定義する。生活源の安全保障は人間の安全保障、特に日常生活の安全保障のためには重要な要素である。

生活源システムはすべての個人や社会的グループに共通なものではなく、個人によりまた社会的グループにより異なっているものである。たとえば、貧しい人たちの生活源システムは、経済的に豊かな人たちのそれとはおのずと異なっている。また、個々人の生活源は互いに関係している部分があり、生活源システムは個人にとどまらず、より広い範囲において築かれている。つまり、ある個人や社会的グループの生活源の安全保障は、他の個人や社会的グループの安全保障を侵害する場合がある。もちろん、個人や社会的グループの安全保障は他の個人や社会的グループの安全保障を助長したり、増大したりもする。日常生活の安全保障の確保や維持のためにはこれらの相互連関が重要な要因となる。この点において開発介入が特に注目してきた点は、不公正の概念である。ターゲット・グループを活動の対象としたＮＧＯのアプローチはあえて不公平の原則を侵してまでも、不公正な状況の改善を目指し、弱者や貧困者にターゲットを絞った例である。

第二節　都市への人々の移動――ネパール・カトマンズの事例

現在のグローバル化は、人の移動、特に農村から都市への移動を、重要な側面としてもっている。本節は、人の移動によって生活源システムがどのように変化し、それが日常生活の安全保障にどのように影響しているかについて考察する。特に貧しい人たちの生活源システムが、グローバル化の過程でどのように変化しているかをみる。以下、ネパールの首都カトマンズにおける二つの事例（カーペット工場労働者、スコーター）を中心に考えていく(1)。

1　カーペット工場労働者

カーペット工場はカトマンズにおいて政府に登録されただけで八四五あり、そこで働いている労働者の数は約七万四千人である［Department of Cottage and Small Industries, 2000］。カーペット産業の企業主たちでつくっているネパール・カーペット産業協会（Carpet Manufacturing Association of Nepal）によると、カーペット産業には登録されていない工場が多く、それらも含めるとカトマンズ盆地全体では、推計約四〇万人の人たちがカーペット産業に従事しているという(2)。この数字はカーペット製造に関わっている人たちの総数（概算）であり、このなかには自宅で糸紡ぎを行ったり、染色などの仕事に関わっている人たちも含む。カーペット工場でカーペット織りに従事している労働者は約半数であると考えられている。いずれにしても、カトマンズ盆地の人口一三〇万人のうちカーペット工場で働いている労働者は非常に大きい人口を占めていることになる。

カーペット工業はネパールではほとんど産業として存在しなかったが、一九五九年多くのチベット人が難民となってネパールに逃れたときに産業として始まった。スイスなどの援助機関が、チベット難民の自活プログラムとしてカーペット産業を支援したのが、産業発展のきっかけである。その後カーペット産業は、ヨーロッパなどへの輸出産業として発展していった。カーペット産業が始まった頃には、カトマンズ盆地のラリットプール郡ジャワァケル、カスキ郡のポカラ、ソルクムブ郡のチアルサがカーペット産業の中心であったが、現在ではカトマンズ・ディストリクトのボッダやジョルパティが中心となっている。チベット人が多い地域と、カーペット産業が盛んな地域はほぼ一致している。カーペット産業にはチベット人の企業主が多いが、チベット人がアメリカ等海外へ移動するようになるなどの理由も手伝って、今では多くのネパール人の企業主も、カーペット工場を運営している。

カーペット産業はヨーロッパやアメリカ等の海外の市場に完全に依存している、いわばグローバル輸出産業である。カーペット産業は海外での需要の減少によって、現在必ずしも好況ではない。一時、児童労働の問題などのため、ドイツなどヨーロッパからの注文が減ったためである。また、インドや中国などの低級だが安価なカーペットに市場を奪われてきたことも、原因とされる。ネパールではカーペット産業は輸出額で第一位を占めていたが、現在縫製業にその地位を譲っている。このようにカーペット産業は一時ほどの景気はないとしても、雇用の点では縫製業に比べて大きく、農業に次いでネパールで最も重要な産業だといえる。また、縫製業がインドとの関係を強くもっているのに反して（原料の供給、企業主、労働者など）、カーペット産業はネパール内での他の産業との結びつきが強く、そのため国内での強い産業連関をもっている。事例1はカトマンズにある中規模のカーペット工場とそこで働く労働者の事例である。

事例1　中規模のカーペット工場

この工場は約一二年前に設立された。工場主はネパール・カーペット産業協会（Carpet Manufacturing Association of Nepal）のメンバーである。この工場では三五の織機があり約百名の労働者が働いている。女性の労働者は一〇名にすぎず他のカーペット工場に比べてこの工場では女性の割合が少ない。ほとんどの労働者は一五歳から三五歳までであり、一五歳以下の子供たちは七名である。これらの子供たちの親もここの工場で働いている。工場は朝六時から夜九時まで開いているが、労働者たちは通常一日七時間から八時間働いている。労働者のほとんどはカトマンズ盆地外からきている。彼らの多くはタマング族である。工場主によると地元の人々は他の職種につきたがり、カーペット工場で働くものはほとんどいないという。この工場では労働者は工場主が個人的に雇い、けっして斡旋者を通してはいない。労働者たちはグループをつくっており、そのリーダー（彼・彼女自身も労働者）がグループをまとめている。工場主はできるだけ熟練した労働者を雇いたいが、熟練労働者は他の工場でも需要が高く、半熟練労働者や未経験者も雇わざるをえない。

工場労働者は他の工場に移る頻度が高い。他の工場が少し高い賃金を出して引っこ抜くからである。また、労働者のなかには工場主から前金を得ている労働者がいるが、そのため工場主に連絡しないで他の工場に移っていく労働者もいる。しかし、前金は慣例化しているため、この問題は解決しないだろう。この工場では九〇％の労働者が前金を受けており、そのうち五〇％は工場主に返している。工場を離れた労働者のほとんどは他の工場で働くのであり、田舎に帰っていく労働者はまれである。工場主によれば労働者は貧しい農民出身であり、一度カーペット工場で働き始めたならば「中毒」になり、二度と農業には帰らないという。労働者は工場内の宿舎で生活している。そこでは一部屋に四人が住んでおり、家族がいる場合は一部屋に二～三人で住んでいる場合もある。住環境は劣悪といわざるを得ない。部屋は狭くまた換気が悪く、トイレは汚い。この工場には組合はつくられていない。数名の労働者は個人的に組合に入っているようだ。工場主は労働組合に対してよい感情はもっておらず、労働者もまた組合に入っていることを公にしていない。

カーペットの製造はいくつかの段階に分かれており、そのなかで最も人手を要するのが、カーペットを織る作業である。カーペット工場労働者は元来地方の村から出て来た人たちか、その子供である。カトマンズには現金収入を求めてやってきている。現金収入を得て都会の生活に慣れてくれば、彼らは「けっして村には帰らない」という。工場では個人あるいはグループでカーペットを織っている。カーペット織りでの賃金の支払い方法は出来高制が一般的であり、そのため労働者は朝早くから夜遅くまで働いている。事例1での労働者は一日七時間から八時間働いているが、一日一〇時間以上の労働時間が一般的であるといわれており、なかには一五時間以上働く労働者もまれではない。彼らは狭い、埃っぽい、暗い部屋で働いており、労働環境はけっして良いとはいえず、その中できつい労働に従事している。カーペット工場で働く労働者の多くは工場の敷地内に作られている宿舎で生活しており、事例のように狭い部屋で四～五人が生活している。カトマンズでのこのような労働条件、労働環境、生活環境における生活源システムは、彼らの日常生活の安全を保障しているとはいえない状況である。むしろ、労働者は社会経済的そして精神的に不安定で脆弱な状況に置かれているといえよう。事例2はそのような労働者の例である。

労働者の生活源システムは労働形態によって異なってくる。多くの労働者はカーペット織りに従事しており、それらの労働者たちは工場で働いている。糸紡ぎを行っている労働者のなかには、工場ではなく自宅で働いている人たちもいる。これらの人たちの生活源は、彼ら自身が時間や仕事のペースをある程度ではあってもコントロールできるという意味で、工場で働く労働者と異なっている。それ以上に自宅で働いている人たち（女性）は、労働環境や生活環境が工場で働いている出稼ぎ労働者に比べて良い状況に置かれている。ここでは特に工場でカーペット織りに専念している労働者に限って彼らの状況を見ていく。

事例2　カーペット工場労働者

二三歳の男性。彼が働いている工場は九年前に設立されている。この工場は小さく労働者数は八名で、そのうち女性は五名である。注文が多いときには四〇～四五名の労働者が雇われることもある。この工場には二〇台の織機があるが、現在そのうち七台が機能している。彼は結婚しており一人の息子がいる。彼らは工場の敷地内の宿舎で生活している。彼の妻も工場で働いている。彼は七年前に仕事を求めて東ネパールからカトマンズにやって来た。この工場で働いている他の労働者も東ネパール出身である。彼はこの工場で働き始めて八カ月目である。この工場に来る前には他のカーペット工場で一年間働いていた。前の工場では十分な仕事がなかったのでこの工場に移ってきたのである。しかし、この工場でも十分な仕事があるわけではなく、仕事がない日もあり生活するにも大変である。ほとんどの労働者は同じ工場で長く働かない。短ければ二〜三カ月、長くても二年である。

彼は小学五年までの教育を受けている。家族の問題や経済的な困難があり村を出てきた。母親は彼がまだ幼いころに亡くなっている。父親は酒びたりの生活をしており、麻薬の常習者でもあった。父親は彼をしかったり、しばしば殴ったりした。父親が再婚したことをきっかけに彼は家を出た。一時はインドに行きそこで働いていたが、自国で生きていこうと思いカトマンズに帰ってきた。現在の彼の賃金は出来高制による。生産したカーペット一メートル当たりの支払いは三六〇〜一三〇〇ルピーであり、その額はカーペットの構造や質によって異なる。彼は工場主から前金をもらっており、賃金から少しずつ引かれている。

工場では男と女に区別なく、また子供も働いている。ほとんどの子供たちの年齢は一二、一三歳以上であるが、それ以下の子供もまったく働いていないわけではない。子供たちは地方から出てきて働いている場合と、親がカーペット工場労働者のため、親と一緒にカーペット工場で働いている場合がある。前者は斡旋者を通じてカーペット工場で働くケースが多い。債務奴隷や半債務奴隷のような形で、斡旋者が子供をリクルートする場合も少なくない。このような場合、子供たちは通常斡旋者あるいは仲介者とともに同じ工場で働き同じ部屋で生活することになる。斡旋者は子供たちの仕事をコミッションという形で搾取するだけでなく、生活の場にあっても監視および搾取が行われる。カーペット工場での児童労働の規模については、NGOであるCWIN（Child Workers In Nepal：ネパールにおける児童労働）が、一九九二年に調査したところによると、児童労働（五～一六歳）は全体の労働者の五〇％であった。カーペット工場での児童労働が問題となった九〇年代初頭からカーペット工場で働いている子供の数は減少しているといわれているが、政府に登録していない比較的小規模のカーペット工場においては、児童労働は必ずしも少なくなっていないと思われる。

このようにカーペット工場で働く移動労働者の生活源システムは、現金収入を求める活動という単一の生活源に頼ったものであり、その他の要素はさほど重要ではなくなる。職を得る手段として友人、親類などの社会的ネットワークが役に立つとはいえ、それが職を得るための社会資本としてはさほど重要ではない。収入はそれが将来において財産や貯えに変わっていく可能性があるが、彼らが出て来た村でそれらが築かれていく例は少ないようだ。多くのカーペット工場労働者は「カトマンズという都会で一度働き始めると、もう田舎には帰らないでカトマンズ内で移動する」ことになる。これは彼らの子供たちの学校教育にも影響している。カーペット工場労働者の子供たちも工場で働いている。子供たちの潜在能力を高めるために学校教育を受けたり、職を選ぶ選択の自由は小さいといわざるをえない。

多くの女性もカーペット工場で働いている。これらカーペット工場で働く女性（特に少女）のなかには、性的嫌がらせや性的虐待などを受けている人たちがいる。また売春もまれではないという。さらに、後述するがカーペット工場で働く少女や女性がインドの売春宿に売られている。つまり、これら女性や少女にとって、カーペット工場での労働および生活は単なる経済活動ではなく、さまざまな不安や恐怖を伴い、彼女たちの自由は脅かされているといえる。生活源システムから見るならば、カーペット工場で働くことによって彼女達の生活源システムは変化しているだけでなく、彼女たちのもつ主張（claims）は弱くなっているといえる。

2　スコーター（無権利の土地に居住している者）

現在起こっているグローバル化は、物、資本、情報などが瞬時に大規模で、広範囲に世界的規模で移動している状況として捉えることができるが、人の移動もまた重要なグローバル化の一側面である。カーペット工場労働者でみたように、移動労働者はネパールではこの典型的な例である。これら移動労働者の多くは、長年農村に住んでいた人たちである。このように農村から都会へと移動している人たちのなかには、居住地を家族とともに都会に移す人たちも多くいる。彼らの多くはカトマンズのなかでいわゆるスラムと呼ばれる一帯に住んでいる。

カトマンズにはスラムは存在しないといわれていたが、現在多くのスラムがカトマンズに存在している。通常貧困者居住区がスラムと呼ばれるが、スラムの定義はあいまいである。本章ではスラムをスコーター（Squatter）として、自分たちが所有権を有していない土地に住んでいる人たちでつくっている居住区に限って呼ぶことにする。カトマンズにはスコーターでつくられている居住区が五四あるとされ、住民の数は約九千人とされている［Lumanti, 1996］。しかし、私が二〇〇〇年一二月から〇一年一月にかけて訪問した三箇所のスコーター居住区を見るかぎり、スコーター居住区に住む住民の数は一九九六年の調査時の五倍はあるのではないかと推測される。これらスコーター居住区に住んでいる人たちはもともと地方の村からカトマンズに出てきた人たちで、カトマンズを既に居住地としており、地方と都市の間、都市と都市の間での移動性は強くない。また、事例3と事例4は、これらスコーター居住区の事例である。事例3は比較的新しく（六～七年）、事例4はつくられてからかなり時間がたった居住区である（約二〇年）。

スコーター居住区に住む住民もまたさまざまである。彼らは経済的な理由からだけではなく、家族の問題、カースト、障害などさまざまな社会的理由により、これらスコーター居住区に移り住んでくる。通常私たちは、スラムには一律貧困者が住んでいると思いがちである。スラムにはさまざまな人たちが住んでいることを忘れがちである。職業はもとより、社会的なグループや民族、さらには経済状況もまちまちである。さらには、時間の経過とともに住民の状況も多様化していく。スラムが成立した時点では、比較的経済的に均質性を持った人々の集団であったものも、時間の経過とともに次第に階層化した集団に変化している。

事例3　比較的新しいスコーター居住区（パティバラ）

この居住区には一八五家族が住んでいる。人口は約一五〇〇人ぐらいである。この居住区を運営しているのは九人で構成されている住民委員会である。彼らは六～七年前に公開のミーティングで選出された。委員会は成人学校、下水道、井戸などをつくってきた。この居住区には電気がきているが、すべての家に電気があるわけではなく、経済的に余裕のある人々の家に電気が引かれているだけである。

住民の一人、四九歳の男性は六年前にここに移り住んだ。彼の家は極東ネパールにあったが、彼の家が一九五五年に土砂崩れにあった。彼はいろいろな仕事をしてきたが、外国人旅行者のポーターとしてカトマンズにきたのがきっかけでカトマンズに移ってきた。彼は小さな雑貨屋を家の中でやっている。一日の売上は二〇〇〜三〇〇ルピーである。彼の子供四人のうち上二人は縫製工場で働いている（一八歳の女性、一六歳の男性）。下二人は学生である（一四歳の娘、一三歳の息子、ともにクラス七）。彼が危惧しているのは、この土地が国のものなのでいつ退去させられるかわからないということである。彼は「もし政府が退去せよというのなら、私を殺せと言うだろう」と言う。政府が彼らをここから追い出すことによって彼がつくってきたものを失うことが怖い。彼はここで彼なりの投資をしてきており、これらがなくなると生活の基盤がなくなる。雑貨や家、床、さらに寝具や調理器具などである。彼の希望は子供たちが勉強し、よい仕事を得ることである。

スコーター居住区に住む人たちはスコーター居住区のなかで次第に生活基盤を高めようとしており、つくられてから既に長年経過しているスコーター居住区では、社会経済基盤がかなり築かれている。彼らの最も恐れているのは、彼らが住んでいる土地が彼らの名義ではなく、いつ政府から退去させられるかわからないということである。つまり、土地の所有主体が個人や政府などにおかれている現在の社会にあって、彼らの日常生活は常に脅かされる危険性をもっている。事例4のスコーター居住区は、事例3の居住区に比べて住民の社会的・経済的状況は明らかに良い。しかしながら、他のスコーター居住区と同じく、この居住区の住民も土地の権利をもたない、いわゆる不法土地占拠者である。現在、各家には番号が付けられており、現時点では政府も住民の居住を黙認している。しかし、政府がいつ方針を変えるかわからないとの危惧が、住民の間にはある。

事例4　比較的古いスコーター居住区（カティパカ）

このスコーター居住区は約二〇年前につくられた。現在、一二五家族約千人が住んでいる。この居住区の社会経済インフラストラクチャーは、事例三の居住区に比較すると整備されている。水場が五箇所あり、メトロポリタン自治政府の支援を受けて住民が維持管理している。多くの家には電気が引かれている。また、多くの家がトイレをもっている。学校はこの居住区内にはつくられていないため、子供たちは居住区外にある政府の学校に通っている。

住民の一人六六歳の男性はカトマンズ近隣の村からカトマンズにやって来た。彼の両親は土地をもっていたが地主からの借金が返せず、土地を手放さざるをえなかった。彼はカトマンズにきた後アパート暮らしをしていたが、経費がかからず住むところがあると聞きつけて、この場所に移って来た。彼は五年前に結核を罹ったが、八カ月間にわたる治療の後治癒した。現在電気会社の警備をしている。彼の家には、妻と一人の娘、三人の息子、義理の娘、二人の孫、合計九人がいっしょに住んでいる。彼と彼の妻は学校教育を受けていないが、子供たちは少なくとも小学校教育を受けている。彼らの経済状況は次第に良くなってきた。以前は一つの部屋に家族全員が住んでいたが、彼らはいまでは部屋が六つある家で生活している。彼はこのように経済状況がよくなるとは以前には想像できなかった。

スコーター居住区での生活源システムは変化しているが、その変化のなかで生活源の安全保障は強められたり、また弱められたりしている。ここで取り上げた二つの事例に限れば、時間の経過によって生活源の安全保障は強められているといえる。しかしながら、彼らが彼ら自身の（少なくとも名義上は）ものでない土地の上に生活しているという不安定さは、常に彼らの不安や恐怖に結びついている。その不安定さの強弱は、彼らの生活を維持、保障していく方策に影響している。たとえば、子供に対する期待および教育への投資は、彼らがもともと生活していた地方の村では考えられないような高さとなって、現われているように思われる。これは彼らがもつ「不法土地占拠者」としての不安とまったく関係がないとはいえない。つまり、彼らが感じている不安や恐怖の内容やその強さは彼らの生活源システムを変える重要な要素ともなっているのである。

第三節　カトマンズでのNGO活動

以上、カーペット工場労働者やスコーターを、生活源システムと、日常生活の安全保障という二つのキーワードで検討してきたが、本節ではこれらの人々の状況へのNGOの介入を考察する。ここで考察するのは筆者が直接調査した結核対策と人権擁護活動である。NGOの活動がどのようにスコーター居住区に住む人々や、カーペット工場などで働く移動労働者の日常生活の安全保障、特に彼らがもつ生活源の安全保障に関係しているかに注目する。

1　結核対策における政府とNGOの連携

結核対策を事例として挙げる理由は、この疾病はネパールにおいていまだ深刻な被害を及ぼし続けており、日常生活の安全保障に大きな影響を与えているからである。ネパールにおける結核患者は八万人、毎年新しく結核に罹る人数は五万、結核によって死亡する人は毎年八千人から一万一千人であると報告されている（JICA TB Control Project, 2000）。ネパールは山岳地帯、丘陵地帯、平野部（タライ）に分かれており、従来山岳地帯や丘陵地帯での結核対策が問題となってきた。実際、これら山岳地帯や丘陵地帯では医療施設が少なく、丸一日歩かないと医療施設に着かないような地域もまれではない。しかし、最近では都市部への人の移動に伴って都市部での結核対策も重要な課題となってきた。特に首都カトマンズ盆地の人口増加は著しく、そこでの結核対策が優先的課題となってきた。現在カトマンズの人口は約一三〇万人である。カトマンズ盆地は三つの行政区（ディストリクト）に分かれており、そのうち特に九〇万人と人口が多いカトマンズ・ディストリクトの結核対策が問題となる。

ネパール政府は結核対策のプログラムを進めてきたが、一九九六年以来直接観察によって治療を行うＤＯＴＳ（直接的観察治療短期コース）を取り入れている。[3] 日本の国際協力事業団などの支援を受けた政府機関である国立結核センター（ＮＴＣ）が、結核対策のシステムを整えようとしている。カトマンズ・ディストリクトでは、政府の診療所一三カ所、民間の医療機関二カ所、カトマンズ・メトロポリタンが運営している診療所八カ所において、ＤＯＴＳが行われている。[4] これら政府、民間、地方自治体とともに、ＮＧＯの活動も結核対策の分野において重要になってきた。現在、カトマンズ・ディストリクトでＤＯＴＳを行っているＮＧＯは五つあり、それらは政府の結核対策機関である国立結核センターと協力して活動を行っている。[5] これらＮＧＯの活動概況について簡単に紹介する。

(1)　フレンズ・オブ・シャンタバワン

アメリカのＮＧＯであり、ネパールで医療保健のプロジェクトを行っている。外来診療や母子保健、結核対策のプログラムを進めている。三〇人のスタッフが働いている。そのうち三人のスタッフ（結核対策責任者、結核診療所スタッフ、フィールド・スタッフ）が結核対策プログラムを担当している。結核対策プログラムは一九八六年に自己資金によって始められた。その際いくらかの薬は国立結核医療センターから供与された。その後、ＤＯＴＳが始まった九六年からは、国立結核医療センターが結核治療薬を供与している。結核の診断に必要な顕微鏡が一台ある。二〇〇〇年一二月現在、一七〇名の結核患者の治療が行われている。

⑵　ヘルピング・ハンズ

ヘルピング・ハンズは一九八八年に一人のネパール人によって始まった医療キャンプがきっかけでつくられたＮＧＯである。九二年に現在の名称になり、ＮＧＯとして活動が始まった。九五年に診療所を開設し、九六年に現在の地に診療所を移した。現在、一二名のフルタイム・スタッフを含め一四名のスタッフが働いている。ＤＯＴＳプログラムは、九七年一一月に始まった。結核担当スタッフとフィールド・ワーカー各一名ずつが結核対策プログラムで働いている。顕微鏡は国立結核医療センターから供与された一台と合わせて二台あり、結核の診断等に使用されている。二〇〇〇年一二月現在、治療中の結核患者は一七五名である。

⑶　ヒマラヤン・ヒーリング・センター

ヒマラヤン・ヒーリング・センターは、カーペット輸出業者が労働者や地元住民に対する医療サービスの提供を目的として、一九九五年に始まった診療所である。この輸出業者はチベット人であり九つのカーペット工場を傘下にいれている。これら九つのカーペット工場で働いている労働者は約千名である。労働者の医療費についてはカーペット工場が補助している。この診療所で働いているスタッフは全員で一四名である。結核対策プログラムは九六年に始まった。結核担当としてパラメディカルが一名働いている。二〇〇〇年一二月現在、四三名の結核患者が治療を受けている。

(4)　ジェネタップ

ジェネタップは一九八七年にドイツのNGOによって設立され、それ以来結核対策を行っている結核対策を専門としているNGOである。DOTSは九八年から始まった。一五名のスタッフを擁し、そのうち臨床検査技師が一名、また臨床検査助手三名が働いている。一人のフィールド・ワーカーが患者追跡などの仕事をしている。結核の診断のために顕微鏡が一台ある。ジェネタップは中部ネパールの四つの郡でも活動しているが、カトマンズにおいてこれ以上治療所を増やす考えはもっていない。

(5)　ケア・アンド・フェア

一九九五年に始まったドイツの支援を受けているNGOである。資金のほとんどはドイツからきているが、カーペット工場の企業主たちも一部資金援助している。六三のカーペット工場がケア・アンド・フェアを支援している。この団体の活動目的は、カーペット工場で働いている子供たちに基礎教育や職業訓練の機会を与えることによって、児童労働をなくすることであり、そのためにケア・アンド・フェアは、カーペット工場労働者に医療サービスを提供したり、労働環境の改善を行っている。カトマンズ盆地に四つの診療所をもっている。これら四つの診療所のうちジョルパティにある診療所とパタンにある診療所で、DOTSプログラムが進められている。そのうちの一つジョルパティにある診療所では一三名のスタッフが働いているが、二名が結核対策の仕事をしている。この診療所にくる患者のほとんどはカーペット工場で働く労働者である。二〇〇一年一月現在、治療中の結核患者数は二一名と少ない。

カトマンズ・ディストリクトにおいてDOTSプログラムを行っているNGOは、以上である。ジエネタップを除いてこれらのNGOが働いている地域はカーペット工場が多い地域である。そのうちのいくつかのNGOは、カーペット工場労働者を対象として結核対策を行っている。カーペット工場労働者とNGOによる結核対策との関係は、①カーペット工場労働者がカトマンズ盆地人口一三〇万人に対し四〇万人と多い、②労働者が置かれている劣悪な労働環境や生活環境と結核との関係性が存在する、③カーペット工場労働者は他の工場に移動しやすく、結核患者が中途で治療を中止する可能性が高いなどの理由により、重要である。

移動労働者の結核治療にはさまざまな課題が存在しているが、その多くは移動労働者が置かれている状況にあり、DOTSプログラムのみでの対応は、無理な場合がある。移動労働者にとって病気の治療を受ける自由は治療体制の未整備によってではなく、むしろ彼らが置かれている物理的、経済的また精神的状況によって制限されている。彼らはもともと欠乏からの自由を求めて、村からカトマンズにやって来た人たちである。しかし、カトマンズにおいても欠乏からの自由は十分保障されておらず、その他の自由（結核治療を受ける自由など）もまた制限されている。カーペット工場労働者のなかには斡旋者のもとに働いている労働者がおり、彼らの移動や病気の治療においても、それら「中間」

の人たちの意向が影響する。また、彼らの多くが工場主から前金を得ていたり、借金があり（実際には斡旋者が受けた前金の場合も多いという）、それが嵩んで他の工場へ移るケースもある。その場合工場へはもちろん、結核の診療所にも何の連絡もなしに移ることになる。DOTSはあくまで結核患者が診療所にきて薬を飲まなければならないシステムであり、それにより結核治療は確実さを増すものの、カーペット工場労働者などにはとってフレンドリーなシステムでは必ずしもない。

政府機関とNGOは結核対策において連携を行ってきた。政府機関とNGOが連携する理由として、①NGOは地域の事情をよく理解し、きめ細かい仕事ができる、②政府のプログラムでは十分なスタッフや診療所がなく、それをNGOとの連携によって充足することができる、③双方が連携することにより効率的な資源の活用を図れる、④政府とNGOがそれぞれの特徴をお互いに共有でき、互いが今以上の活動を計れる可能性があるなどであろう。しかし、いくつかの課題も存在している。たとえば、NGOによっては必ずしも地元の事情をよく理解し、きめ細かい活動がなされているとはいえない場合もある。

前記したようにNGOといってもそれぞれが特徴をもっており、なかにはカーペット工場を運営している企業主たちによってつくられたもの、児童労働の撲滅などを目的としたもの、有力者によるチャリティの意味合いをもったNGOなどさまざまである。NGOは必ずしも住民の代表とはいえない。また、NGOはNGO自身の方針があり、これらのNGOが結核対策を継続していくとは限らない。このため、政府機関の結核対策プログラムの担当者はプログラムの持続性という面からNGOとの連携に多少の不安をもっている。

2　少女売買に対するＮＧＯの活動――マイティ・ネパールの事例

生活源の安全保障という視点で日常生活の安全保障をみていく場合、地域、社会階層、職業、性差、年齢差、民族、カーストなどの違いに考慮しなければならない。前述のカーペット工場労働者においても、さまざまな民族、カースト、性差、年齢差が見られる。これらの違いが生活源システムをおのずと異なったものにしている。ここでは女性（特に少女）に焦点をあて、人身売買などに陥った女性の日常生活の安全保障についてみていく。また、それら女性や少女のために活動しているＮＧＯが彼女たちの安全保障にどのように関わっているかもみていく。

カーペット工場で働く多くの少女は、友人や家族、親類などと一緒にカトマンズにやって来てカーペット工場で働き始める(6)。彼女たちの多くはカトマンズに来るのが初めてであり、また都会に来るのも初めてである。これらの少女たちは、カーペット工場で働いている間にさまざまな問題を抱えることになる。カーペット工場内では性的嫌がらせがあり、また彼女たちは売春の対象となることもある。仲介人に騙されたり強制によって、インドの売春宿に売られる少女が少なからずいるとの報告がなされている。事例５はグルング［Gurung, 2000］が報告した、カーペット工場で働いている少女の売買の事例である。

事例５　サダナ

サダナはシンヅパルチョウクから、二人の友人とカトマンズにやってきた少女である。これらの少女は山で育った少女たちである。彼女たちの村は地形が険しく、彼女たちの収入の機会は乏しく、若い彼女たちにとって村に住み続けることは我慢のできないことであった。ある日、彼女たちはカトマンズから帰ってきた男に出会った。彼はカーペット工場で働いている労働者であり、もし彼と一緒にカトマンズに行くならば、彼女たちの仕事を世話すると言われた。彼女たちはこの男と村を離れ、カトマンズに行く決心をした。

カトマンズに到着した後、彼女たちはボッダナートにあるカーペット工場で働き始めた。サダナがカーペット工場で働いているときサダナは彼女の友人の一人をとおしてある男を知ることになる。後に、その男はサダナへの好意を伝え、結婚を申し込んだ。彼らは交際をはじめ、数カ月の後、結婚した。ある日、彼女の夫は彼女をもっと大きな都会に連れて行ってやると言った。そして、彼が彼女をインドにある大都市ボンベイ（現ムンバイ）に連れて行ったとき、彼は彼女を売春宿に売ったのである。かくして、サダナは異国の地で売春婦として働く羽目になった。村で育った彼女はカトマンズで働き生活しようと思ったが、結局セックス貿易にはまってしまったのである。一九九六年サダナは、ＡＢＣネパール（女性の売買やセックス貿易をなくすために活動しているパイオニアＮＧＯである）の女性活動家の手によって助け出された。サダナは今もＡＢＣのトランジット・ホーム（社会復帰準備のためのホーム）で生活している。

サダナは同じような境遇に陥った多くの少女たちの一例である。このような境遇の少女達はＡＢＣネパールやマイティ・ネパールのトランジット・ホームで保護されている。売春婦としてインドで働いている少女たちのなかにはＨＩＶ／エイズに感染している少女もいる。彼女たちがＨＩＶ／エイズに感染した場合、彼女たちは売春宿の主人に追い出されるだろう。結局ネパールからセックス貿易によって売られていった少女たちはＨＩＶ／エイズや他の性病にかかってネパールに帰ってくることになる。(7)

少女が売買されるのはカーペット工場とはかぎらない。多くの少女は彼女たちが住み慣れた村で仲介人に売られ、インドの都市などに送られる。インドで売春婦として売春を行っているネパールの少女や女性は、二〇万人と推定されている。事例5は騙されて売春婦になった事例であるが、売春婦のなかには親によって仲介人に売り渡されたものもいる。これらの少女は最高でも一〇〇〇米ドルで売られているという。少女が売られた家にはネパールの標準的な家庭ではみられないような「豊かな」消費生活と、働かなくてもよい生活がもたらされる。(8)このことは少女の人身売買が貧困という経済的な理由によるものだけではなく、歴史的につくられてきた女性に対する社会文化的な価値観や慣習、社会に規定された女性という性（sexuality）に起因することを示している。以下、少女の売春や女性の虐待などに対して活動を行っているマイティ・ネパールの活動を簡単にみていく。

マイティ・ネパールは債務労働として売られたり、迫害されたり、性的虐待を受けた女性や少女を救済することを目的に、一九九三年につくられたＮＧＯである。この団体の活動はスコーター居住区で生活したり、カーペット工場で働く女性や少女に限っているわけではない。リハビリテーション・センターをつくり、そこで女性や少女たちを保護し、技術研修を提供し、小規模のローンを供与したりしている。つまり、マイティ・ネパールは女性や少女にシェルター、教育、安全を与えているＮＧＯといえよう。ネパール内の多くの地域で活動しており、カトマンズにおいても活動を行っている。

具体的な活動としては、①少女の売買や少女売春についての、一般の人々に対する教育啓蒙活動を行い、これらをなくしていくための活動に参加を勧める、②路上生活をしている少女を保護し、シェルターを与え、教育やカウンセリングを行う、③女性に対して保健や病気の予防に関する情報を提供する、④女性に技術訓練を与え、収入向上を通じて経済的に自立するように進める、などである。これらに加えて、マイティ・ネパールは刑務所における女性に対しても職業訓練を施している。

事例5で見たように、ネパールの少女がインドに売り飛ばされることが多く、そのため、マイティ・ネパールは国境沿いにトランジット・センターをつくり少女の売買を防いでいる。そこで一時的に保護された少女は、一定期間の後（二ヵ月以内）家に帰される。一方、女性のためのセンターはノン・フォーマル教育を行ったり、織物などの職業研修を行っている。六カ月のコースとなっている。その後小規模ローンなどが与えられ、女性の自立を目指している。

マイティ・ネパールが行っている活動は、移動労働者や貧困者、女性や少女の日常生活の安全保障という点から見るならば、少女や女性たちの恐怖を取り除く活動とみなすことができよう。また、職業訓練や研修を通じて、また小規模ローンの供与などにより、欠乏からの自由を目指すものともいえる。後者は彼女たちの生活源システムの再構築と考えられてよく、前者はそのために必要な条件をつくりだす活動と考えてよいだろう。つまり、少女たちが置かれた不安や恐怖は、彼女たちの生活源システムの変化を伴ったものであり、彼女たちの日常生活の安全保障に貢献するためには、彼女達の生活源の安全保障もまた伴わなければならない。

マイティ・ネパールは女性や少女たちの状況を世界に広め、具体的な活動を通じて対策を提案する役割を果たしてきている。一九九九年にはインドのムンバイ（旧ボンベイ）にも事務所を設立し、マイティ・ネパール・ムンバイとして、売春宿に売られていった少女や女性を助け出したり、売られそうになっている人たちを途中で助けるなどの活動を行っている。また、海外などからいろいろな人たちが事務所やセンターを訪問するので、マイティ・ネパールは女性たちや少女たちの置かれている状況や、そのための活動の重要性を世界に広く知らしめ、活動を広げている。これらの活動によって、さまざまな国の人々やNGOとネットワークを築いてきている。

第四節　まとめにかえて

近代化論に裏打ちされた開発経済モデルは、欠乏からの自由が恐怖からの自由を自動的にもたらすと、われわれに錯覚をさせている。欠乏からの自由が恐怖からの自由をもたらすことは、十分ありえることである。しかしながら、村からカトマンズにやって来た人たちの事例で見てきたように、欠乏からの自由を求めることは、恐怖からの自由を奪う、あるいは制限する可能性をもっている。また、欠乏からの自由と恐怖からの自由は相互連関をもっているが、それぞれは独立して独自なシステムによって増大したり、減少したりもする。

たとえば、少女売買や少女売春は欠乏をその重要な原因としているものの、これらはすべての貧困者が一様にこうむる可能性をもったものではなく、少女のみに特有な問題である。そこには少女がもつ「パワー」や社会文化的文脈のなかでの「価値」、さらには女性という性（sexuality）が、どのように社会のなかで規定されているかにも関係してくる問題である。チャンバースやコンウェイが定義した生活源は、経済的な側面を重視しすぎており、生活源システムが日常生活の安全保障のためにどのような機能をもっているかをみるためには、「パワー」や「価値」を含める必要があるだろう。

「開発とは、人々が享受するさまざまの本質的自由を増大させるプロセスであるとみることができる」［セン二〇〇〇］。アマルティア・センの言葉を本論の論旨に言い換えると、日常生活の安全保障、つまり恐怖や欠乏からの自由を目指す活動は開発活動そのものであると捉えることができる。スコーターの事例で再確認したように、開発活動の主体は住民自身である。彼らの潜在能力の向上や彼らを取り巻く環境（社会経済基盤、制度、社会資本＝ソーシャル・キャピタル、自然環境など）の改善は彼ら自身の手によらざるをえない。

住民の開発活動とその可能性を知るためには、住民の潜在能力と彼らを取り巻く環境（そこに介入するNGOも含めて）の関係を分析する必要がある。そのためには、住民が持つ生活源システムという概念は有効である。スコーター居住区に住む人たちの事例でみたように、彼らの生活源システムは多様であると同時に、それは強められさえもしている。他方、カーペット工場労働者がもっている生活源システムは、工場内の狭い空間と人間関係のなかでの現金収入獲得というものであり、彼らの生活源システムは不安定性を常に持っている。

開発の担い手は「人々」であることに誤りはないが、本章でみてきたように「人々」もまたさまざまな助けや協力を必要としている。開発協力団体であるNGOの活動は開発活動そのものではなく、人々が開発活動に関われる環境の改善を目指す活動といえる。結核対策や少女売買に対する対策のところでみてきたように、彼らが不自由な状態に置かれている原因は多種多様であり、またさまざまな段階に分かれている。特に、世界規模で進展しているグローバル化の最たるものの一つが、人の移動である。

結核対策や少女の売買などでみてきたように、このグローバル化の過程で日常生活の安全保障は、一定の地域に特定な対応では十分な効果を発揮しづらい場合が多くなっているのである。このプロセスのなかでＮＧＯ活動も、地域をまたがって行われるようになってきている。また、地域外から資金的、人的また制度的支援を必要としてきている。さらに、ＮＧＯ活動と政府の連携が強められている。これはある面では政府機関によるＮＧＯの取り込み策として位置づけられることもあるが、「市民社会」のあり方に対するＮＧＯの役割の拡大でもあろう。

【注】

(1)　ネパールの事例は私が結核予防会・結核研究所の依頼で一九九九年一二月から二〇〇〇年一月、および同年一二月から〇一年一月にかけて行ったＧＯ（政府機関）－ＮＧＯの連携に関する調査に基づいている。

(2)　カーペット産業に従事している労働者の数、約四〇万人は労働者組合であるネパール・カーペット労働者組合（Nepal Carpet Workers Union）でも確認された。

(3)　ＤＯＴＳとは Directly Observation Treatment-Short Course の略である。治療開始後二カ月間は結核患者が週末を除いて毎日診療所に出向いて薬を飲み、その後の六カ月は一週間に一度一週間分の薬を診療所で受けて、自宅で毎日薬を飲むシステムである。

(4)　カトマンズ・メトロポリタンはカトマンズ・ディストリクトの中心部を占めており、人口は約七〇万人である。

(5)　カトマンズ盆地は三つのディストリクト（ラリットプール、バクタプール、カトマンズ）に分かれており、カトマンズ・ディストリクト外でも YALA Urban Health Programme などのＮＧＯがＤＯＴＳプログラムを進めている。

（6）ネパールにかぎらず多くの国では、女性と少女を区別することは簡単ではない。たとえば一九九一年の労働法（Labour Act）や九二年の児童法（Children Act）、二〇〇〇年の労働法は、一四歳以下の子供の労働を禁止している。しかしながら、年齢だけでは女性と少女、さらには大人と子供を区別する指標とはならない。そこには社会文化的な要素が重要になる。たとえば、ネパールのような国では一四歳以下の子供においても結婚する場合があるが、その場合結婚した女性を少女とは呼ばない。また、カーペット工場などで働く子供は年齢をごまかす場合があり、正確な年齢を把握することが難しい場合もある。さらに、年齢そのものが重視されていないこともあり、その場合本人でも正確な年齢がわからない。

（7）この節と事例5はGurung 2000, p. 6を参照した。

（8）これらの情報はＡＢＣネパール編『ネパールの少女売春——女性ＮＧＯからのレポート』を参照とした。

【参考文献】

国連開発計画（ＵＮＤＰ）『人間開発報告書』一九九四年。

国連開発計画（ＵＮＤＰ）『人間開発報告書』二〇〇〇年。

アマルティア・セン著、石塚雅彦訳『自由と経済開発』日本経済新聞社、二〇〇〇年。

ＡＢＣネパール編・矢野好子訳『ネパールの少女売春——女性ＮＧＯからのレポート』明石書店、一九九六年。

ＣＷＩＮ編、矢野好子訳『ネパールの働く子供達——はた織りに隠された悲惨』明石書店、一九九五年。

Chambers, R. and G.R. Conway, *Sustainable Rural Livelihoods : Practical Concepts for the 21st Century*, Institute of Development Studies, Discussion Paper 296, Brighton, 1992.

Gurung, Shobha, *Women's and Girl's Lives : Beyond the Formal and Informal Carpet Factories*, Conference Paper, South Asian Studies Conference, Edinburgh, 5–9 September, 2000.

JICA TB Control Project, *A Comprehensive Report on JICA TB Control Project*, Phase 2, Nepal, 2000.
Sen, A., *"Capability and Well-being", in* M. Nussbaum and A. Sen, eds., *The Quality of Life*, Oxford : Clarendon Press, 1993.

第二章　子どもと人間の安全保障

――子ども参加に焦点をあてて

甲斐田　万智子

はじめに

経済と情報のグローバル化が拡大するなかで、人間の安全保障について考えるときに、本研究会では、経済的・社会的に最も弱い立場に置かれる人々に注目してきたが、貧困層の子どもは、安全と人権を脅かされている最大規模のグループである。また、本研究会における課題は、人間の安全保障を脅かされている人々自らによる問題解決を市民社会がいかに支援していくかということである。本章では、グローバル化の影響を受けやすい貧困層の子どもたちが置かれている状況のみならず、子ども自らが自分たちの人権が脅かされる問題をどのように認識し、解決に向けての役割を果たしているかという点について論じ、子ども参加による子どものエンパワーメント[1]が人間の安全保障の実現にどのように貢献するかを考察したい。

第一節では、子どもの安全が脅かされている状況と、それに対する国際的な取り組みについて述べる。第二節では、児童労働問題に取り組む世界各地の子どもたちと、それを支援するNGOについて、第三節では、内戦や商業的性的搾取の被害者である子どもが主体となって活動している事例、およびそうした子どもたちの力を引き出すためのアプローチについて紹介する。第四節は、子どもが問題解決の主体となって社会参加することと、人間の安全保障を構築する市民社会との関係についてまとめてみたい。

第一節　グローバル化と子ども

1　安全を脅かされる子どもたち

(1)　感染症

経済のグローバル化によって貧困の格差はさらに広がり、二〇〇〇年度の『ユニセフ子ども白書』によると、一日に三万五〇〇〇人の五歳未満児が死亡しているが[2]、そのほとんどの死亡原因が感染症である（感染症による死亡の約七〇％が一四歳未満の子どもたちによって占められている）。また、多くのアフリカの国々では、ここ数十年確実に減少していた子どもの死亡率がＨＩＶ／エイズによって、再び上昇してきている。現在、世界で一四〇万人の子どもたちがエイズに感染しており、同時に彼らが結核にかかるリスクも高い(3)。

一九九九年には一〇五〇万人の五歳未満児が死亡しているが、そのうち九九％が開発途上国の子どもである。死亡原因の主なものは、マラリア（一〇〇万人近く）、下痢（一五〇万人）、はしか（一〇〇万人）であり、いずれも予防可能なものである(4)。肺炎（二〇〇万人）、しかし、これらの病気が開発途上国に集中しているがために、利益を見込めないという理由から、製薬会社が薬の製造を中止したり、新薬の研究開発を行わないケースが多い。また、製薬会社が特許により自社製品の市場を独占しているために、薬の価格が高くなっている。そのため、貧しい子どもが高価な薬や予防接種にアクセスできないという現状に対して、ＮＧＯにより「必須医薬品キャンペーン」という国際キャンペーンが九九年より展開されている。

(2)　武力紛争

子どもの権利条約第三八条は、武力紛争における子どもの保護に関して、一五歳未満の子どもを兵士として採用したり敵対行為に参加させたりしないことを規定している。しかし、この条約が採択されてから一〇年間に武力紛争で命が奪われた子どもの数は二〇〇万人、重い傷を負ったり、生涯にわたる障害を負った子どもの数は六〇〇万人にも及ぶ［ユニセフ二〇〇〇］。一九九六年には二年にわたる調査の結果「武力紛争が子どもに及ぼす影響」という報告書が国連に提出された。

これはモザンビークのマシェル女史が取りまとめたので「マシェル報告」とも呼ばれる［ユニセフ一九九六］。この報告書によって、無数の子どもたちが恐ろしい戦闘行為を目撃したり、暴力を奮うことを強制させられたり、また、子どもたち自身が虐殺・レイプされたり、兵士として搾取されるなど、身体面だけでなく心にも深く傷を負っていることが明らかにされた。また、現代の武力紛争が世界で最も貧しく、子どもが弱い立場にある国々で起こることが多いこと、兵士として最も使われやすいのは、社会の片隅に追いやられた貧しい子どもや家族から引き離された子どもたちであることも指摘された。

子ども兵士の数は年々増え続け、戦闘に使われるだけでなく、地雷原を走らされたり、少女が兵士の妻として使われたりしている。子ども兵士が近年増加した原因として、一九九〇年代の初めから武器貿易が盛んになり、特に安価な小型武器が拡散したことが挙げられる。武器の購入にあたっては、内戦が長引くアンゴラの反政府軍のように、先進国のバイヤーに売るダイヤモンドが資金源となっているケースもある。武力紛争が頻発し、子どもの犠牲が複雑化するなか、二〇〇〇年五月の国連総会で、「武力紛争への子どもの関与に関する子どもの権利条約の選択議定書」が採択され、戦闘への直接参加および強制的徴募の禁止年齢が一五歳から一八歳に引き上げられた。

(3)　子どもの商業的性的搾取

子どもの権利条約第三四条によって、子どもたちは、あらゆる形態の性的搾取および性的虐待から保護されるべきことが規定された。しかし、経済と情報のグローバル化によって、子どもの商業的性的搾取（具体的には、子ども買春・子どもポルノ・性的目的のための子どもの人身売買をさす）は、国境を越えて拡大している。たとえば、アジアだけで一〇〇万人以上の子どもが、性的奴隷として搾取されている。(5)小児性的虐待者いわゆるペドファイルたちが、インターネットなどを通じてつくった国際ネットワークにより、子ども買春や子どもポルノの情報が交換されたり、商業的性的搾取の目的のために子どもたちが国境を越えて売買されている。

こうした状況に対して、エクパット[6]（ECPAT：子ども買春・子どもポルノ・性的目的のための子どもの人身売買を終わらせよう）を中心とするNGOの働きかけにより、一九九六年に、ストックホルムで「第一回子どもの商業的性的搾取に反対する世界会議」が開かれ、この問題が初めて国際的にクローズアップされた。この会議には、一二二カ国の政府が参加し、各国政府は商業的性的搾取を根絶するために二〇〇〇年末までの国別行動計画を立てていくことを約束した。

しかし、二〇〇〇年八月現在この計画を提出している政府は二九カ国にすぎず、商業的性的搾取の犠牲となる子どもは後を絶たない［国際エクパット］。一九九九年に制定されたILO（国際労働機関）条約でも、最悪の形態の児童労働は、児童買春やポルノ産業に子どもを使用・斡旋・供給することであるとし、これらを廃絶するために即時的措置をとることを定めている[7]。

(4)　児童労働

子どもの権利条約第三二条は、子どもが経済的搾取や有害労働から保護される権利をもつことを定めている。しかし、現在、公式な数字だけで約二億五千万人の一四歳以下の子どもたちが、搾取的な労働に従事しており、五千万～六千万人の五～一一歳児が有害な状況のもとで働き、雇用主からの暴力にさらされ、ひどい場合は命を落としている。極めて貧しい家庭では、四、五歳の子どもたちが母親のかたわらで線香を巻いたり、タバコをマッチ箱に詰めたりする作業に一日中携わり、教育の権利や遊ぶ権利を奪われるだけでなく、身体的・精神的健康を損なっている。特に南アジアでは、親の借金のかたに債務奴隷として働かされる子どもの数が、二千万～四千万人にものぼると推定されている。

さらに、近年のグローバル化による物価上昇のため、学校に通っていた子どもたちでさえ、家計を助けるために学校を止めさせられ、出来高払いの家内労働や賃金労働に従事せざるをえなくなっている。児童労働に関しては、一九七三年に最低就業年齢を定めた一三八号条約が制定されたが、近年までの批准国は少なく、政府の有効な取り組みもなかったために、効力を発揮してこなかった。

一方で、児童労働を使用する製品に対するボイコット運動が先進国で起こり、米国では、それに関連する法案が提出されるなか、バングラデシュやモロッコでは衣服工場で働いていた子どもたちが一斉に解雇され、いっそう困難な状況に追い込まれるという状況も生まれた。そんななか、九七年に児童労働の国際会議がオスロで開かれ、児童労働がなくならない原因は、単に貧困だけではなく、雇用者側が利益を得ようと従順で反抗しない子どもを雇うからであることが指摘された。そして、児童労働の最悪な形態に焦点を絞り撤廃していくために、九九年のＩＬＯ総会で、「最悪の形態の児童労働を禁止し、廃絶するための即時行動に関する条約」（一八二号条約）が採択された。

2　子どもの権利に関する国際的取り組み

このように、多くの子どもが安全を脅かされ、人権を侵害される一方で、国際的に子どもを保護しようという取り組みがみられる。特に、子どもの権利条約が採択され、一九一カ国が批准するなかで、子どもの参加の権利を保障しようとする変化も現れてきている。子どもの権利条約で、子どもに影響を及ぼすすべての事柄に対して、子どもにも意見を表明する権利（第一二条）と、集会・結社の自由（第一五条）が認められたからである。これにより世界各地で、子どもを保護の対象とするだけでなく、対等なパートナーとして子どもの意見に耳を傾け、子どもが社会参加する機会を保障しようとする動きが見られるようになった。

この根底にあるのは、新しい子ども観である。すなわち、子どもを未熟な弱い存在としてみるのではなく、子どもには本来、問題に立ち向かい、問題を解決する能力があるという見方である。犠牲者ではなくサバイバー（性暴力の被害にあったあとに生き抜いてきた人々という意味）、あるいは、復興の担い手としてみなす見方である。また、子どもの直面している問題であれば、その問題を最も的確に認識しているのは当事者である子どもであり、その問題を分析する力が備わっているという見方である。

同時に、開発の分野でも、最も被害を受ける人々の意見や問題認識を聞くことの重要性が認識されるようになり、一部には、開発のプロセスそのものだけでなく、開発の調査研究にも地域住民として子どもを参加させていこうという動きが見られるようになった(8)。さらに、世界各地で子ども会議が開催されるだけでなく、子どもにかかわる問題を話し合う会議には、子どもが参加すべきだという議論がなされるようになり、前述のオスロ会議やストックホルム会議では、子どもが正式な代表として認められ、政府代表者の前で発言する機会が与えられるようになった(9)。

一方で、子どもの参加にはさまざまなレベルがあり、一見子どもが参加しているように見えても、「お飾り」だったり、「操り」や「見せかけ」の参加だったりするという認識や反省もみられるようになった(10)。つまり、子どもの参加（参画）というときには、企画や計画の段階から子どもが参加していないかぎり、真の子ども参加とはいえないという見方である。そして、中途半端なかかわりであったり、おとなにスキル（技能）や経験がなかったために、子どもの時間を費やし、期待だけもたせて結局、子どもの期待を裏切るような実践に対して、警告も発せられるようになってきた［平野一九九九］。

第二節　働く子どもたちの国際運動――組織化し発言する子どもたち

1　インドの働く子どもたちのＮＧＯ

インドの児童労働者数は、世界最大で（ＮＧＯ推定で六千万人～一億一千万人）、その労働形態も、債務奴隷など過酷なものが多い。そんななかで、子ども自身に問題解決能力があることを信じ、子どもが主体となって活動することを保障しているＮＧＯを、二つ紹介したい(11)。

(1)　働く子どもを支援する会（CWC：The Concerned for Working Children）

働く子どもを支援する会は、バンガロールで一九八〇年代初めに活動を開始したＮＧＯである。働く子どもを支援する会は、子どもたちと相談しながら児童労働に関する法案を国会に提出し、その結果「児童労働禁止・規制法」が八六年に制定された。しかし、この法律は抜け穴が多く、子どもたちの権利を守るのに有効でなかったため、その後、働く子どもをエンパワーし、子ども自身が児童労働の問題を解決していけるようにすることを、活動の主な目的としている。

当初は都市の働く子どもたちを対象に支援活動を行ってきたが、児童労働の根本的原因は農村にあるとの見方から、現在は農村を中心とする活動を行っている。働く子どもを支援する会は、子どもが組織化されることを非常に重視しており、一九九〇年に設立された子どもの組織ビマサンガは、現在、一万三千人の子どものメンバーがいる。

農村では、子どもたちが都市に出稼ぎにいかなくてもすむように職業訓練を行っているが、子どもたちが訓練を受けたい職種を選べるようにしている。そのため、女子が、タブーとされていた大工のコースを受けて、修了後に大工のワーカーズ・コレクティブに参加し、現場監督を行っている例や、ビジネス・コースを受ける例も見られる。

ビマサンガの子どもたちは、参加型アクション調査（PAR：Participatory Action Research）を実践している。この参加型アクション調査とは、子どもを含む住民自身が、聞き取り調査や村の地図作成を行い、問題の所在を明らかにし、問題解決や地域開発のために必要な情報を得ていく調査方法のことである。ビマサンガの子どもたちは、この調査方法についてのワークショップ（研修）に参加し、参加型調査を実施し、自分たちや地域のために行動計画を立てている。たとえば、一九九〇年には、ビマサンガの子どもたちは、地域の川の水源から河口までを調べて歩き、自然資源、インフラ、歴史、人口統計、文化などの情報を書き込んだ地図を作成し、環境破壊が伝統産業の原料不足を招いていることを知った。このことにより、メンバーの子どもによる植林プログラムが始まった。こうして、情報が力であり、情報によって政策に影響を及ぼすことを学んだ子どもたちは、その後、一万二千世帯に対して、戸別調査を行った。子どもが調査表をつくり、村人に質問するといった調査の過程で、共通の問題を見い出したり、解決法を考えたりしている。

このような経験をとおして、子どもたちは州政府や村議会の政策決定に関わりたいと思うようになった。そうしてできたのが、子ども村議会である。これは、働く子ども自身が立候補し、代表である議員や議長を投票で選ぶのであるが、この場が、子どもが主体となって、働く子どもたちの負担を軽減する方法を話し合い、子どもに優しい村づくりを提言する場となっている。子どもたちは、自分たちが直面している問題点を確認し、解決法をおとなの村議会に提案しているのである。この活動の結果、子どもが雨季に学校に通うことができるようにするために橋がつくられたり、託児所がつくられたりしている。さらには、働く子どもの代表、地方自治体（村）の代表、雇用主の代表の三者で構成されるタスクフォースによって、児童労働の問題解決について話し合いがなされている。

また、ビマサンガの子どもたちは、自分たちの村だけでなく、遠く離れた地域の児童労働に関する問題や全国レベルでの児童労働問題について取り組んでいる。一九九〇年、タミルナドゥ州で花火工場の爆発事故が起き、多くの子どもたちが犠牲となった際には、子どもたちによる事故究明委員会を結成し、調査に出かけ、その地域の州政府に提言書を提出している。また、選挙の前には、各政党に対して当選後の児童労働対策を、公開質問状を出す形で質問し、その答えを公表することで、政策に影響を及ぼそうとしている。

このように、村レベル、州レベル、国レベルで政策提言を行っているビマサンガであるが、国際レベルでも一九九七年のオスロの児童労働の会議にはその代表の少女が正式代表として招かれ、当時採択される予定となっていたＩＬＯの児童労働に関する条約について「実効性のあるものをつくってほしい」と発言している。

働く子どもを支援する会が「子どもが主役」という理念を掲げて、子どもを前面に押し出して活動している背景には、子どもには意見調整能力やおとなが失ったビジョンがあることを、体験から学んできたからでもある。

(2) バタフライズ

バタフライズは、一九八八年、インドのデリーにストリート・チルドレンと、働く子どもたちを支援するために創立されたNGOで、「子ども参加」の理念を強固に掲げ、さまざまな活動のなかで実践している。普段の活動は、路上や線路で暮らす子どもたちや一日の大半を労働に費やす子どもたちを対象に、ノンフォーマル・エデューケーション（学校外教育）と呼ばれる青空教室、レクリエーション活動、保健活動を行うことによって、子どもの権利を守ろうとしている。ここでは、特に子どもの参加の権利保障のための活動について紹介する。

まず、「バルサバ（バルは子ども、サバは会議という意味）」と呼ばれる子ども評議会であるが、ここでは、働く子どもたち自身が自分たちの抱えている児童労働や警官からの暴力などの問題を話し合うだけでなく、バタフライズの活動の計画・批判・評価も行っている。教育を受ける機会がなく、社会から迫害を受けながら路上で生活する子どもたちが、ここで意見を出し合うことで、自尊心を取り戻し、エンパワーされていく。そうした子どもたちが、さらに「バル・マズドゥール・ユニオン（Child Workers Union）」という子ども労働組合をつくり、子どもとしての権利と労働者としての権利を求めて、劣悪な労働環境、低賃金・賃金未払いなどを取り上げて活動している。たとえば、働く子どもが雇用主から暴力を受けて死亡したことに抗議デモを行ったり、ストリート・チルドレンなど、困難な状況下にある子どもたちに対する教育への国家予算の増額を求めて、アドボカシー（提言）活動も行っている。さらに自分たちの問題だけでなく、少数民族など同じように人権侵害を受けている人々への連帯行動をとったり、一九九八年の地下核実験反対運動に参加したりしている。

このほか、バタフライズの子どもたちは、社会に発信する媒体として「働く子どもたちの声」という壁新聞も発行しており、働く子ども自身がレポーターとなり取材、編集する。また、子どもたちが親からの虐待、その他の危機に直面したときに電話相談できるチャイルドラインのプログラムに参加し、働く子ども自身がその相談にのり、アドバイスを与えたり、病院へ連れていくなどの対応もしている。

こうした活動のなかで、バタフライズのスタッフは、まず子どもと信頼関係を築くことを重視したうえで、問題分析能力など、子どものもつ力を引き出そうと努力しているのである。

2　ラテンアメリカ、アフリカにおける働く子どもたち

ラテンアメリカやアフリカでも、働く子どもたちが主体となって社会に働きかけている。ブラジルには、ストリート・チルドレンが自警団によって虐殺され、社会がそれを黙認するという面がある一方で、たくさんのストリート・エデュケーター（教育者）や解放の神学の流れをくむキリスト教関係者が、子どもたちをエンパワーし、子どもたちと共に活動している［Swift］。そんななか、働く子どもたち自身がワーカーズ・コレクティブや労働組合を組織化している。ここでは、「子どもが主役」という理念を強く掲げて活動するペルーのＮＧＯと、セネガルのＮＧＯによって促されたアフリカの働く子どもたちの運動について概観する。

(1)　ナソップ(12)

一九九六年、ナソップ（MNNATSOP：ペルー働く子どもと若者の全国運動）というＮＧＯが、マン

トック（MANTHOC：働くキリスト教徒の子どもと若者の運動）というNGOにより創設された。マントックは、七六年に路上で働く子どもや若者の組織化のために創設され、八六年に働く子どもと若者が主体となった組織をつくったが、キリスト教徒以外にも対象を広げてつくられたのがナソップである。ナソップは、全国で三〇以上の働く子どもと若者（六〜一八歳）の組織を統合し、約一万人の働く子どもと若者が参加している。ナソップは、生存および学校へ通うために、子どもが適切な仕事をする権利を求める活動を展開している。そのために、子どもたちを組織化し、集会を開いて経験を分かち合い、問題提起できるようにしている。具体的には、基金を創設し、働く子どもの現状に適した仕事に助成金を出し、職業訓練を行い、子どもが会社をつくり、子どもが直接利益を得ることができるように手助けをしている。また、デモやマスコミへの働きかけを通じて、社会や政府に働く子どもの現状を知らせて支援を求めている。さらには、児童労働に反対する団体の会合に参加したり、国会議員の立候補者に対して、「教育を受けながら働きたい」という子どもの要望を訴えるといった活動もしている。

ナソップでの子ども主体の活動を支えているのが、「プロタゴニスモ」という理念である。これは、ペルー社会に根強い「マチスモ（男性中心主義）」と「おとな中心主義」の文化に対抗するものとして提起されている。おとな中心主義とは、「おとな＝成熟、有能、支配者」「子ども＝未成熟、無能、従属者」という見方のもとで、子どもの思考力や行動力を軽視し、年齢によってヒエラルキーをつくり、低年齢である子どもを差別する捉え方である。それに対して、プロタゴニスモとは、子どももおとなも分け隔てなく、すべての人が主役であることを意味する。その根底には、「子どもは考え、意見を言う能力をもち、活動する主体である」という子ども観がある。おとなは、子どものために何かを与えたりお膳立てをするのではなく、子どもと水平な関係を築き、意見を相互に尊重し、ともに社会の問題解決のために協力するというものである。

この理念によって、おとなのなかにある子どもを援助したり、保護しようという保護主義が打ち砕かれる。すなわち、子どもは監視・矯正・保護され、おとなである救出者に依存するという見方こそが、子どもを弱者にすると考えるナソップでは、子どもが自分、そして他人の存在を「社会に働きかける力をもつ社会的主体」と認識し、家族や学校、社会が子どもをそう認識するようになることを目的としているのである。

このプロタゴニスモの理念を実践していくために、子どもを支援するコラボラドール（協力者）と呼ばれるスタッフを養成する研修機関がある。ここには、基礎から応用、専門コースまであり、彼らは子どもの概念の歴史的変遷や問題、ナソップの提唱する子どもの概念とプロタゴニスモの理念などを学ぶ。

訓練を受けた協力者が、「お飾り」の子ども参加でなく、子どもが企画する真の子ども参画の実践をすぐに行うようになるとは限らないが、プロタゴニスモの理念と実践を組織的に進めているナソップからは、数多くの子どものリーダーが生まれている[13]。

(2)　アフリカの働く子どもと若者の運動

アフリカでは、セネガルにあるＥＮＤＡ（Environmental Development Action in the Third World：第三世界における環境開発のためのアクション）というＮＧＯの若者アクションチーム（Youth in Action Team）が中心となって、働く子どもたちの運動を展開している。一九九二年に一〇～二二歳のメイド六〇人が集まったのがきっかけとなって始まったこの運動が[14]、今では、アフリカの十数カ国にまたがり、一万五千人の働く子どもたちが参加する大きな運動となっている[15]。特徴的なのは、働く子どもの生活や労働条件を改善するために子どもの権利保障を要求していくという視点が、運動全体を通して貫かれていることだ。九四年にコートジボアールで、ブルキナファソなど三カ国の働く子どもたちが集まり、一二の権利を優先的に選び、その保障を要求する提言が出されて以降、この一二の権利に基づいて政策提言を行ったり、運動の成果を評価したりしている。その過程で、ENDAの若者アクションチームは、子どもたちのコミュニケーション能力を高めるワークショップなどを開いている。

二〇〇〇年秋には、バマコで一五日間にわたり「第五回アフリカの働く子どもと若者会議」が開かれ、アフリカの一六カ国の四四の都市から、二五〇のグループ代表が参加した。そこで採択された声明文には、自分たちが組織化することで、いくつかの権利が保障されるようになり、「自分たちの声が当局に聞いてもらえるようになった」と記されている。そこには、尊厳を奪われてきた子どもたちが、自ら団結し運動を拡大させることによって、権利を勝ち取ってきた自信があふれている。

ENDAは、子どもたちをエンパワーするネットワークづくりを、一九八五年から行ってきているが、一四カ国二四の都市の困難な状況下に置かれた子どもたちが、自分たちの市民権や人権を守るために、社会の主たる担い手となることができるように、トレーニングやコミュニケーション、さらなるネットワークの強化を図るプロジェクトを、二〇〇一年から三年にわたって行っている[16]。

3　働く子どもたちの国際運動

一九九六年、働く子どもを支援する会（ＣＷＣ）とビマサンガの農村活動の本拠地であるクンダプールにおいて、世界から働く子どもたちの代表（二九カ国から三二人）が集まり、二週間のワークショップが開かれ、「クンダプール宣言」が採択された。この宣言は一〇項目からなり、「働く子どもたちにかかわる政策を決定するときは、働く子どもの意見を聞くこと」「子どもの作った製品をボイコットすること」などの要望を、世界の政策決定者に向けて発信している。

このように国際的レベルで働く子どもがネットワークし、提言活動ができるようにするために、先進国のいくつかのＮＧＯが支援しているが、こうした世界の運動を一つにまとめたのが、一九九二年から五年にわたって、各国の働く子どもの実態調査をした「国際児童労働ワーキンググループ（ＩＷＧＣＬ）」である。

このように働く子どもたちの社会的背景は違っても、いくつかの国では、子どものもつ力を信頼し、子どもの権利という視点から活動を展開している地元のＮＧＯが存在することによって、子どもたちが児童労働の問題を自国内で解決するだけでなく、国際レベルでも影響を及ぼそうとしているのである。そして、これらの動きをさらに支援していこうという国際ＮＧＯの果たす役割は大きい。

第三節　平和の担い手・人権擁護活動家としての子ども

子どもたちが置かれている状況は、各国、各地域により異なっている。次に、危険や暴力にさらされ、深刻な人権侵害を受けている紛争地域の子どもたちや、商業的搾取の犠牲者となっている子どもたち自身が、どのように平和の担い手、人権擁護活動家としての役割を果たすようになっているのかについて、見ていきたい。

1　コロンビアの子どもたちによる平和運動⒄

人命の安全が脅かされる内戦のような状況では、これまで、ほとんどの場合、子どもを犠牲者とみなし、サービスを提供することばかりに焦点が当てられる、上からのアプローチがとられてきた。しかし、そのようなアプローチは効果が低いばかりか、危機に置かれた子どもや地域住民の対処能力を見過ごすことにより悪影響を与えることが、研究によって明らかになってきた［Pridmore］。実際、紛争などで、子どもたちが世帯主となることも多く、自分のみならず家族の生存にも責任をもたねばならなくなる。そのような子どもたちに対して、犠牲者という視点のみで接し、子どもたちに復興計画や自治に参加する機会を奪い続ければ、当事者の貴重なニーズを把握することが困難になるだけでなく、子どもたちに受け身の姿勢や無気力感を与えてしまうことにもなりかねない。

コロンビアの子どもによる平和運動は、子どもがどんなに絶望的な状況にあっても立ち向かっていく力、いわゆるリジリエンシー(18)（自己回復力危機的状況を経験したときに、それを乗り越え、糧として生き抜いていく力で、現在世界的に注目されつつある概念）をもっていることを示している。

コロンビアでは内戦が長引き、一九九二年以降、政治的に殺害される人々の数が三割増え、九七年には六〇〇〇人を超える人が殺害された。子どもが殺害される事件も急増し、九六年に四三二二人だったが、その後のわずか二年間に四〇％も増えている。ゲリラに徴収された一三歳から一七歳の少年少女の数は、約二〇〇〇人にも及ぶと推定されている。

ある調査によれば、ゲリラにかかわった子どものうち、一八％が少なくとも一人を殺し、六〇％は人が殺されるのを目にし、八〇％が死体や切断された身体を目にしている。さらに、一八％が拷問を目撃し、四〇％が銃を人に向け、八三％が死の危険に直面している。そんななか、九六年、「武力紛争が子どもに及ぼす影響」について調査をしていたグラサ・マシェル女史が、コロンビアを訪れた。このとき、戦火で荒廃したウラバ地区の若者たち五〇〇〇人は、展示会を開き、自分たちが平和のために求めていることを、手紙や絵、詩、彫刻で表現した。

この後、ユニセフが開いたワークショップに国中の子どもや若者が参加し、暴力が子どもに及ぼす影響や、子どもが平和のために活動できる方策について話し合われ、その結果、「子どもの平和運動」が生まれた。

運動の最初の目標は、五〇万人の若者を組織して「平和と権利のための子どもの要求」という子どもも投票を行うことだったが、その六カ月後には、約三〇〇万人の子どもや若者が投票し、一二の権利のなかから生存や平和という権利を選んだ。その後、この投票に参加した若者の代表が集まり、どうすれば若者が世界の平和のプロセスに参加できるかについて意見交換した後、「平和と権利のための子どもサミット宣言」を採択し、大統領に提出した。この「子どもの平和運動」により、内戦に疲れたコロンビアのおとなによる平和運動が統一されることとなり、九八年の大統領選挙では平和が争点となった。

このコロンビアの例は、おとなが諦めてしまうような絶望的な状況において、子どもが平和の担い手となりうること、そして、その子どもや若者の力によって、社会が平和再建に向けて変わりうることを示している。

2　フィリピンの性虐待被害児のリジリエンシー（自己回復力）を引き出すNGO(19)

フィリピンのNGOにおいては、商業的性的搾取の分野で子どものリジリエンシーを引き出す取り組みがなされている。フィリピンにおけるリジリエンシーの定義には、以下のような点が含まれている。すなわち、困難な状況のもとで自分に求められているものを受け入れ、それに応じる。人生の逆境から学ぶ。自分自身を評価の源にする。トラウマになりそうな体験をしても正気を保つ力をもつ。かつて受けた傷から回復する。どんな状況でもいつかは変わるものだと捉える力をもっている。

フィリピンのNGOは、近年、これらの力が子どもたちのなかにあることを明確にし、確信を持った働きかけを行っている。従来は、医学的治療の視点により、性虐待の被害児に対する、癒し重視のアプローチが主だったが、それが、社会福祉の視点、すなわち予防にも重点が置かれるようになった。現在は、さらに被害児をサバイバーとみなし、本人の自己決定を重んじながら社会変革へつなげていこうという試みがみられる。

従来のアプローチが「子どもは傷つきやすく、子どもたちには助けが必要」という考えに基づき、他者が支援の内容を決めていたのに対し、「子どもたちには自己回復力がある」という見方のもとで、被害にあった子どもたち自身が支援の内容を決める方法が取られているのである。加害者に対する告訴が、被害児の自己回復の一環として位置づけられており、告訴を通じた社会変革をとおして、子どもたちがさらにエンパワーされている。

さらにNGOは、警察への働きかけや環境整備にも力を入れている。たとえば、一〇～一五年前に起きた性虐待でも被害児が訴えられるようになり、物的証拠よりも被害者の供述の一貫性が重視されている。この結果、子どもによる性虐待の訴えの約七割が有罪になっている。一般的に、人権侵害の被害者が社会変革にかかわることによって、被害やトラウマから回復することが知られているが、子どもたちもこのようなプロセスのなかでエンパワーされているのであろう。性虐待にあって救出されたあと、NGOの支援を受けてドイツ人観光客を告訴したある少女は、被告が有罪になった後、子どもの権利活動家として活躍している。[20]

第四節　子どもの安全保障のための市民社会の役割――参加の権利保障

1　福祉的アプローチから人権の視点へ

以上のさまざまな事例から、非常に困難な状況下においても、当事者である子ども自身が自ら問題解決のために立ちあがっていること、および、子どもたちがそうできるように子どもをエンパワーするNGOの果たす役割が非常に大きいことがわかる。NGOのおとなが、子どもに対するアプローチを変え、子どもを権利主体とみなし、子どもに参加の機会を保障することによって、子どもはエンパワーされる。すなわち、NGOは、子どもたち自身が自分たちの権利について学び、組織化し、意見を互いに言いあい、社会に発信し、その成果を勝ち取ることができるような支援を行うことが重要である。このプロセスの積み重ねによって、子どもたちは、さまざまな暴力や搾取から自らの身を守ることができるようになるだけでなく、子どもにとって安全な社会づくりに参加することになる。

このような活動を行っているNGOはまだ少数派で、多くのNGOが子どもたちを援助の対象者とみなしている。子どものエンパワーメントのためには、子ども観を変え、明確に方針転換し、子どもとの関係を変え、パートナーシップ関係を築いていくことが必要である。しかし、そのためには、おとなが自分たちのもっている権力に敏感にならねばならず、それは非常に困難であるため、この点に特化した研修やトレーニングが、NGOスタッフやボランティアに対して行われる必要があるだろう。

そして、子どもたちがＮＧＯ内部にとどまらず、社会でもその力や参加の権利が認知されるようになるために、ＮＧＯは、子どもを取り巻く社会全体に対して、子どもを権利主体としてみなし、子どもに対するアプローチを変えていくように働きかけていく必要がある。

2　子ども参加と国家および国際社会

社会参加する世界各地の子どもたちは、自分たちの地域で活動するだけではなく、国家に対しても権利保障を求めている。すなわち、エンパワーされた子どもたちは、自分たちの権利だけでなく、その国全体の子どもたちの権利が保障されることを望むようになる。そして、そのためには、国家予算を含め、不利な立場に置かれた貧しい子どもたちを優先する政策が重要であることを認識するようになる。その際に、ほとんどの国（一九一ヵ国）が批准している子どもの権利条約が、有効な武器となっている。また、そうした子どもたちを支援するＮＧＯも、子どもと共に国家の責任を追及し、自治体とともに教育改革を進めている「働く子どもを支援する会（ＣＷＣ）」のように、政策提言活動が重要になってきている。

さらに世界各地で子どもの権利を求めて活動している子どもたちは、国際レベルでの政策にも影響を及ぼそうとしている。児童労働のみならず、商業的性搾取の分野においても、加害国である先進国と被害国である第三世界の子どもや若者が協働して問題解決に向けての運動を起こしている。このような動きに対して、各国のＮＧＯは、子どもたちが国際レベルでネットワークをつくり、連帯して政策提言活動ができるように、支援する役割があるだろう。

まだ少数派ではあるが、開発の実践と研究、特に参加型開発、参加型調査法の分野で子どもの参加を重視していこうとする流れがあり、その文書化と研究が始まっている。子ども自身が調査に参加し問題を認識できることを、NGOは実践と研究の両方で実証し、政策決定者にその重要性を知らせていく必要があるだろう。

3　子ども参加と人間の安全保障

子どもが意見を求められ、問題解決の担い手となり、社会変革に参加することは、次の点から人間の安全保障構築につながる。

まず、短期的効果として、子どもがエンパワーされることにより、自分自身を危険や虐待から守れるようになることである。たとえば、子どもが自分にも虐待を受けない権利があることを知り、闘う気持ちをもつことにより、親から売春宿に売りとばされそうになったときに、抗議できるようになったり、雇い主から暴力を受けたときに仲間とともに解決法を考えたりできるようになる。さらに、利害関係のない子どもの直接的なメッセージの方が、おとなのものよりも人々の心を動かし、社会を変えていく力をもっている。

長期的効果として、このように社会参加の経験を積んだ子どもがおとなになったときに、市民社会の成熟した担い手となることである。たとえば、ビマサンガの子ども村議会で、弱い立場の子どもの視点から村づくりを考え、行動してきた子どもたちは、おとなになったときに、村の問題や解決法について熟知し、深い洞察力を持って村の政治にあたることが期待されている。

また、相乗的効果として、子ども参加の重要性について身をもって体験した子どもが、おとなになれば、次世代の子どもをパートナーとみなし、さらに子ども参加が保障されるような社会をつくっていくようになるだろう。このように、子どもの参加が人間の安全保障実現のためにもたらす効果は、非常に大きいため、子どもの参加する機会を保障していくために、NGOを中心とする市民社会の果たす役割は大きい。そして、子ども参加により子どもがエンパワーされれば、それはさらに市民社会を強化していくことにつながっていく。世界各地の子ども参加の実践は、多くの地域ではまだ始まったばかりであるが、将来的にはうねりとなって世界を変え、人間の安全保障を築いていく道を切り拓いていくのではないだろうか。

【注】

（1）エンパワーメントは力づけと訳されることがあるが、森田は『エンパワメントと人権』のなかで、以下のように記している。「エンパワメントは力をつけることではない。それは人と人との関係のあり方だ。お互いがそれぞれ内に持つ力をいかに発揮し得るかという関係性なのである」「エンパワメントとは、肯定的パワー（権利意識、信頼、共感、知識、経験、技術、自己決定、選択の自由、愛）を活性化することである」。さらに、チェンバースは『参加型開発と国際協力』明石書店、二〇〇〇年のなかで、「エンパワメントはプロセスであり、成果品ではない。いつか完成するものでもない。エンパワメントは、特に力関係や行動様式を変えることを必要とし、変化自身を意味する」としている。

（2）世界で一二億人以上の人が一日一米ドル以下で暮らしているが、そのうち六億人以上が子どもである（『ユニセフ子供白書二〇〇〇年』）。

（3）Unicef, WHO, UNAIDS, World Bank, “The Tools and Strategies for Success in Disease Control,” 1999.

（4）　同右。

（5）　エクパットの調査および『ユニセフ子供白書』。

（6）　ＥＣＰＡＴは、End Child Prostitution, Child Pornography & Trafficking of Children for Sexual Purposes の略である。

（7）　条約の正式名は「最悪の形態の児童労働を禁止し、廃絶するための即時行動に関する条約」（一八二号条約）。

（8）　“Stepping Forward Children and Young People's Participation in the Development Process”, Intermediate Technology Publication, 1998 には、子どもを調査のパートナーや担い手とした世界各地の事例が収められている。

（9）　平野裕二「世界における子ども・生徒参加の動向」『子どもの参加の権利』三省堂、一九九六年参照。

（10）　子ども参加に関しては、ロジャー・ハートの「参加のはしご」が度々引用される。参加のレベルを八つに分け、最下位の「操りの参加」、「お飾りの参加」、「見せかけの参加」は、真の子ども参加ではないとした。

（11）　詳しくは、「インドの働く子どもたち」国際子ども権利センター、一九九八年、「児童労働―今、私たちにできることは？ CWC資料」同上、一九九九年、「アジアの子どもから学ぶ『子ども参画』」荒牧重人編『アジアの子どもと日本』明石書店、二〇〇一年参照。

（12）　この節は、川窪百合子「ペルーの働く子どもたち――社会変化の担い手としての子どもの位置づけとその葛藤」『プラッサ』第一二、一三号の内容を簡単に紹介した。

（13）　リーダーの一人であるパティという少女は、二〇〇〇年五月に東京で開かれた世界宗教者ネットワーク会議に参加し、「子どもを社会的主体と認めてほしい」と力強いスピーチをした。

（14）　ENDA TM Jeunesse Action, “Working Children and Youths of West Africa Get Organised,” 1997 に

詳しく書かれているが、デモや集会を開いたり、機関紙を出したりして、働く子どもの権利や労働条件改善を要求している。

(15) 二四のグループからなっており、メンバーの八分の五は女子である。

(16) http://www.enda.sn/eja/calreseng.htm参照。

(17) ユニセフ『世界子供白書二〇〇〇年』およびUnicef Columbia, "Movement of Children for Peace Colombia."

(18) 子どものリジリエンシーを引き出す要素についての調査研究が、一九九五年に行われている。Grotoberg, *International Resilience Project : Promoting Resilience in Children*, Birmingham : Civitan International Research Center, University of Alabama.

(19) エクパットジャパン関西「レジリエンシー（自己回復力）からファイティングスピリットへ――フィリピンの子ども性虐待への取り組み」二〇〇〇年を参照した。

(20) このNGOはプレダ基金といって、この少女は一九九九年に日本に来日し、子ども権利条約フォーラムで自分の体験を証言しただけでなく、子どもの人権活動家としての抱負を語った。

【引用・参考文献】

エクパットジャパン関西『レジリエンシー（自己回復力）からファイティングスピリットへ――フィリピンの子ども性虐待への取り組み』二〇〇〇年。

国際エクパット『ストックホルムから横浜へ、そして子どもたちの未来へ』国際エクパット、二〇〇〇年。

ロバート・チェンバース著、野田直人・白鳥清志監訳『参加型開発と国際協力』明石書店、二〇〇〇年。

川窪百合子「ペルーの働く子どもたち――社会変化の担い手としての子どもの位置づけとその葛藤」『プラッサ』第一二、一三号。

平野裕二「子どもの権利実現のための子どもの参加のあり方とは（子どもの権利条約一〇周年国際シンポジウム）」『子ども論』一九九九年一二月。
平野裕二「世界における子ども・生徒参加の動向」『子どもの参加の権利』三省堂、一九九六年。
森田ゆり『エンパワメントと人権』大阪部落解放研究所、一九九八年。
ユニセフ『戦争と子どもたち——武力紛争が子どもに及ぼす影響』日本ユニセフ協会、国連広報センター、一九九六年。
ユニセフ『ユニセフ子供白書二〇〇〇年』日本ユニセフ協会、二〇〇〇年。
ENDA TM Jeunesse Action, "Working Children and Youths of West Africa Get Organised," ENDA, 1997.
Grotoberg, *International Resilience Project : Promoting Resilience in Children*, Birmingham : Civitan International Research Center, University of Alabama.
Pat Pridmore, "Children's Participation in Situations of Crisis," in Victoria Johnson et al eds, *Stepping Forward Children and Young People's Participation in the Development Process*, Intermediate Technology Publication, 1998.
Anthony Swift, *Children for Social Change Education for Citizenship of Street and Working Children in Brazil*, Educational Heretics Press, 1997.
Unicef Columbia, "Movement of Children for Peace, Colombia."
Unicef, WHO, UNAIDS, World Bank, "The Tools and Strategies for Success in Disease Control," 1999.
Victoria Johnson et al eds., *Stepping Forward Children and Young People's Participation in the Development Process*, Intermediate Technology Publication, 1998.

第三章　エイズと人間の安全保障
――疫病と特許重視の時代の健康と医療

林　達雄

第一節　特許が阻むエイズ治療薬――第一三回世界エイズ会議を終えて

二〇〇〇年七月九日から一四日まで、世界エイズ会議が南アフリカのダーバンで開催された。研究者、医療関係者、感染者、NGO、製薬会社など世界中から一万二七〇〇人のエイズ関係者が集まった。一三回目となる今回のエイズ会議の特徴は、エイズが猛威を震うアフリカ大陸で開かれたことにある。それも、急激な感染者の増加をみせ、大人の五人に一人が感染している南アフリカでの開催である。しかし、会議場の中には、黒人の参加者の数は予想外に少ない。敷地は柵で覆われ、六〇〇米ドル以上の参加費を払った者しか、敷地の中に立ち入ることはできないためである。一方、柵の外では、街中で集会が開かれ、デモ行進が繰り広げられていた。

「本当に必要なところに治療薬はない。エイズが無いところに薬はある」。市庁舎で開かれていた集会でルワンダから来た医師がそう指摘すると、会場につめかた群集が総立ちになった。若者たちが、こぶしを振り上げて歓声を上げている。ダーバン滞在中に私が参加したほかのどの会議よりも熱狂的だった。集会の後、市庁舎を出発した〝薬よこせ〟のデモ行進は、夕闇がせまる頃には本会議場の柵のまわりを取り囲んでいた。

その夜、スタジアムを借りきって行われた開会式典では、サーカスや華やかなアトラクションが繰り広げられた。沈黙を破ろう。エイズのことを本音で語り合おう。スローガンとは裏腹に、本音を語ろうという意志が全く伝わってこない。たまたま私の隣に座った黒人女性だけが、エイズになった息子のことを本音で語ってくれた。公務員であったという彼は、これまで一週間に六〇〇ランド（一〇〇米ドル）ずつかけて、治療薬を飲み続けてきた。家族は病気の息子のためにその費用をなんとか遣り繰りしてきたが、もう限界がきた。一家は破産寸前で、これ以上息子に薬を飲ませることができない。そのことを訴えるためにダーバンまでやって来たと言う。

セックスによる感染と、母から子供への感染。二つの感染ルートにより、エイズは若者と子供をねらい射ちする。両親を殺し、孤児を生み出している。一家の働き手を奪うため、家計を圧迫し、家族を崩壊させる。アフリカ諸国ではエイズによって労働人口が減少し、国全体の経済を圧迫している。しかし、その惨状は見えにくい。セミの幼虫のように何年も、体の中で眠っていて、ある日突然、いっせいに姿を現わすからである。また、死をもたらす性病であるため、偏見や差別を生みやすく、大声で語りにくいからである。エイズは個人にとって不治の病であるだけではなく、家族や社会を崩壊させる、静かで見えにくく、対策の立てにくい災害である。

一九八〇年代まで世界のどこに住む感染者にとっても、エイズは不治の病であった。ところが、科学技術の進歩により事態は一変した。抗ウイルス薬の開発によって、ウイルスに感染してもエイズとして発病することを抑えることが可能になった。先進国では次々に新薬が開発され、治療法が確立し、ウイルスに感染しても、ほとんど症状がないまま、天寿を全うできるようになった。しかも、同じ薬が母から子への感染を防ぐことができる。被害が直接次の世代に及ぶことがなくなったのである。しかし、世界の感染者（三四〇〇万人）の九割が住む途上国では、高価な新薬は高嶺の花だ。

近年、途上国の中で比較的経済レベルの高い国では、抗ウイルス薬の使用が始まっている。最新の高価な薬ではなく、数年以上前に開発された比較的値段の安い三種の薬の併用である。それでも一般家庭にとっては、その値段は高すぎる。筆者の隣の座った婦人のような中流家庭でも、毎日、長期間にわたって飲み続けるには経済的に無理がある。一人の感染者を支えるために家族は私財を使い尽くす。そして、家族の破産と治療の中断が同時にやってくる。

世界の大多数の感染者にとって、エイズはいまだ不治の病である。科学が進歩して、治療法が編み出されても、経済的に豊かな国、お金を持っている人にしかその恩恵は行き渡らない。新薬と新しい治療法の出現は、貧富の差を寿命の差にまで広げてしまった。南アフリカのように人種差別はなくなっても、経済格差の残る国では、病気にかかっても生き残れる人と、生き残れない人が隣り合わせに暮らしている。テレビでは、寿命をもたらす新しい製品が、ニュースやコマーシャルで宣伝されている。そして、この世界会議はその展示場といったところか。そう考えてみると、会議場をとりまいた若者たちの異様なほどの迫力の意味が理解できる。彼らのまなざしは、柵の内側にいる私たちに問いかけていた。あなたたちは、科学と医療の成果を本気で分かち合うためにやって来たのか。それとも見せびらかしに来ただけなのか。

それではなぜ、科学の成果は必要とする人に届かないのだろうか。開発されてから何年もたった薬がなぜ安くならないのだろうか。米国の製薬会社は研究開発費が高いからだと説明する。それに対して、途上国や国連は「特許の保護を理由に、先進国がその技術を独占するようになったからだ」と指摘する。八〇年代まで、途上国は先進国の企業の製品をまねて自国製品をつくることによって価格を下げ、途上国のニーズに合う値段で供給してきた。それは、科学の成果を広める効率的な方法であった。特許は基本的に国内でのみ通用するものにすぎなかった。特に医薬品のように公共性の高い製品については、特許の適応からはずす国が多かった。今回のエイズ会議のなかでも、特許の適応外の薬を生産し合い、輸入しあって、値段を可能なかぎり下げ、一人でも多くの感染者を救おうという提案が国連から正式に推薦された。模造品であっても、品質が保たれ、効果があれば、何の問題もないからである。しかし、九〇年代に入って事態は一転した。米国が模造品を生産しようとする途上国に圧力をかけ始めたからである。

エイズは病原体に対する人の体の抵抗力（免疫力）を弱める病気である。そのために重篤な結核や、カビの一種による感染症を引き起こし、死に至らしめる。先に述べた抗ウイルス薬だけではなく、このカビに良く効く治療薬の値段も高い。そこで、タイ政府は一九九二年にこの薬の自国生産に踏み切ることにした。ところが、米国政府から、知的所有権侵害だという理由で政治的な圧力を受けた。そんなことをすると、経済制裁、つまりタイからの製品を買わないと脅されたのである。タイ政府はいったん引き下がらざるをえなかった。その後タイ政府は米国との交渉により、この薬の自国生産が可能になり、それまでの二〇分の一の値段で供給できるようになった。南アフリカ政府もこの薬の自国生産を計画したが、やはり米国政府から経済制裁の脅しを受けた。つい二、三年前のできごとである。ちなみに、この薬の開発費はたった半年で回収できたことが、この製薬会社の元職員の報告により明らかになった。途上国が先進国の技術をまねて自国生産を軌道にのせるまでの期間があれば、先進国の製薬会社は開発費を十分に上回る利益が上げられるのではないか。

特許には、科学者たちの間でも批判の声がある。以前は自分たちの研究成果を発表し、交換し合った。知識の交換は発明の活力源であった。ところが、特許の存在によって、知識を共有する習慣はなくなり、秘密主義が横行するようになった。特許化につながる研究に対してしか、お金がつかなくなったという批判もある。それにもかかわらず米国は、特許を強化し、国内にしか通用しない制度を国際的に通用するものへと変えていった。

特許は八〇年代、不況にあえいでいた米国が、経済的に巻き返す世界戦略の切り札であった。情報技術（ＩＴ）産業や医療産業、遺伝子産業を立ち上げる布石としてである。そのために特許は著作権を含めて総称され、知的所有権という名前に改名された。そして、九〇年代に入り、世界貿易機構（ＷＴＯ）を設立していく過程で、国際的な強制力のあるものへと特許を変身させた。この時期、途上国への圧力は急速に強まった。エイズが世界規模の災害へと拡大する同じ時期に、特許もまた世界規模のルールへと拡大した。知的所有権の保護という名目で公益性と健康に対する権利侵害へと進んだのである。そして、九五年にＷＴＯの知的所有権の保護に関する協定（ＴＲＩＰＳ協定）が誕生し、実に二〇年間も国際的な権利として通用することとなった。

いま、特許をめぐる熱い戦いが、国連総会、エイズ会議、沖縄サミットと場所を変えながら繰り広げられている。科学の成果を本当に必要としている人たちに届けようようとする途上国と、特許の保護を儲け口として科学技術をさらに前進させようとする米国の間の、寿命と健康をかけた戦いである。前者が今のところ圧倒的に強いが、後者もブラジル、南アフリカ、タイ、国連機関、NGOと多彩なメンバーをそろえて奮戦している。

国連は、世界保健機構（WHO）やユニセフ（国際児童基金）、人権委員会などがスクラムを組み、健康・子供・人権を楯に健闘を始めている。今年六月末に行われた社会開発特別総会では、エイズと感染症の問題が最も重要な争点となった。国連は先進国とWTOに対し、治療薬を特許の例外とするよう勧告した。今回のエイズ会議のなかでも、特許の抜け道を使えと推薦している。WTOの規定の中にも公共の利益にかかわるケースでは、特許の所有者の意志にかかわりなく、強制的に使用できるという例外条項があるからである。

ブラジルのやり方は戦略的だ。防御と攻撃の方法をしっかりと分析したうえで戦う。喧嘩上手である。八〇年代に健康問題を徹底的に調べ、食料、医薬品などの必需品が貧困層に届かないことがわかると、新憲法のなかに社会安全保障を掲げ、すべての人の健康に対する権利を保障し、実行に移した。特許を無視して、科学者を集め医薬品の国産化・国営化を徹底した。その結果、医薬品が世界で最も安い国となり、エイズによる死亡者数を半分以下に減らすことに成功した。米国の反応や圧力の程度を分析し続け、抵抗の限界を国民的に協議したうえで、WTOの国際協定に加盟した。そして今、虎視眈々と反撃の機会を窺っている。

南アフリカの方法は、乱暴に見えるが結構、外向的である。二〇〇〇年五月、世界エイズ会議の準備期間中、南アフリカのムベキ大統領は爆弾発言を行い、国際的な反響を呼んだ。「エイズの原因はウイルスではない。薬は副作用が強すぎて危険だから使わないほうがよい」というものである。これは、科学的根拠に乏しい、言いがかりである。同時に、科学の成果を分かち合おうとしないで、圧力をかけてくる米国政府と製薬会社に対する反撃でもあった。『ニューアフリカン（New African）』誌六月号によると、ムベキ発言の三日後に米国政府から「治療薬を安く手に入れようとするアフリカ諸国に対して、米国政府は二度と妨害しない」という反応があった。また、製薬会社五社から治療薬の値下げの申し入れがあったという。同誌は「愚者の行動がアフリカに神の恵みをもたらした」と彼の外交手腕を評価した。しかし、今回のエイズ会議において彼は科学の敵であった。科学者たちからの署名入りの抗議声明が提出された。大会議室にウイルスの写真スライドが映し出され、「これこそがエイズを起こす本当の原因です」と発表された。

ダーバンでの第一三回世界エイズ会議は、新生南アフリカ建国の父ネルソン・マンデラの演説で幕を閉じた。彼は、この会議が科学者の集まりではなく、人類の集いであることを強調した後、人類を襲ったエイズという未曾有の大災害に人類全体で立ち向かおうと呼びかけ、満場の拍手を浴びた。私には彼の言葉が、科学者たちよ力を貸してくれ、アフリカの子供たちにも科学の成果を分かち合ってくれと叫んでいるように聞こえた。科学が問題なのではない、その成果が本当に必要としている人のところには届かないことが、問題なのである。

第一線の科学者たちからの報告によって、エイズにはまだまだ未知のところが多く、治療や予防の方法が十分に確立されていないことを学ぶことができた。治療薬は万能のものではなく、ワクチンの開発には時間がかかる。薬やワクチンを実用化するためには、人体を使った試験が不可欠である。これは人体実験だと批判を受けてきた。しかし今ではアフリカやアジアの人々が、自分の体を使ってくれと名乗り出るようになったという。自分たちも薬やワクチンをつくることに参加するんだという気運が生まれたからだ。今度は科学者の方が、アフリカの人々のもとに歩みよる番である。科学者と地域に暮らす人々が力を合わせて、みんなのための技術を開発し、その成果を分かち合う、そんな時代への希望がかすかに見えた。

第二節　疫病と特許重視の時代

1　現代感染症――新しい疫病の時代の到来

エイズ、結核などを中心に新しい疫病の波が押し寄せている。エイズは一〇年前の予想を三倍以上も上回る規模と速度で、感染者、死亡者の数を拡大してきた。そしてサハラ以南アフリカにおいては、平均余命の短縮、経済の停滞、安全保障上の危機を招いている［ＵＮＡＩＤＳ］。結核は戦後一貫して減少を続けてきたが、近年になって、世界的に再び増加傾向にあり、日本でも今年、結核非常事態宣言が出された。マラリアは全体としては横這いの状態であるものの、地球温暖化の影響で、病気を媒介する蚊の生息地が広がり、新しい流行地を生み出している。

西暦二〇〇〇年は、これらの疫病に対する認識が国際的に高まった年である。一月の国連安全保障理事会では、アフリカを中心にした途上国のエイズの流行を、国際的な平和と安全に関わる重要課題として取り上げ、集中討議を行った。六月末の第二回国連社会開発サミットではエイズ、結核、マラリアなどの感染症が大きく取り上げられ、健康権つまり医療サービスにアクセスし、自ら健康を維持し、向上させる権利の保障が強調された。そして、治療薬の普及を特許が妨げているという問題提起が途上国側から提起され、白熱した議論を呼んだ。また、累積債務の返済が、途上国の感染症対策を含む社会開発の阻害要因になっているとして、債務問題が焦点になった。

七月中旬、南アフリカのダーバンで開かれた世界エイズ会議では、エイズ問題が医学や地域社会の課題だけではなく、政治上の課題であるという提起がされた。七月後半のG8（主要八カ国）沖縄サミットでは感染症問題がIT（情報技術産業）、ゲノムなどともに重要課題として扱われた。「健康は経済成長に寄与する一方で、不健康は貧困をもたらす。感染症は数十年にわたる開発を逆転させ、同一世代のすべての人々からより良い未来への希望を奪う」とG8は認識し、エイズ、結核、マラリアの三つの感染症に対し、本腰を入れて対策に取り組むことを約束した。

それではなぜ、科学が進歩し、保健や医療が向上したはずの現代において、新しい疫病の流行や再燃が起きたのだろうか。疫病は人口移動により流行地を広げる。もともと風土病であった疫病が発源地から遠く離れた土地に伝播し、世界的流行となる直接の理由は文明の拡張であり、文化の交流である。人が動き、物が動く。それにつれて病気が動く［桜井国俊］。かつて、天然痘がシルクロードを、梅毒が大航海時代の海の道を伝って、広がったように、現代の感染症は航空路や高速道路を伝って、圧倒的なスピードで世界中に広がる。地球の裏側まで到達するのに二～三日あれば十分なのである。アフリカの風土病の一つにラッサ熱というウイルス性の病気がある。この病気は感染してから死に至るまでの期間がとても短い。恐い病気ではあるが、この病気に感染した人がすぐに死んでしまうために、人から人へと伝播する機会が意外に少ないと言われてきた。

ところが、現代のように人が迅速に移動する時代になると、こんな病気ですら、はるか遠方まで運ばれる。アフリカから一万キロ以上離れた日本でも、二〜三の例が発見されているのである。つまり、現代においては地球に生きているかぎりだれもが、疫病に感染する可能性をもっているのである。すべての人が感染し、死にいたるリスクを共有する時代である。もし日本に住む私たちが、疫病の危険を回避しようとするなら、世界のすべての地域の危険を取り払う努力をする必要がある。アフリカの安全もまた守らなければならない。

現代の疫病は、現代の科学技術の生んだ迅速な交通網によって運ばれている。科学技術の発展は、医療や公衆衛生の向上を促し、疫病に対する防御力や治癒力を高めてきた。しかしその一方で、疫病の伝播を促しているのである。グローバル化という新しい文明により、物や人の移動もグローバル化し、疫病の危険もグローバル化したのである。このグローバル化時代の疫病は、質・量ともにこれまでの時代の疫病と異なるものである。新しい認識が必要になる。疫病に対応し、安全を確保する方法や規模もまた異なるはずである。二〇〇〇年一年間だけでもさまざまな国際舞台において、疫病への対応が議論されてきた。しかし、それらが新しい時代の疫病対策としてふさわしいものかどうかは、いまだ確認されていない。

2　グローバル化と介護・扶養力の消失

健康は人が生き、生活していくうえでの総合的な課題である。筆者自身も癌を体験し、病気であろうとなかろうと、一日、一日の生活が大切であることを実感している。また、一人の病人が出ることによって、本人やその家族を含む地域社会全体が影響を受ける。逆に病気という負荷がかかったとき、その家族や地域がいかに彼を扶養し介護しうるか、その潜在的な力が明らかになる。そうした潜在的な力をセイフティネットと呼ぶことにしたい。

エイズという病気は人の病原体に対する抵抗力（免疫力）を徐々に弱め、治療を施さないかぎり、五年、一〇年かけて死にいたらしめる。エイズの主な感染経路は性感染であるため、二〇代を中心とする世代が罹患しやすい。働き盛りの年代、子供をつくり、子育てに専念する年代の人がかかりやすい病気である。一家の働き手が病気によって働けなくなると、本人はもとより家族全体が負荷を負う。収入の減少、失業、食料生産の減少、家事労働の減少によってである。また、扶養者である両親や娘、息子を失うため、被扶養者である子供たちや老人が困窮する。その際、伝統的な大家族制度や地域固有の相互扶助の仕組み保たれている地域では、病人やその被扶養者を大家族や地域コミュニティが代わって介護し、扶養することができる。また、収入を失っても、もともとあまり金銭に左右されない、自立的な（自給自足的な）農村社会あるいは自然環境の豊かな地域では、病気という負荷を受けても、庭先や近隣、自然のなかから、食料、水、住居などの生活必需品を比較的容易に入手できる。

ところが、こうした地域固有のセイフティネットが、グローバル化とともに弱まっていることが予想される。急速な都市化、自然環境の破壊、食べるための農業から売るための農業への転換（商品作物栽培）などにより、世界各地で生活形態の変化が同時多発的に進行した。世界のすみずみまで、商品経済が浸透し、お金がなければ日々必要とする物が手に入りにくくなった。仕事を失い、収入がなければすぐに生活に窮する事態がほぼ全世界的に生じた。家族は核家族化し、かつてもっていた扶養力、包容力を失いつつある。地域固有の相互扶助の仕組みも、地域の崩壊とともにすたれつつある。

エイズをはじめとする感染症が猛威をふるう、サハラ以南のアフリカでは、これまで述べてきたような セイフティネットの消失と、病気による直接の健康障害や死が、同時に訪れた。現代においては病気による衝撃が、直接、生活破壊につながり、家族崩壊につながるのである。先進国では、伝統的なセイフティネットの崩壊が、さまざま形の保険制度や社会保障制度によってカバーされている。しかし、多くの途上国では、まだまだ、社会開発が追いついていない。社会保障制度が完備されていない。お金があるかないか、貧富の差、南北の差が病気の衝撃を受け止める潜在力の差になっている。残された孤児や老人を受けとめる扶養力の差になっている。

一九八〇年代後半、アフリカで最もひどい被害を受けたウガンダでは二〇〇〇年までに一七〇万人の孤児を生み出した。ウガンダではその孤児のほとんどが、家族によって吸収され、扶養されている。南アフリカでは二〇〇〇年現在、若者の五人に一人がＨＩＶ／エイズに感染しており、毎年、感染者の数が増え続けている。つまり次の一〇年間のうちに莫大な数の孤児を生み出すことが予想される。そして、その多くがストリート・チルドレンになると言われている。二〇〇〇年七月南アフリカ、ダーバンで開催された第一三回世界エイズ会議の席上で、南アフリカからの参加者は、「ウガンダではコミュニティがあったから、エイズの被害を抑えられたが、すでにコミュニティを失った南アフリカでは、そうはゆかない」と主張した。アパルトヘイトの時代すでに、黒人が鉱山や工場の労働者として駆り出され、今なおその構造が変化していない南アフリカでは、コミュニティによる相互扶助はすでに失われ、家族は扶養力をもっていないというのだ。アパルトヘイトの影響により、南アフリカは他のアフリカに先駆けて、商品化、都市化、商品作物栽培が進んでいる。そのために、エイズという病気が、家族や社会にもたらす衝撃が極めて強いことが予想されるのである。

3　特許重視の時代

特許はルネッサンスの時期に考案され、その後、英国や米国において重視されてきたものである。しかし、特許重視をあまりにも強化しすぎると経済にも悪い影響を与えると昔から指摘されていた。たとえば、「特許といえども独占は社会にとって有害なことである」と指摘したのは、当時最も有名な経済学者であったアダム・スミスである。

米国は建国以来、特許制度を尊重してきた国だが、その米国においても、特許を重視するプロパテントの時代と、反特許のアンチパテントの時代を繰り返してきた。米国で最初にプロパテントの政策をとったのはリンカーン大統領であり、その結果米国は産業革命の時代を迎えた。二〇世紀に入ると世界経済は大不況に突入する。産業界は厳しい価格競争を避ける目的で特許を用いたカルテルを形成した。これに対し、フランクリン・ルーズベルトは大恐慌から脱出するために、反独占政策であるニューディール政策を打ち出した。特許の悪用を摘発し、その後の自由貿易主義の時代を形成する。日本の経済成長もまた、ルーズベルト以来のアンチパテント政策の恩恵によるものである。しかし、一九八〇年代以降米国はレーガン政権によって、再びプロパテント政策に転換し、特許至上主義の時代を迎え、今日に至っている。

第二次世界大戦以降、米国は技術力と経済力を背景に世界のリーダーであり続けた。しかし、一九八〇年代に入ると日本や東南アジアの国々が急速に経済発展を続けるなか、世界市場における米国のシェアはしだいに落ち込み、貿易収支は赤字に転じた。レーガン大統領は、米国の産業競争力を二一世紀に向けて確保することを国民に訴え、工業所有権の保護・強化を打ち出した。日本をはじめとする新興工業国の主力製品のほとんどは、米国で発明されたものだ。ならば、過去の米国の知的財産を保護・強化することで、米国が圧倒的に有利な基本特許を、貿易品目の新たな柱に位置づけようというねらいがあったと思われるのである。また、米国が得意とする技術分野を特許により手厚く保護し、未来市場におけるアメリカの優位を築こうとした。コンピュータ・ソフトウェアとバイオテクノロジーである。

米国は二国間交渉によって、各国と個別に知的所有権の保護・強化を迫り、その一方で各国がそろってプロパテント政策を推進するよう、国際会議の場で強く要請した。GATT（多角的貿易交渉）ウルグアイ・ラウンドで、知的所有権の国際的保護に対する各国の合意を取りつけ、この合意内容がWTOの知的所有権の保護に関する協定（TRIPS協定）として署名されることになる。WTOに加盟するすべての国は、TRIPS協定の履行が義務づけられている。協定を履行しない国は自由貿易に参加させないこと、協定を履行する国には知的所有権の保護が義務づけられるとともに、協定に違反した場合には貿易制裁が加えられることも定められている。西暦二〇〇〇年、世界は本格的なプロパテント時代へと突入した。これまでは、世界の一五%の国で守られていたにすぎなかった特許が、世界の九〇%の国と人が守らなければならない、国際ルールとなったのだ［上山明博］。

以上、上山の文章を長く引用させていただいたが、特許が独占を招きやすい側面をもつことは、歴史的に確認されてきたことであり、だからこそ、米国国内においてすら、一貫して特許の重視を続けてきたわけではなく、アンチパテントの時代も二〇年前までは存在していたのである。そして、特許がこれほどまで国際化し、国際ルールとなったのは、二一世紀を迎えた現代の特有のできごとである。

それは米国の国益重視の政策の結果にほかならない。さらに、上山が指摘するように、ヒトの遺伝子の分子構造を一企業の知的財産とみなし、独占権を与えることは明らかにいきすぎであろう。

アメリカの得意分野であったコンピュータ・テクノロジーはＩＴと名前を変え、バイオテクノロジーはゲノムを含むような形で、米国が特許の保護をてこに、世界市場のなかで優位を築く過程にある。先の沖縄サミットでこれらが重要議題としてあげられたことはその証でもある。

4　医療の商品化と特許化

先の沖縄サミットでゲノムと感染症問題が同時に扱われたことは、けっして偶然ではない。医療が世界経済の争点となったことの証である。ゲノムの解読と遺伝子医療に象徴されるように、米国を中心とする先端産業は、医療を他の商品と同じように扱おうとしている。「オーダーメイド治療」とよばれる個々人の遺伝子の個性に合わせた夢の治療法の開発が、先を争うように進められている。その一方で、途上国や貧しい人々の間では、エイズ、結核、マラリアなどの感染症が流行し、莫大な人数の死をみとる時代が再来している。医療が経済競争に巻き込まれてゆく過程で、一方には技術革新による寿命の延長が起き、他方には貧困と格差による寿命の短縮が起きている。医療は九〇年代を境に、必要としている貧しい人々のもとに届きにくくなったのである。

かつて「医は仁術」といわれていたが、いまや「医は商品」となりつつある。儲け口として考えるならば、生命・寿命と直結する医療は、ニーズの絶えることのない、市場価値の高い分野である。もしその市場が独占できれば、半永久的に利潤が約束される。そこで市場を独占する手段として特許が医療の分野に導入された。商品化と特許化は医療の性格を変えた。商品であるかぎり、値段が高ければ購入できない人々もでてくる。特許が妨げとなり、開発されてから何年も経った薬が安くならない。結果として、経済力の差が直接、寿命を左右してしまう。エイズ治療をめぐる格差は、今後の医療の矛盾をはっきりと示している。

環境、食料、健康など、生存や生活に欠かせない分野のモノやサービスは、誰かに独占されることなく万人が享受できることが望ましい。しかし、過去二〇年間の歴史は、米国に引きずられるような形で正反対の方向に進んでいる。しかもこの二〇年間は、世界の貧しい人々にとって、生活と環境の破壊により、さらに格差が進む時期であり、疫病が再来する時期でもあった。健康を取り戻そうとするなら、米国の戦略に対抗し、勝ち取る覚悟が必要である。先に紹介した南アフリカのムベキ大統領の発言は、「米国が治療薬をあくまで商品として扱い、その商品保護を貫くために国をあげて圧力をかけてくるなら、こちらは商品の効果とその裏づけとなる科学技術を貶める」手段に出たと思われる。商品でくるなら、商品の弱みである商品イメージを落としてやろう。相手が経済制裁という仁義なき方法でくるなら、こちらも仁義なき方法で対抗しようというわけである。ブラジルは、圧力を受けて立つ正攻法にでた。商業ベースの法律でくるなら、人権を謳う憲法で対抗し、悪法を断固として打ち破った。

健康は心と体、人間と社会・環境の調和によって保たれる。医療は医療者と病人の信頼関係によって成立する。社会・環境が急激に経済化・国際化し、医療が商品化してゆく過程で、調和と信頼は乱され、健康と医療は曲がり角にきている。このまま手をこまねいていれば科学者や医師は企業の使いっぱしりになり、病人は市場価値によって選別され、健康は経済競争の成功者にしか買えない商品に成り下がるだろう。次の一〇年間、少なく見積もっても数千万人の人がエイズや感染症で死んでゆく。彼らの死をみとり、死にゆく者のメッセージを受けとめながら、調和と信頼を回復し、世界の誰もが健康を保てる仕組みを創り育ててゆきたい。相手が戦略で仕掛けてくる以上、こちらも戦略を組み、しっかりと対抗することが出発点である。

第三節　感染症対策沖縄国際会議とささやかな希望

二〇〇〇年一二月七日、八日の二日間、沖縄コンベンションセンターで、世界二七カ国、国と国際機関、NGO、企業の参加による感染症会議が行われた。これは先の沖縄サミットで感染症問題が議題として取り上げられたことを受けて、日本をはじめとする先進諸国の政府が、これからどんな感染症対策を行うかを決める会議である。サミットでは「感染症が個人の生命の脅威にとどまらず、途上国の経済・社会開発の大きな阻害要因になっている。病気と貧困の悪循環が発生している」と認識され、エイズ、結核、マラリアについては、一〇年後を目途に削減目標が決められた。その実行に向け、日本の外務省、厚生省が議長を務めた会議であった。時間が短く、議論をキャッチボールすることはできなかったが、G8主催の会議であったにもかかわらず、けっこう柔軟で、途上国の代表やNGOの意見をしっかり聞こうという雰囲気があった。

アフリカのNGOの女性たちから、「女性だけを対象にした予防活動をするのではなく、男性を巻き込むこと」「子供の感染予防だけを行うのではなく、お母さんをしっかり治療すべきこと」など、活動現場での実感が語られた。日本のＮＧＯからも七団体、一〇人が参加し、①当事者である感染者を中心にして対策を立ててほしいこと、②世界の誰もが治療やケアを受けられるようにすること、③先進国の科学者と、途上国の人々が力を合わせてワクチンなどの開発を進めることなど、事前に英文の提案書を用意して発言した。

(1)　国際公共財

ザンビア（大統領）、インドネシア（大統領夫人）、ＷＨＯ（世界保健機関）事務局長からの開会演説の後、エイズ、結核、マラリアなどの疾患別セッションが初日にあり、二日目に包括的アプローチ、横断的挑戦、そして最後にＧ８各国からの行動に向けてのアジェンダが話された。今回の会議で特徴的であったのは、主催者である政府代表者たちの口から「国際公共財」という言葉が出たことである。また、グローバル・ヘルス（世界規模の健康）という言葉が国連機関によって使われたことである。治療や予防に必要な薬やワクチン、コンドームなどの器具、あるいは情報や知識、技術などは、「国際公共財＝世界のみんなのものだ」という意味である。お金がある人だけに届けばよいのではなく、お金がなくて買えない人にも届ける仕組みをつくろうということだ。どこまで本気かはわからないが、こんな言葉が政府代表から出ただけでも大きな進歩である。

医療へのアクセスの改善と医薬品やワクチンなどの研究開発について、ＮＧＯ、途上国、国際機関から同じ主旨の意見がたくさん出て、製薬工業会の意見との間の対立がはっきりした。特許制度があるために治療薬が高すぎて、途上国の貧しい感染者たちは治療を受けられない。だから、特許制度を見直そうという意見がＮＧＯだけではなく、ユニセフや欧州連合（ＥＵ）からも出された。私自身もまた先鋭的にそのことを主張した。特許制度は独占を招く危険が伴うため、医療のように公共性の高い分野には不向きであることは従来から指摘されてきたことである。特許を国際的に重視し、それをてこに新規開発を進めようという考え方は、過去二〇年間の潮流にすぎない。米国と製薬業界のしかけてきた経済戦略である。今回の会議のなかでも、製薬業界は新薬の開発に多額の研究費がかかることを理由に、特許の必要性を強調し、反論を試みたが、防戦に追われ、勢いがなかった。米国も製薬業界側の主張を援護する動きを見せなかった。

今回の会議が、今後の医療のあり方、感染症対策のあり方にどの程度、影響を及ぼすのかはわからない。日本政府は沖縄サミットの際、感染症対策に対して三〇億ドルの拠出を約束している。日本の政府援助のお披露目会に、NGOや途上国政府、国連が利用されただけだったのかもしれない。しかし、希望的にみるならば、感染症対策のみならず、今後の世界の医療に新しい潮流を生み出す可能性がある。「国際公共財」という言葉は、医療に必要なモノや情報は、商業ベースにまかせるのではなく、世界全体がカバーして、必要な人すべてに届けるという意志を感じさせるものだ。これまで、途上国の自助努力に対して経済制裁などの強圧的な手段を行使してきた米国に対し、他のG8諸国は咎めることができなかった。しかし今後は、「国際公共財」を理由に対抗することが可能なのである。

(2)　「ブラジル、国際特許を破るか?」治療薬国際共有化ネットワーク

会議の合間にブラジル厚生省エイズ・性病担当のパウロ・ロベルト氏と話し合った。ブラジルは特許をめぐる米国からの圧力をはねのけて、治療薬の国産化に成功し、エイズによる死亡者の数を半減させた実績をもつ国である（エイズ対策に成功した唯一の国と言える）。ロベルト氏の話によるとブラ

ジル政府は、さらに二種類の新しいエイズ治療薬（プロテアーゼ阻害剤）の国産化を準備している。現在、先進国の製薬会社と交渉中であるが、その交渉が決裂すれば、特許を破る（強制特許を行使する）用意がある。強制特許とはWTO（世界貿易機関）の特許に関する規定（TRIPS協定）に、例外事項として挙げられている方法で、公共上やむを得ないケース、国家的危機のケースでは、特許所有者の意志に関わりなく、その技術が使用できるというものである。しかし、これまで実行された例はない。WTOの背後にいる米国からの圧力が恐いからである。これに唯一最強の対米ファイターであるブラジルが挑戦しようとしている。

ブラジルはラテンアメリカ二二カ国と感染症対策のうえでネットワークを組んでいる。技術上の協力だけではなく、政策・戦略の共同化を目指している。国際規定（TRIPS協定）がいかに問題で、どのような対抗戦略を講じるか、そのことを共有することが大切であるという。ブラジルが会議の席上、「技術移転」が大切だというとき、特許に関する規定を破ることが大切だということを意味している。国際規定に対抗するうえで、ラテンアメリカ以外にもすでにインドとネットワークを組んでおり、二週間後には南アフリカの代表者がブラジルを訪問する予定だという。着々と反特許・対米包囲網＝医療の国際共有化ネットワークが形成されつつあるのだ。

南アフリカエイズ裁判

今、南アフリカ共和国でエイズ治療薬の特許をめぐる法改正に対して裁判が行われており、ヨーロッパを中心に世界の注目を集めている。訴えているのは三九の製薬会社、訴えられているのは南アフリカ政府である。新聞報道の一つは「エイズ渦に苦しむアフリカなどの途上国にとってエイズ関連の治療薬を安く手に入れられるかどうかは死活問題。製薬会社は知的所有権をタテにスジ論で対抗」と伝えている。三九社の中には、英国を本拠地とする世界最大手のグラクソ・スミス・クライン（GSK）社が存在し、「（この裁判に負ければ）南アフリカでは特許システムを無視してよいのだという解釈を招く。世界の特許システムを脅威にさらすことになる」と主張している。南アフリカ政府側の応援団としては、国内の医療者のNGOや労働組合の他、国境なき医師団などの国際的NGOが存在する。国境なき医師団は、製薬会社に対して提訴の中止を求める署名活動を展開している。英国のNGOオックスファムでは、GSK社の英国本社に対して、より安い値段で途上国に医薬品を届けるキャンペーンなど、さまざまな働きかけを行っているが、つい先日までGSKで働いていた法律顧問が今度はオックスファム側についてキャンペーンに参加することになったという知らせも届いている。

今回の裁判の発端は南アフリカ政府が医薬品法を改正したことに始まる。一九九七年、南アフリカ政府は、国家の非常事態には薬の特許保護を制限できるよう法改正を行った。より安い値段で薬を輸入すること、また薬の自国生産を促進することが目的であった。ところが九八年この新しい法律に対して、製薬会社が特許法違反として裁判所に訴えた。同時に米国政府が南アフリカ政府に対して、WTOの特許に関する協定（TRIPS協定）違反だとして政治的な圧力をかけた。そんなことをすると、南アフリカから米国への輸出品を米国は買わないぞと脅しをかけたのである。経済制裁といわれる方法である。結局、九八年の時点では、新しい医薬品法は執行停止となった。そして、二〇〇一年の三月、南アフリカ政府側が国際的に応援を受ける形で、裁判が再開された。この三年間で、「エイズ」と「特許」に対する見方が、欧州を中心として大きく変わったのである。国際NGOは、「製薬会社が法律の無効を求めている間に四〇万人がエイズ関連の病気で死亡した」と訴えている。国境なき医師団の署名活動は、裁判が続く限り、せっかくの法律が執行できないという考えの上での行動である。

三月に再開された裁判は二週間の休廷を挟んで、四月一八日に開廷する。「裁判所の司法権を逸脱しているかもしれない」という理由で、当初この件に及び腰だった裁判官も、休廷直前の時点では製薬会社側に対して『価格設定を含む企業の業務方針を公開するよう』求めた。これまで、ベールに包まれていた企業側の実態が明らかになるかもしれない。

四月一八日、製薬会社三九社のうち三七社が提訴をとりやめる意向を示し、製薬会社側と南アフリカ政府は法廷を離れ、交渉に入った。提訴の中止は一応の朗報だが、交渉の過程で、どのような譲歩がなされるかは不明である。南アフリカ政府が法律の条文を書きかえることになれば、朗報とはいえない。しかし、日本経済新聞（四月二〇日）によれば、「『現行法の改正につながるものではない』との見解を南アフリカ政府は明らかにした」とある。より安い治療薬を手に入れるための戦略として、南アフリカ政府は「法には法を」という対抗手段を続けてきた。世界のトレンドとなっている特許重視の法に対して、例外的とは言え、抜け道を作る法律を押し通した。大手製薬会社が提示してきた薬の値下げに、基本的には応じてこなかった。これはアフリカにおけるエイズ治療の将来を見越した、一貫した方針の勝利であるという意味で、重要である。

エイズの治療法は日本のような先進国においても、決して完成されているわけではない。より安く、より飲み続けやすく、より薬剤耐性や副作用が少ない薬の開発が待たれる段階にある。そうした意味で将来開発される薬においても、適応が可能な法律が大切である。

南アフリカ政府はこの薬剤法の適応によって、インドからより安い値段で薬を輸入したり、自国生産を始めたりすることになるだろう。しかし、さしあたって輸入や自国生産が想定される薬だけで十分な治療が可能だとは、少なくても日本の医療関係者は見ていない。また、薬の値段が現行の一〇分の一になったとしても、経済的にその値段で飲み続けることのできる層が南アフリカ黒人社会の中にどの程度いるのだろうか。薬を必要とする大多数の感染者に届けるためには、社会保障を充実させ、さらに値段を安く、限りなくゼロに近づける必要がある。病院、診療所、医療スタッフの養成などの医療インフラの整備が必要となる。

昨年の七月に垣間見た感触にすぎないが、南アフリカの社会はまだまだ、エイズをありのままに見つめ、語りあえるほど開かれた社会ではない。差別や偏見のなかで、ひっそりと生と死が進行しているようだ。薬というひとつの出口が見えてきたが、今すぐ、すべての感染者を解放するわけではない。

先の道のりは遠い。しかし、今回の法廷闘争の勝利は、次の十年を考えたとき、確実な第一歩である。傍聴席に集まった南アフリカの人々は歌いながら踊りだした。ひとまずは、祝杯をあげたい。今後とも、アフリカの人々、国際NGOの人々と同時進行で、事態を見つめ、ともに将来のために今、何をすべきか考えてゆきたい。

（出所）拙稿「南アフリカエイズ裁判」（http://www.ajf.gr.jp/africa_news/sa_court.htm）に加筆修正したものである。

【引用・参考文献】

上山明博『プロパテント・ウォーズ――国際特許戦争の舞台裏』文春新書、二〇〇〇年。

UNAIDS, "Report on the Global HIV/AIDS Epidemic," June 2000.

WHO Action Program on Essential Drugs, "Globalization and Access to Drugs: Perspectives on the WTO/TRIPS Agreement-Health Economics and Drugs," DAP Series No. 7, 1997.

New African, May, June, 2000.

Gardian, March 7, 2001.

『エイズとアフリカ資料集』アフリカ日本協議会、二〇〇一年。

沖縄大学、桜井国俊による講義資料。

その他、国境なき医師団、ＯＸＦＡＭなど国際ＮＧＯからのインターネット情報。

第四章　経済のグローバル化と水・食料

佐久間　智子

はじめに

ＮＧＯとは、市民が情報をもっていない、あるいは情報が過多、複雑すぎて理解できないために、意思決定に効果的に参加できないという「情報の不均衡性」と、域外（国外）の人々や将来世代が、自らに影響のある決定に関与できない、あるいは企業などの利益団体が実際には政策決定に多大な影響力を行使しているという「民主主義の不完全性」を補完する存在として定義づけられるべきであり、その行動様式によって区別されるものではない。

この観点から本章では、世界的に都市化、工業化、グローバル企業への集中などが進むなか、南の地域を中心に水と食料に対する人々の基本的権利が、ますます保障されなくなってきている状況に注目する。さらにこうした事態に対し、人々の反発が高まる一方、これらの問題に取り組む専門化した

NGOと直接の被害者層との間に乖離も生まれている。この距離を乗り越えるには、より広い社会層による多元的な議論と実践が、人々の運動のグローバル化として、ますます必要となってきているのではないかということを論じたい。

第二節　水・食料の不足と人口問題

1　今、世界はどうなっているのか

人類が「豊か」に幸福に生き続けていくための条件とは何だろうか。最も優先度が高いのは生命維持のための諸条件だろう。安全で十分な食料と水を入手できること、身体に悪影響をもたらすような細菌や化学物質、紫外線、放射能などから守られていること、犯罪や紛争などの暴力、災害などの脅威にさらされないことなどだ。

しかし現実には、世界の八億人が食料不足に苦しみ、一〇億人以上が清潔な飲み水を得られず、ほとんどの人が何千種類もの化学物質の混入する水に不安をもつ。農薬は多くの農民の健康を蝕んでおり、ダイオキシンの生物蓄積は人類の生存に対する新たな脅威となっている。アジア各国の沿岸部では輸出用エビ養殖のために沿岸のマングローブ林が激減し、土壌流出と沿岸の浸食、漁獲減少が起きている。世界の漁獲は毎年減少しており、主だった漁場は水産資源の枯渇という事態に直面している。輸出用の伐採による急激な森林破壊により、世界各地の原生林が急速に失われつつあり、ユーカリ植

林は地下水と地味を枯渇させている。

南の国々では、都市部の大気汚染が居住者の健康と成長を蝕んでおり、また北の国々ではすでに禁止・規制されている産業活動や製品が南に移転・流入することによる健康被害や環境破壊も広がっている。南極・北極に近い地域ではオゾン層破壊による紫外線増大による皮膚ガンが増加している。気候変動は海面上昇と異常気象をもたらし、世界各地で人災ともいえる自然災害による被害が拡大している。

しかし同時に、世界で生産される食料の総量は、世界の人口を養うに十分な量であるということも事実だ。国際取引される穀物の大半を輸出する米国の穀物自給率は、日本の約三〇%に対し、一三八%に達している[1]。「緑の革命」によって途上国に化学肥料や農薬を持ち込んだ「北」の企業が、今度は途上国の農民が自然交配を通じて改良してきた伝統的な種子を漁り、それらの種子に対し排他的な特許権を獲得している。一見矛盾しているように見えるこれらの事実を、どのように理解したらよいのか。食料と水という人々の基本的権利が全ての人に保障されていない事実から、その背後に存在する国際的政治および経済的要因を明らかにしてみたい。

2　水問題とは何か

モード・バーロウの『ブルーゴールド――独占される水資源』を中心に、水問題の核心をまとめておこう。「来世紀（二一世紀―引用者注）、紛争の火種となるのは水であろう」［バーロウ：5-6］。イスマイル・セラゲルディン世銀副総裁の言葉だ。清潔な飲み水を得ることができない人々が、地球上に一〇億人いる。さらに二〇二五年には、世界の三人に二人が深刻な水不足に直面すると予測されている。二五年までに地球上の人口は二六億人増加すると見込まれているが、水不足の原因は人口増加だけではない。なぜなら、世界の水使用量は、人口増加率の二倍ものペースで増加しているのである［同右：14］。

現在、世界の水使用の部門別割合を見ると、工業用水に二五％、家庭用水および自治体利用に一〇％、そして農業灌漑用水として六五％が使われている［同右：18］。しかし、都市化と工業化という二つの近代化の現象によって、農業用水が都市水道や工業用水に転用されるようになってきた。これらの国々の家庭用水と工業用水の需要が水使用量全体に占める割合は、一九九五年の一三％から二〇二〇年には二七％に倍増すると予測される［ポステル］。

工業部門や都市の水・電力需要を満たすために、世界各地でダム開発や、河川からの分水、あるいは過度な地下水汲み上げが行われている。その結果、中国の黄河は年間の半分から三分の二の期間干上がるようになり、南アジアのインダス河、ガンジス川でも乾季には水が海に到達しない［ポステル］。また、このような開発によって、多くの地域で、淡水域における伝統的な漁業や、自給的・半自給的な農業から水が奪われ、同時に大規模な生態系破壊が引き起こされている(2)。

水の自然循環によって十分に補給されている地下水脈があれば、清浄かつミネラルを多く含む地下水を一定量汲み上げ、飲料や食料生産に利用することは理に適っており、また、無駄なダム開発や大量の河川からの取水を回避する有効な手段たりえる［嶋津］。しかし今、森林破壊や耕作地の減少、治水のための河川整備、道路建設など、さまざまな経済開発行為の結果として、土壌と地下水脈に浸透、涵養される水の量が著しく少なくなっている。また、工業の発達や農業の工業化（単作化、機械化、化学化）などによって、河川や地下水の汚染も深刻化している。さらに世界全体でみれば、今後二五年間に工業用水の需要はさらに倍増すると予測されている。

このように水の転用や汚染、および地下水の枯渇が進むことで食料生産に供される水の量が減っていけば、食料供給量も減少する。世界の灌漑農地のおよそ五分の一は、地下水の過剰な汲み上げによる塩類集積によって生産力が低下している［ポステル］。つまり水問題とは、水と食料という人間の生存に最も不可欠な二つの「基本的権利」が、著しく侵害される事態を意味している。しかし、この水不足は、人口増加に比例して深刻化しているのではない。水が、人々の生存のためのニーズに応えることではなく、近代化あるいは経済発展という名の下に、都市と工業、あるいは既に豊かな人々の贅沢と利便のために優先して振り向けられていることと、そのことに伴って環境破壊が深刻化していることが、現代の水問題の核心にある。

3　食料問題の核心

一九七四年に開かれた国連による第一回世界食料サミットの課題は、食料の増産が人口増加のペースに追いついていない事態をどう打開するか、というものだった。当時、世論はこの人口増加を産児制限などによって抑えることによって、食料のニーズを縮小する以外にないといったネオ・マルサス主義の考え方に支配されていた。一九七二～七四年の二年間に食料の国際価格が四倍に跳ね上がったからである。しかしその三年後の七七年には、今度は食料価格が過去二〇年間で最低を記録した。八〇年代半ばまでには世界の穀物在庫量は年間貿易量の二・五倍に達し、欧米では大量の余剰食料が廃棄・処分された。ところが九三年から今日に至る期間は、再度一転して食料不足が問題とされる傾向にある。

このようにみると、食料の需給状況を長期的に予測することはほとんど不可能に近い。ワトキンズに言わせれば、一つだけ確かなのは、食料が不足する時代には必ず、ネオ・マルサス主義が台頭してくるということである［Watkins］。しかしその主張に反して、食料問題も水の問題と同様、人口増加がその主な原因で発生しているのではない。その証拠に、世界の食料システムが供給過剰であっても不足であっても、飢餓や貧困に苦しむ人口は増え続けているのである。現在、七億九〇〇〇万人といわれている世界の栄養不良人口は、今後さらに増えつづけると予測される。

カールは、食料安全保障の四つの要素として「availability（いつでもあること）」、「accessibility（入手可能であること）」、「adequacy（適切な質量であること）」、「acceptability（抵抗なく受け入れられること）」を挙げている［カール］。問題は食料生産能力ではない。世界中の人口を養うに十分な食料があっても、国民を養えるだけの食料を調達できない国があれば、その国では食料が保障されない。同様に、国内的に十分な食料があっても、その国のすべての人に食料が保障されているわけではない。

つまり、国レベルでも、地域レベルでも、家庭レベルでも、食料をそれぞれ自給していない限り、購買力（資金力）が食料安全保障を左右するのである。一九九五年のＦＡＯ（国連食料農業機関）の研究では、世界の貧困国および貧困層があまりに購買力をもたないために、そこには食料が行き渡っていないにもかかわらず、世界の穀類生産は頭打ちになると予測している［Alexandratos］。購買力に裏づけされた需要に対してしか供給は行われないという、ごく当然の市場原理が、世界の数多くの人々の食料安全保障を脅かしているのである。

第二節　水と食料に対する人々の「基本的権利」の侵害はどのように起こったか

1　土地や水の所有形態の近代化

日本の場合、明治時代の近代化プロセスのなかで、土地や水の管理・利用、および漁場などに対する農民、漁民の伝統的な権利は、それまでの慣習に従い、村単位、あるいは組合という集団の単位に対して一定程度認められた。このような地域コミュニティによる所有・管理の形態は地域にさまざまな生活資源を提供してきた森林の一部についても認められた。結果、日本では、伝統的・慣習的な地域コミュニティの権利と、公私二元的な近代的資源管理が並存する形態が生まれた。

それに対し、米国の資源管理の基本は、公的な管理エリアと私的な権利エリアとをくっきりと色分けして管理していくことであり、地域コミュニティの共同管理という概念は取り入れられていない。さらに、この米国でいう私的な権利エリアとは、身体的個人の所有を意味しており、親子であっても、土地などを相続する際には、できるだけ市場価格に近い価格で売買されるのが一般的である［嘉田］。つまり、日本で考えられている個人所有とは、米国的な発想からすれば「家」による集団所有に極めて近い実態を伴っているといえるだろう。

嘉田によると、アフリカ的な所有関係というのも、個人でなく、共同体に属する。アメリカ先住民の考え方や、東南アジアの地域社会の実態などを思い描くと、土地や水に対する集団的所有は、世界においていまだかなり一般的な形態であるといえるのではないだろうか。

前述のとおり、地域の共有資源（土地・水・森・魚など）に対する利用のあり方に決定的な影響を与えたのは、近代化である。その源泉は、イギリスの公私二元論に求められる。エンクロージャー（囲い込み）などで共有地を私有地化していくことは、資本蓄積の手段であったのである。換言すると、人々の共有資源を公的所有と私的所有に二元化することにより、土地、水、森、魚などの天然資源は、もはや人々に生活の糧を提供する共有資源ではなく、所有者に富をもたらす「生産財」となったのである。これにより、そこで生産される「生産物」の売買はもとより、それら「生産財（資源）」自体が市場取引（売買）の対象とされるようになった。

2　開発援助がもたらした新たな貧困

このような生産物と資源の「商品化」は、それまで地域の資源に頼って自給的な生活をしてきた人々の生活を根底から覆すものである。

たとえばタイでは、北の援助国の指導や要求に従い、一九六〇年代から経済社会開発計画を実施してきた。天然資源の切り売りが奨励された結果、かつて国土の六〇％を占めていた森林面積は九五年には一四％に縮小した。代わりに、紙パルプの原料として、土壌を瘦せさせ、地下水脈から大量の水を吸い取るユーカリが大々的に植林された。また森林破壊を抑えるために政府が導入した保護林を指定する政策は、森の恵みで生活を成り立たせてきた先住民族を森林から追い出した。

タイ政府は、援助機関や援助国から、必ずしも風土・環境に適合しない商品作物を輸出用作物として栽培することを奨励するよう求められた。政府は、これら作物の種苗や農薬・肥料などをパッケージで農民に売りつけ、北のアグリビジネス（agribusiness：農業関連産業）を潤わせた。そのツケは国家予算に匹敵するほど巨額に膨れ上がった農民の借金だった。国内アグリビジネスを優遇する政策などのあおりも受け、ますます経済的に追い詰められた農民は、借金を返済できないがために農地を手放して都市のスラムに流れ込み、一〇万人を超える少女売春婦をはじめ、二〇〇万人を超える売春婦が出ている［カヨタ］。

南の国々では、産業構造の近代化ないし高度化という北の国々の開発パラダイムが導入されるなか、ダム開発や河川からの大量取水などによって水道水や工業用水を確保することは最も重要な政策の一つとなった。現在タイでは、アジア開発銀行（ＡＤＢ）の求めに応じ、全ての国民の水利用に対する料金徴収制度が確立されようとしている。このような制度ができれば、それまで地域コミュニティが伝統的に管理・利用してきた水資源が、政府に高収入をもたらすようになるが、同時に、利用料金を支払うことのできる都市の富裕層や、利潤率の高い工業などに水利用の主体が移っていくことは必至である。その中で生き残れる農業とは、灌漑設備などのコスト負担を「国際競争力」のために、国が肩代わりしてくれる輸出志向農業くらいであろう。まさに「水はカネのあるところを目指して流れる」のである。

しかし、水資源を持続可能に管理・利用してきた地域コミュニティからその権利が奪われれば、地域の自然資源に依拠する彼らの生活が成り立たなくなるだけでなく、その地域の資源にとって最も有効かつ持続可能な、そして共同体の主体的な実践に支えられた管理・利用方法が放棄され、次第に忘れ去られていく。これは後に、取り返しのつかない問題であることが明らかになるだろう。

タイの首相官邸前では、三〇〇〇人ともいわれる農民、漁民が、二〇〇〇年夏から座り込みを続けている（二〇〇一年五月現在）。この貧民フォーラムの「現時点での最大の争点は、東北タイのラオス国境につくられたパクムーンダムに対する漁民の水門開放要求だったが、それだけでなく、開発に伴いタイの漁民農民に降りかかっているさまざまな問題が、ここでは共有されていた」。彼らのいう「貧民」とは「開発が生んだ新しい階層なのだ」という［大野］。

二〇〇〇年六月に開かれた第二回国連社会開発サミットでは、五年前にコペンハーゲンで開催された第一回社会開発サミット以後も、統計上の世界の貧困者数は増加しており、一九八〇年代に大きな進展を遂げたタイなどの国を含め、少なくとも三〇カ国で状況が後退しているとの結果が報告された。

3　食料援助と農業輸出補助金がつくりだした受入れ国の自給率低下

世界の穀物在庫に余裕があるときに食料援助が行われ、余裕がない年には――こういう時こそ本当に援助が必要とされるにもかかわらず――食料援助は減少するという事実が広く知られている。さらに、米国は食料援助を戦略的な武器として利用してきた歴史がある。それが一九五〇〜六〇年代に実施されたＰＬ４８０（Public Law 480 の略で、正式名称は、農産物貿易促進援助法。同国の過剰農産物を援助などで輸出して解決しようとした法律）食料援助プログラムである。このプログラムを通じて米政府が買い上げた米国産農産物は、一九六〇年代初頭には米国の穀物輸出全体の三分の一を占め、コロンビア、フィリピン、インドネシア、韓国などの数十億円規模の市場を、この「輸出ダンピング」で巧みに切り開いていった［Watkins］。

この食料援助は、被援助国の主食穀物の収穫シーズンめがけて運び込まれ、その国の穀物市場価格を暴落させた。小規模農家は、破綻に追い込まれ、土地を手放すケースも続出した。結果として被援助国の食料自給率は低下し、食料の海外依存度が上がる。そこに米国などの北の農業大国から食料が、今度は援助ではなく輸出として、代金が支払えるかぎりは恒常的に届けられるようになるのである。さらに、このプログラムのもとで、食料援助に協力した米企業には、被援助国の農地を買い取る資金として、米政府が低利融資を提供してきた。

こうして自給型コミュニティの自給能力が奪われ、南の家族の乏しい現金収入が外国からの輸入食料に費やされる構造がつくりだされた。南の政府にとっても、乏しい外貨収入の多くが輸入食料に費やされる構造である。このことは同時に、異常気象や土壌劣化、水不足などによって危ぶまれている不安定なグローバル市場の食料供給に、全ての人を依存させる構造でもある。

にもかかわらず、一九六〇年代までは南の国々の食料自給の達成を目標としていたFAO（国連食糧農業機関）でさえ、七〇年代に入ると一転して、南の国々に食料輸入の拡大を奨励するようになった。九六年の世界食料サミットでは、食料安全保障を達成する手段として二つの考え方が真っ向から対立し、最後まで平行線をたどった。一つは「食料主権」という新しい概念に代表される、家庭や地域の自給を最重要視した「自給体制」の再構築にその手段を求める考え方であり、もう一つは農業輸出大国とアグリビジネスが主張する「さらなる農業貿易の自由化」にその手段を求める考え方である。

第二次世界大戦後、同じような食料援助を米国から受けた日本では、工業部門が輸出産業として成立するようになると、その収入によって大量の食料を輸入しても、さらに貿易黒字を重ねられる産業構造が成立した。農業人口が激減し、食料安全保障や地方経済、および里山のもつ水源涵養効果などが大きな損害を受けたが、農村を離れて都市に流入する人口に対し、それに見合うだけの雇用が創出され、公共事業が地方経済を支え続けたために、その被害は長い間顕在化されずにきた。

西欧諸国の場合、一九世紀には、世界の食料輸出の大半を占めるようになっていた米国からの穀物などの輸入食料に依存を深めていた。しかし、一八九〇年代に不作のために米国からの輸入が停止し、飢餓を経験する。西欧は、この苦い経験をきっかけに食料安全保障に対する考え方を改め、自給率の回復に努めるようになった［LRVEP］。現在、ＥＵ（欧州連合）は米国に次ぐ大食料輸出地域だ。

米国のＰＬ４８０（農産物貿易促進援助法）は、一九七〇年代になると輸出奨励プログラム（ＥＥＰ）に代替されるようになる。これはＧＡＴＴ（関税・貿易一般協定）・ＷＴＯ（世界貿易機関）の貿易交渉においても、しばしば問題とされる農業輸出補助金に相当するものだ。これに対抗するように、ＥＵも輸出補助金を大規模に実施するようになった。ＯＥＣＤ（経済協力開発機構）諸国が農業に拠出している補助金は三〇〇〇億ドルを上回っている。特にそれが輸出農産物に対する補助金であれば、生産コストを下回る価格の食料輸出が国際市場価格を歪め、他国の食料市場価格を破壊し、他国の農家を不当に不利な立場に追い込む効果をもつ。

輸出補助金合戦に終止符を打ちたい両サイドは、貿易自由化の流れに逆行するとして、表面上はＷＴＯが成立した一九九五年から、徐々に輸出補助金を削減することに合意した。しかし削減の基準となる補助金総額に対して「操作」(3)が行われた結果、米国輸出奨励プログラム予算は実際上、一九九六年の三億五〇〇〇万ドルから二〇〇〇年の五億五〇〇〇万ドルまで増え続け、〇二年でも四億七八〇〇万ドルと高いレベルを保つことが可能となった(4)。

4　小規模農家の衰退とアグリビジネスの隆盛

　このような食料増産援助、食料援助と呼ばれる開発援助や、農業輸出補助金などの制度的仕組みは、北のアグリビジネスの中心をなす穀物商社や種苗・農化学企業、大規模企業農家、食品流通商社などに膨大な利益をもたらした。一方、過去何世紀もの間、自給型または半自給型の農業を営んできた南の国々の小規模農業の現場では、生産者が自らの生産活動に対する主体性を奪われ、さらに、農地や農業用水に対するアクセスまで奪われるケースが多発した。彼らの多くは、大資本が経営する大規模農園（プランテーション）で、劣悪な条件の下に農園労働者となるか、都市のスラムに流れ込んだ。

　実際には、農業輸出大国である米国やEU諸国においても、莫大な農業補助金が拠出されているにもかかわらず、農業従事者の人口は減り続けている。いわゆる「小規模家族農家」が厳しい状況に置かれている現実は、南北を問わず世界共通のものとなっているのだ。それを裏づける数字として、一九八八年にアメリカの消費者が食料に支払った総額が四五五〇億ドルなのに対し、全農家の収入の総計が一六七〇億ドル。そこから農業資材にかかった生産コスト一三六〇億ドルを差し引くと、全農家の収入合計は三一〇億ドルにすぎず（小売合計の約七％）、残りの約九三％は農化学、食料加工・流通などの企業の収入となっている実態が指摘できる(5)［堀口］。

　そもそも、多数の生産者と多数の消費者の間に、非常に少数の仲介業者が存在する食料市場のあり方そのものが、流通業者に都合のよい買取価格と小売価格の設定（操作）を可能としており、また、流通業者が生産者に対し、種子や農薬の銘柄まで指定することで生産者を「下請け化」することを可能としている。現在、世界で作付けされている農作物のほとんどがハイブリッド種子であり、最近では遺伝子組み替え（GM）の種子の作付けも増えてきている理由もそこにある。できの良い種子を自家採取あるいは近隣の農家と交換し、次の作付けに用いるという伝統的な改良方法によって維持されてきた農業は今、種苗会社から毎年ハイブリッド種子とセットで農薬や化学肥料を購入するというスタイルに変化した。ハイブリッド種子は二世代目には形質が劣化するため、自家採取して繰り返し作付けることはできない。

種子に対する支配と決定権を失った農家は、以後、生産プロセス全般において主体性を失っていく。実験室で交配された種苗に対して十分な経験的知識をもたない生産者は、種苗会社や農化学会社が求めるままに農薬や化学肥料を購入せざるを得ない。また、そうすることが、自らの生産した農作物を市場に出す条件となっている場合も多い。そのような要求は、消費者からのものというよりは、農化学・食品流通企業の都合によるものであることが多い。このことは、たとえば消費者が遺伝子組み替え（GM）食品を望んでいないにもかかわらず、遺伝子組み替え（GM）種子の作付が過去五年間拡大しつづけた事実を考えれば納得できるだろう。

貿易や国際投資の自由化と拡大を目指すWTOなどの国際ルールもまた、食料需給システムのグローバル化を促進することで、一握りのアグリビジネスが、世界の隅々にまでその市場を広げ、ますます食料需給や食料価格設定に対する支配の度合を高めていくプロセスを後押ししている。

WTOルールは、食料の国際貿易を妨げるような各国（特に輸入国側）の措置をなくすことで、より「自由」な食料貿易を推進している一方、私企業が動植物種に対して特許という排他的権利を獲得することを国際ルール化している。つまり、種苗などの生産財や特定の医薬品を世界に独占的に供給する権利が一握りの企業に与えられているのだ。しかも、これら動植物種に対して認可された特許の多くが、元々南の国々の農村において何世代も経て改良されてきた種子であったり、伝統的知識にもとづいて長年利用されてきた自然療法であったりする。北のアグリビジネスがそれらを「発見」し、先に特許申請することで、これまで南の農村の「公共財」であった種子や知識を乗っ取り、「私物化」し、南の農村や世界に売りつける「独占的権利」が保障されるようになったのである。

5　水サービスの民営化

人々が生存に不可欠な水や食料を自給できなくなるなか、これらの分野でも、需要が供給を上回れば価格が高騰するという市場原理が広く支配的となっている。グローバル企業にとって、水や食料の不足は「格好のビジネスチャンス」なのである。安全な水や食料を必要なだけ得るという、全ての人にとって当然であるべき基本的権利が、富裕層だけの「特権」となり、一方で購買力（カネ）のない社会層は汚染された水や食料によって日々生命を脅かされている。フィリピン保健省によると、同国では不衛生な水が原因で毎日二六〇〇人が病気になり、毎日一九人が死亡している［Mode Inc.］。

米政府は、食料輸出を世界戦略としてきた。今、同じ戦略が一握りのグローバル企業を世界の水資源支配へと向かわせている。現在WTOで行われているサービス貿易の自由化交渉では、一六〇業種にのぼるサービス部門が自由化の対象とされ、そのなかには「環境サービス」という分類の下、公共性の高い水道サービスが含まれている。このような公共サービスの自由化とは、外国企業を入札に参加させて「民営化」することを意味する。このWTOの動きに先行して、世界銀行は、融資の条件として規制緩和や民営化を義務づけるなか、既にいくつかの国で上下水道サービスの民営化を実施させている。

ボリビアでは、二五〇〇万ドルの世銀融資の条件とされた水道サービスの民営化が、悲惨な結末をもたらした。既にＩＭＦ・世界銀行の構造調整プログラムのもとで、グローバル企業によって同国の錫や石油、森林などの天然資源が大規模に開発されたボリビアでは、国内の水資源も森林破壊によって汚染され、希少となっていた。ボリビア政府は、唯一の入札者である米ベクテル社の子会社アグアス・デル・トゥナリ社にコチャバンバ市の水道サービスの独占を認めた。トゥナリ社は一九九九年一二月に水道料金の二〇〇〜三〇〇％の値上げを発表する。その結果、最低賃金で暮らす人々の家計が圧迫された。しかし、ボリビア政府は彼らを救済せず、逆に、同市の水道料金を米ドル相場に固定し、農家が地域の井戸や雨水から行う取水に対しても課金を行うよう指示した。

世論の九〇％がこの水道サービスの民営化に反対し、数十万人が反対デモを繰り返した。デモ隊から犠牲者が出た二〇〇〇年四月、ついにトゥナリ社は借金を置き土産にボリビアから撤退した。現在同市の水道サービスは住民の手に委ねられ、腐敗したボリビア政府もベクテル社の子会社であるトゥナリ社も見放した貧しい地区にまで、水の供給を行うようになった。しかしトゥナリ社は、一九九九年末に本拠地を、ボリビアと二国間投資協定を結んでいるオランダに移転しており、この協定を根拠に現在、四〇〇〇億ドル近い損失補償を求めて、ボリビア政府を世界銀行の投資紛争解決センターに提訴中である［Barlow's Report］。

フィリピンの場合、一九八四年にマルコス政権に対する三億ドルの融資条件の一環として、マニラ市とその周辺地域の上水道サービスが民営化され、二分されたエリアをそれぞれ別の経営体が落札、異なる料金体系の下で、それぞれの地域に上水道サービスを提供している。この二つの経営体は、国内の通信・メディアを牛耳る二大企業が、それぞれ仏リヨネーズ・デゾー社、および英ノースウェスト・ウォーター社、米ベクテル社と設立したものである。これら水資源分野の巨大グローバル企業は今後二五年間、マニラ首都圏の一一〇〇万人への水供給を独占することになった。

これら経営体は非常に安い料金で、質の高いサービスの提供を約束し、この契約を落札したが、それぞれの地域において、水サービスが民営化後も独占状態であることには変わりない。実際には下水料金の徴収が始まる五年後に料金は二二五%アップし、また一〇年後には上下水道ともに値上げが解禁となる。これら事業には実質的に課税がされず、またこれら経営体が政府に毎年支払う契約金は、これまでの利潤実績の三〜四分の一の金額でしかないことを考えても、民営化が誰のために行われているのかを慎重に見極めていかねばならない。

第三節　人々の運動のグローバル化

1　経済のグローバル化に対抗する社会運動

こうした経済のグローバル化によって、最も苦しい立場に追い込まれている南の国の土地なし農民や小規模農家、漁民などが各地で抗議行動を起こすようになった。と同時に、今日の資本主義のグローバル化のけん引役を果たしてきた欧米諸国の内部でも、国家間および各国内で広がる経済格差の問題、あるいは「環境」や「健康」、「安全」、「平等」などの価値がますます切り崩されていく現実に対し、人々の強い反発が顕在化するようになった。

一方、情報力や分析力に優れた「ポリシー・インテレクチュアル（政策通の知識人）」とでもいうべきNGOの専門家集団が、既存の権力構造の外側から政策批判や代替提案を行ったり、メディアや議員に対して情報提供を行ったりすることが日常化するようになっていった。彼らはIT技術という「経済のグローバル化」の産物を逆手に取り、社会的価値を共有する世界各地の仲間と連携することによって、「国益」や「自己利益」によって分断された各国間や企業間のコミュニケーションを凌ぐようになった。国際および各国の政策や政治に関する公式・非公式の情報とNGO側の分析が、インターネットを通じて即時に世界中を駆け巡るようになり、それぞれの現場における抗議行動を世界規模で連携させた。

こうしたNGO側の分析は、交渉の真意や影響を計りかねていた、特に南の国々の政府交渉者たちにとっても重要な情報源となった。南のNGOも、南の国々やジュネーブでWTO交渉に関する政府向けセミナーを、定期的に開催し続けている。

欧州の市民社会は、成長ホルモン投与牛肉や遺伝子組換え食品などの安全性に疑問を投げかけ、その輸入に反対、EUの貿易政策を後押しした。欧州諸国のかつて植民地の小規模バナナ農家を優遇するEUの貿易政策が、米国に提訴されWTO違反とされた件でも、開発NGOやフェア・トレード団体が中心となって、市民の抗議を盛り立てた。EC（欧州委員会）もまた、域内のNGOの反対を背景に、EUの利益擁護にその勢力を利用したといえる。

専門性や規模などの面から見て最も強力なNGOを抱える米国では、NAFTA（北米自由貿易協定）をめぐるNGOや労働組合との激しいやりとりの経験に基づき、数年前から産業界の代表と並んでNGOを政府の諮問機関であるTPAC（貿易政策諮問委員会）のメンバーに迎えた。貿易政策における民主制を確保するとともに、強力なNGOセクターを国益のために国際交渉で利用しようとしたのである。このことは、クリントン米大統領が一九九八年五月のWTO第二回閣僚会議で行った演説で、特に「WTO紛争解決パネルへの市民参加」を容認するよう強調したことに端的に表れている。米政権は、政策に通じた環境NGOや大手労働組合、そしてWTOにNGOとして参加している経済団体など、国内の圧力団体の力量に乗じて、WTOシステムの権力の源泉である紛争解決で、自国を優位に立たせようとしているのである。

一方、直接の被害者である南の農民や漁民もまた、北の国に協力者を得つつ、国境を越えて連携し、自らの窮状を訴え、国際政策に変更を迫る直接行動を起こしている。東南アジアと南アジアの農民が実施した「キャラバン二〇〇〇」や、欧州の若者が中心となって組織した、インド、ブラジルの農民によるEU諸国での直接抗議行動、前述のタイの貧民フォーラムなどがそれにあたるだろう。こうした人々のなかには、いわゆる「交渉のプロ」でもあるNGOとあえて連携せず、代理人を立てない直接要求行動を重視する傾向も見られる。

こうしたさまざまなレベルにおける連携や協力、情報交換などが結果として、一九九九年一二月のWTOシアトル閣僚会議を決裂に導いたことは間違いない。しかし、この立場の違うもの同士が、特定のイッシューをめぐって一時的に連携・協力していく運動方式が恒常化するには、まだまだ時間がかかるであろう。

2　ナショナリズムに絡め取られる「反グローバル化」運動

北の国々はこれまで、鉱工業製品やサービスなど、北の国々の得意分野だけを早々に自由化し、農業や繊維製品など、どちらかといえば労賃の安い南の国々に分がある分野については、強引に、あるいは「大義名分」を持ち出して北の市場の保護を続けるという、目先の「ご都合主義」を貫いてきた。

こうしたなかで、北の市民社会は、国内の競争力のない産業（農業、地場産業など）を保護したり、労働者を擁護するために、北の政府による選択的保護主義を援護する方向にある。しかし、北の国々が国内の一次産業や雇用を自由化の波から守れたとしても、このままでは国内の産業間格差を是正することは不可能であり、都市と村の間の「国内の南北問題」、および資本・知識集約型産業セクターへの高度化が進むなかでの雇用問題は、深刻化の一途を辿ることになる。

北の国々は、ＩＭＦ・世界銀行やＷＴＯという国際システムを通じて、国内の利害対立を国内で解決することなく、そのしわ寄せを南の国々に転化することによって、繁栄を享受してきている。こうしたなか、天候条件に左右され、生産性の急上昇が望みにくい農産物や林産物などを、北の国内で生産している人々の暮らしもまた、政府からの補助なしでは立ちゆかなくなるのは当然の帰結である。

市民社会のシアトル後の課題の一つは、強国による一方的な制裁行為などを防ぐ目的でつくられた多国間貿易体制の民主化とプロセスの透明性を確保しようとすれば、それを嫌う強国が離脱する可能性が高まることだ。この動きを特に助長しているのが北の、特に米国の大手労働組合・環境ＮＧＯや消費者団体の一部である。彼らは、シアトル会議でも環境保全や消費者・労働者保護という大義名分のもとで、途上国からの安い輸入品を米市場から締め出すよう求めてきた。そして、その一週間後には、人権や労働者の権利の侵害を理由に、中国のＷＴＯ加盟を阻止するロビー活動を開始し、南のＮＧＯの反発を受けている。

オーストリアやベルギーなどの欧州諸国でも、右派勢力がナショナリズムを正当化する手段として、経済のグローバル化に対する批判を自分たちのために利用するようになっている。強国のナショナリズムが現在のグローバリゼーションを推し進めているという事実も含めて考えれば、北の市民社会のナショナリズムは、グローバリゼーションの対抗軸ではなく、相互補完的な概念となっている。

3　非政治化するＮＧＯ

一九九〇年代はまた「パートナーシップ」花盛りの時代でもあった。その背景には、ＮＧＯという非政府アクターを国際交渉や国際協力の現場により多く巻き込むことで、強国の覇権的支配から国際政治を解き放とうという戦略のもとで、国連が、ＮＧＯの正当性と参加を促進してきたことがある。さらに、経済のグローバル化が環境や開発の問題をますます深刻化させたため、その直接・間接の被害者層が特に途上国地域でラディカルな民衆運動を形成するようになり、この層との直接対決を回避したい政府や企業が、「中間的な存在」としてのＮＧＯに目をつけ始めたということもあるだろう。

結果として、ＮＧＯという存在は、意思決定に直接参加することについての「正当性」も、政府機能を一部代行する形で地域の現場に君臨することに対する「正当性」も曖昧なまま、このパートナーシップの嵐に飲み込まれていくことになった。欧米の政府は、かなり前から自国ＮＧＯと「上手く」

パートナーシップを組むことで、「国益」に資する国際協力事業を行ったり、「国益」を擁護する手段として、国際交渉においてNGOの分析を活用している。

このようなパートナーシップは、企業が行使している「法的正当性のないロビー圧力」を、NGOサイドも行使しようというものであり、それを正当化する根拠はかなり希薄である。また、国家や企業が積極的には採用したがらないような政策については、NGO側の提案にかなり広範な人々の支持が存在する、あるいは政府の既存の政策に対する大きな反対層が存在する、などの背景がないかぎり、採用されるはずもない。短期的に具体的な成果を求める資金提供者の意向などを受け、NGOが政府側の交渉に安易に応じ、勝手に妥協するという事態も、あり得なくはない。そのために現在、南と北の市民社会組織の間、あるいは各国内のNGOと民衆組織、あるいは一般市民の間で、乖離や断絶が起きる可能性が高くなってきている。

一九九〇年の「パートナーシップ」全盛期を経た九九年に、WTO閣僚会議が開かれたシアトルに集まった七万人以上の「市民」やNGOが、「自由化反対」を旗印に閣僚会議を妨害したことは、見方によってはかつての反対運動への逆戻りともとれるだろう。だが、外圧によって生まれたNGOが、名称は変わっても、実際のところは住民運動であったり、市民運動であることには変わりない。公式の場で意見を述べることができるようになろうと、大企業や行政と「パートナーシップ」を組むことができるようになろうと、実質的な意思決定が手の届かないところで行われ続けていれば、政策提言型NGOであっても反対運動を形成し、政府や企業にプレッシャーをかけていくのは当然のことである。

しかし、冒頭で示したNGOの原点から現状を見てみると、行政や企業にとって「役に立つ」あるいは「無害な」市民活動と、「有害な」市民活動を色分けし、前者を盛り立てつつ後者を排除しようとする動きは、いつの時代にも存在してきた。一方、高齢化社会やリサイクル社会に備え、政策決定者たちから、「タダ」ないしは「安価」で有用な労働力と捉えられているボランティアやNPOに対しては、さらなる発展が切望され、そのための法整備（NPO法など）や補助金拠出が計画されている。こうしたなか、NGOやNPOという言葉が一人歩きを始め、認識に混乱が生じている。

このような文脈からすれば、「パートナーシップ」や「建設的な政策提言」を奨励する動きは、意思決定に関われなかったがゆえに「反対運動」の形を取らざるを得なかった多くの市民運動を排除する効果をもっており、それが欧米では意図的に仕組まれていた面さえある。

4　グローバル化する市民活動が地域の現実から乖離する危険性

WTOでは、経済団体連合会などの経済団体をはじめ、労働組合も農業協同組合もNGOとされている。米企業の連合体はシアトル閣僚会議の運営費として加盟企業から献金を募り、献金額に応じて政府交渉担当者や米政権トップとの会合への参加資格を与えた。米大手労働組合は、シアトル会議直前にクリントン大統領と非公式な交渉を重ねていた。米通商副代表や農務省長官など、歴代の米政権トップには、利益の直結した産業界からの転身者が数多く存在する。いわゆる回転ドアと呼ばれ、政権トップと産業界、あるいはNGOとの間を自由に行き来している状態である。ヨーロッパでもNGO出身者が政府の要職につくことはさほど珍しくない。

つまり、もともと欧米では、企業、労働組合、農業協同組合などの利益団体が、市民社会の代表選手であり、それらに加えて、ここ半世紀に環境や食料安全性、および開発問題などをもっぱらの関心領域とする、新たな市民社会組織が生まれ、既存の市民社会の一員となっていったのである。そう考えれば、市民とは、自己利益や自己の信念を実現するために、積極的に働きかける人々のことだといえるだろう。その裏には徹底した個人主義と対立（対話）、交渉を日常とする社会が見えてくる。現在、このような「グローバル化した市民活動」は欧米社会だけでなく、南の国々でも形成されつつあり、力をつけてきている。しかしながら一方で、彼らが国内の草の根の人々と乖離を起こしている事実も見逃せない。

経済活動や経済ルールが国際化し、複雑化するなかで、市民活動もまたグローバル化し、職業化・専門化せざるを得ないため、結果として人々の日常の生活感覚とは全く乖離してしまう可能性が非常に高い。こう考えると、経済のグローバル化に対応した市民社会が形成される必要性とともに、その市民社会をいかに地域の現実や人々の日常につなぎとめておくかということが、非常に重要な視点となってくるだろう。また、世界中のそれぞれの国の中で、より広い社会層が、さまざまな政治課題についていて多様な視点から議論を展開する力をもつようになり、ＮＧＯに対しても支援あるいは批判をきちんと行えるようになる必要がある。

【注】

（１）『Japan Almanac 2000』朝日新聞社、一三八頁。

（２）一九九九年に世界銀行がまとめた数字によれば、同年一〇月に進行中だった世界銀行プロジェクトのうち、ダム開発などの二二三プロジェクトにより、六八万世帯、二六〇万人以上の人々が、非自発的に移住させられるという。この背後には、工業化や都市化で必要となった電力供給のためのダム開発などのプロジェクトが、地域の人々に悪影響を与えているという現実がある。

（3）ウルグアイ・ラウンド交渉で定められた輸出補助金削減の算定基準実績は、一九八六～九〇年と規定されたが、もし個々の輸出国が、この基準年を九〇～九二年にしたいと思えば、そうすることができるようになったため、ＥＵと米国は九〇～九二年の補助金を増額することで基準となる実績を引き上げ、実質の削減をまぬがれることが可能となった。

（4）米国全農組合貿易株式会社『一九九六年農業法』。

（5）食料の輸出と輸入の差額七〇億ドル分の誤差は計算に入れていない。

【引用・参考文献】

Nikos Alexandratos, *World Agriculture Towards 2000: An FAO Study*, United Nations Food and Agriculture Organization, 1995.

Maude Barlow, *Blue Gold*, International Forum on Globalization, 1999. モード・バーロウ著、市民フォーラム二〇〇一訳『ブルー・ゴールド――独占される水資源』現代企画室、二〇〇〇年。

LRVEP: League of Rural Voters Education Project, "Trading Our Future," Aug. 1989.

"Maude Barlow's Report on International Solidarity Trip to Cochabamba Bolivia," Dec. 6–11, 2000.

Mode Inc, "Fact Sheet on Philippines Water Resources," 2000.

大野和興「タイ社会運動の新しい波」『月刊オルタ』アジア太平洋資料センター、二〇〇〇年一一月。

マリリ・カール「女性なくして食料安全保障なし」『食料と女性』アジア太平洋資料センター、一九九八年。

バムルン・カヨタ「貿易・投資で疲弊するタイの農村」『アジア太平洋地域の貿易と環境・報告書』Vol. 2、市民フォーラム二〇〇一、一九九六年。

嶋津暉之『水問題原論』北斗出版、一九九一年。

サンドラ・ポステル著、福岡克也訳『水不足が世界を脅かす』家の光協会、二〇〇〇年。

Kevin Watkins, *Agricultural Trade and Food Security*, Oxfam UK–Ireland, 1995.

嘉田由紀子「水と湖は誰のものか——日本、アメリカ、アフリカの比較研究から——」『河川水質勉強会講演集』二〇〇〇年。

米国全農組合貿易株式会社『一九九六年農業法』。

堀口健治ほか『食料輸入大国への警鐘』農山漁村文化協会、一九九三年。

第五章　アフリカにおける人間の安全保障

――グローバル化の中の国家と市民

勝俣　誠

はじめに

今日のアフリカ地域における経済、社会、政治的状況を分析するにあたって、あえて人間の安全保障という概念を使うことの意味があるとしたら、それはどんな理由によるものであろうか。第一の理由は、この地域においてこそ、いまだ多くの人々が適切な手当や予防対策を受けられない故に容易に命を落としてしまうような、いわば生命の安全が広範に脅かされているからである。近年、国際社会で大きく取り上げられるようになったＨＩＶ／エイズ問題も、もっとも深刻な影響を及ぼしているのはこの大陸においてである。

第二は、冷戦の終焉で約束された平和の配当はこの地域には必ずしももたらされなく、それどころか一九九〇年代も地域紛争が激化したり、新たに生じたりした結果、他のどの地域にも比して（九〇年代においても武力紛争件数はアジアに次いで二位）、人々の平和な生活が直接の暴力によって脅かされている地域であるからである。毎年国連によって発表される世界の難民および各国内の避難民数に占めるアフリカ地域の大きさ（国連難民高等弁務官（ＵＮＨＣＲ）管轄下の全世界難民数の約三分の一）が、如実にこの大陸における人々の生活基盤の脆弱性を物語っている。

そして第三は、こうした極度の貧困や生活上の危険から国家の領域内の人々を守る使命を負ったはずの新興アフリカ国家の多くが、その使命を全うできず、国民と呼ばれる人々は多くの場合、国家の支援なく、自らの生活と生命を守らざるを得なくなっているからである。国家の行政サービスが財政難や武力紛争によって弱体化ないし消滅するなかでインフォーマル部門と呼ばれる零細経済活動が拡大しているのは、人々の置かれたこうした状況を反映していると言えよう。

本論では、人間の安全保障という用語でくくられる、アフリカ地域を特徴づけるこうした経済、社会、政治的側面をグローバル化の関連で検討し、その取り組み主体としての市民社会と国家の相互関係をやや大づかみながら、少しでも整理してみることがねらいとなる。

第一節　行政の機能不全

英国やフランスやポルトガルの植民地から独立した新興アフリカ国家元首は、しばしば独立の父としてのカリスマ性を発揮して、新たな自由に歓喜する域内の住民に対して、植民地行政下では本格的に供与されることのなかった教育や保健サービスから、近代的な農業と工業の育成までを約束した。しかしながら、やがて新興国家は少なくとも二つの点で域内の住民にとっての権力の正統性の根拠を弱めることになる。

第一は、約束された教育、保健、経済的繁栄を享受できないことに多くの人々は気づいたからである。多くの統計は独立以来の人口増加にも関わらず、就学率、平均寿命、購買力などの面で、著しい進展を見せてこなかったことを示している。こうしたことから、国家は何もしてくれないという幻滅感が住民の間で広く共有されてきた。

第二は、多くの国家が独立以降、開発の推進の名において一党独裁制を採用し、住民の選挙による政権交代の道を閉ざした結果、政権による腐敗や恣意的暴力を助長し、ますます国内における国家のイメージを悪化させたことである。

したがって、アフリカの現代の国家を一つのマクロの分析単位として行うときの難しさを充分認識する必要がある。現在のアフリカの七割以上が子午線や直線からなる国家であり、植民地行政の区画を国境線として踏襲し、独立した。このことは、多くの研究者が指摘しているが、独立以降も行政が自国内の住民をどうやって把握していくかが、いまだ大きな課題となっている。アフリカの今日の国境は基本的には、ヨーロッパ列強の力関係で決まったのであって、アフリカの内部における戦争や交渉といった内的な力ではなかった。これは、アフリカの各国内における権力の正統性こそは、アフリカの植民地が独立したときに最初に負った課題であったことを意味する。確かに新しい指導者はアフリカ人であったが、領域内の人々は、その人たちを自分たちの国の正統な権力だといつのまにか思わなくなっているのである。その結果、そのリーダーが手にいれた領域内に統一されないまま残っていた複数の社会の論理が顕在化し、今日も「国民づくり」を引きずっていると言える。

ここで、アメリカの経済発展の非経済的要因で非常に重要なのは、このため、現代アフリカ社会には、パブリックという概念が二重構造で存在していることである。[1] すなわちヨーロッパの支配が終われば自分たちの時代がくるという非常に単純な二分法で出発したものの、実際、いざ蓋を開けてみると、国民なき領土を受け継いだ結果、一つは新興政府が自国内に国民づくりとして広めようとしたパブリック、すなわちネーション・ステートのパブリックと、他方で自分がもっとも密接に生きてきた、おそらく言語的には植民地の言語以外で、さまざまな日常言語を話す自分たちのコミュニティの世界における義理とか友情とかに支えられたパブリックという、二つのパブリックが存在してきたのである。

たとえば、公務員の汚職というときに、汚職した人間自身が必ずしも我々が考えるような悪者ではなくて、自分の所属するコミュニティに対する忠誠を優先すると、その優先する内容が必ずしもその国のネーション・ステートの優先的な価値観と重ならないときに汚職といわれる。そこでは、当人は自分の所属する共同体に国家という枠組みを利用して奉仕したつもりである。[2] 日本のように、単一民族という神話により、強引に近代において戦争をしたり、自国内の住民を中央政府にバインドしていくという経験が、アフリカの場合はなかったまま、[3] 対外的には主権国家として国際社会の中に投げ込まれたというべきであろう。

したがって、アフリカ地域の開発や安全保障を考察する際も、国家という開発の単位は、先進国の我々が考えるほど分析に耐える強固な単位ではないといえる。この点に関し、アフリカの国家は権威主義のもとでしばしば強力であったと言われるものの、他方では域内住民に対して介入する力が弱かったからこそ、ますます物理的な力に訴えざるを得なかったという見方も可能なのである。こうしたなかで、国家がその管理下に置いたとみなすいわばオフィシャルな活動に対して、政府統計にもでてこないインフォーマルな活動が近年大きな広がりを見せている。

第二節　インフォーマル・セクターの拡大

アフリカ諸国においては、インフォーマル・セクターは、その性格ゆえに、その規模、その変容について正確な位置づけをすることが容易でないが、総じて、国内総生産の相当部分、経済活動人口の過半数を占めると推定されている[4]。インフォーマル・セクターに対する調査がかなり広範に実施されたセネガルの事例をとって、その規模と特質を簡単に見ておこう。

首都ダカールにおけるフォーマル・セクターにおける失業者数が一九七六年では一六・六％であったが、九一年には二四・四％に上昇し、これは二五歳以上の総活動人口の約三分の一にあたると解説されているが[5]、フォーマル・セクターはセネガル全体の活動人口総数の四〇％しか占めていない。フォーマルな経済のかたわらに、セネガルでも、総活動人口の六〇％以上を雇用し、国内総生産の三〇％を占めると推定されているインフォーマル・セクターが存在している。セネガルにおける全般的貧困がただちに全面的社会不安に結びつかなかったのは、こうした膨大ないわばショック・アブソーバーが社会的に存在しているからにほかならない。しかし、インフォーマル・セクターとはまさにその名が示すごとく、政府によって把握されにくく、正確な全体像を描写することは極めて困難である。ここでは、既存の様々な個別のレポートに依拠して、貧困問題におけるインフォーマル・セクターの位置づけを簡単に見ておく。

構造調整政策のインパクトの一つが、総需要管理によるデフレ現象とするならば、国内のフォーマルな生産活動は低調になるが、インフォーマル・セクターの方は、活性化するという報告が出ている。世界銀行の調査では、一九七五年から九一年にかけて、ダカールの事業体数は、七七五〇から二万以上に増加したとしている(6)。

これらのインフォーマル事業体の規模は小さく、一九七五年において検出された一事業組織当たり平均雇用数が三人以上であったのに対し、九一年には、ダカールでは二・二人、全国では二・〇三人であった(7)。ダカールの流通関連事業体のほとんどは女性一名のみの経営で、平均規模は一・一三人であった。

こうしたなかで、見習い使用数は増加している。政府による調査でも、都市部において八五%のインフォーマル・セクターの事業体が見習いを受け入れており、一九九一年において、五万六五三〇人という数値を出している(8)。

これらは乗合バスおよびタクシーなどの輸送部門に多く、見習いの手当は低く、半数以上は農村からの参入者である。また、見習いのきっかけは、五三%が事業体主の親戚で、三九%が知人、友人という縁故関係であるという報告も出ている(9)。

こうした状況からは、「普通の人々が安心して暮らせる」環境が、建て前としての国家によって確保されることを期待することが、いかに非現実的であるかが明らかであろう。しかしながら、ここで次に重要なのは、こうした新興国家の機能不全は決して、アフリカ地域内の社会、文化、政治、経済要因によってのみ説明し得るものでなく、グローバル化というアフリカ地域を取り囲む新たな状況も考慮に入れる必要があろうという点である。

第三節　民主化の試行錯誤

独立以来の建て前としての国家がその機能において、住民の安全と福祉を確保できなくなる時[10]、今見たように、いわば本音としての人々の苦境のなかでのやりくりないし生き残り策が社会の前面にでてくる。すでに、一九七〇年末に顕在化する対外累積債務問題によって、多くのサハラ以南アフリカ諸国は、国際通貨基金（ＩＭＦ）や世界銀行が主導する国内外の赤字（対外経常赤字および財政赤字）解消をねらいとした構造調整政策を、八〇年代から実施せざるを得なくなっていた。同政策は市場原理の大幅な導入による内外均衡の確立と持続的経済成長を目標として、具体的にはアフリカ諸国の独立以来肥大してきた公共部門の縮小や、生活必需品や農業投入財への補助金削減などを骨子としてきた。この政策はアフリカ諸国の独立以来の政治経済体制に大きな変更を迫っていた。

こうしたなかで、アフリカ地域の政治は九〇年代に入り、民主化という新たな試練を受けることになる。この民主化は、内外二つの圧力のもとで展開した。一つは、国民による権力の監視機能を奪った国家運営の側に立っていたソ連・東欧ブロックの崩壊に力をえた、アフリカ社会によるアフリカの独裁政権に対する抗議ないし反乱という内圧である。もう一つは、冷戦終焉によるアフリカの地政学的価値の目減りに乗じた欧米日政府による市場経済の導入と議会制民主主義の導入をセットとした援助供与条件化という外からの圧力である。

この結果、冷戦期には数カ国にすぎなかった複数政党制を立前とした国は、数年後にアフリカ五三カ国のうちのほとんどを占めるようになった。かくして、九〇年代はアフリカ地域にとって民主化の一〇年ともいうべき時代となったが、同時に、すべての国々で民主化が平和のうちに実現したわけでなく、選挙時の不正や対立候補の妨害など、しばしば内乱にまで進展する社会不安を伴った時期でもあった。とりわけ、経済状況が必ずしも改善しないなかでの国政選挙は、人々の利害関係の対立を先鋭化させ、民主化に対する失望感を助長さえした。

こうした危機のなかで、都市を中心に地域の生活改善運動から人権尊重や透明な選挙を要求する市民団体の活動が目立つようになった。とりわけ最貧国が集中する西アフリカにおいては、所得、公共サービスの低下など生活水準の悪化が確認され、保健医療、基礎教育、食糧生産などの住民の基本的ニーズの充足に対し、地域を基盤とした住民組織が自らあるいは内外の非営利市民団体（NGO）の協力を得て自発的に任う新しい動きも各地で観察されるようになっている。この動きは、すでに言及したごとく、独立以来国家が主要アクターとして公共部門の拡大を通じて基本サービスを受益者たる住民に提供するという、従来の西アフリカ地域の国家と社会の関係に、もはや住民側が期待をかけえなくなっている状況を反映しているといえる。そこには、新たに市民社会の形成ないし市民性という概念で、基本的ニーズの充足過程の分析を可能にする政治経済状況が生じていると考えられる。(11)

ここでは、セネガルにおける市民団体の新たな動向を簡単に示すことによって、今や人間の安全保障の実現にとって不可欠な存在となっている市民社会の役割の性格と範囲をアフリカ地域の文脈に位置づけておこう。セネガルの独立系新聞（Sud-Hebdo）によれば、一九九〇年社会開発省は、セネガルにおいて二二三のＮＧＯを確認し、そのうち一七四団体が公認された団体であったとしている。国別では、政府と協定（Protocole d'Accord）に調印した一三五団体中、セネガル、フランス、米国の三カ国で九割以上を占めている[12]。

ＮＧＯの主要活動地域は、首都周辺と並んで、農村開発組織や大型開発プロジェクトが存在しているセネガル川流域に集中している。この背景として、従来のセネガル川開発公社（ＳＥＡＤ）や欧州開発基金（ＦＥＤ）によるセネガル川流域開発大型プロジェクトから、農村レベルの小規模プロジェクトに重点が移行している点が挙げられる。すなわち、セネガル川流域は、セネガルの最貧地域ではないが、国家が開発行政から撤退した分を、地域の共同体が自ら代替できるよう、ＮＧＯが支援するという形態が多くなっているのである。これに対し、内陸のジュルベル（Diourbel）のような地域では、イスラムの教団が大きな影響を有しているため、伝統的セイフティーネットがそれなりに機能しており、外部のＮＧＯがイニシアティブをとる余地が少ないと言われている。

いずれにしてもセネガルの多くのＮＧＯの規模は小さく、資金的余裕は極めて限られており、全般的な対外援助の先細り傾向のなかで、安定的なかつ自立した財政的基盤を築くために、営利活動に乗り出しているＮＧＯもある。ＮＧＯのこうした住民の生活向上そのものを対象とした活動に加えて、近年の新たな動きは、国政や地方選挙に際し、選挙の公正さを監視したり、住民に選挙の仕組みを説明し、市民の政治参加について、基礎知識を広めたりする市民育成活動とも言うべきものが活発化していることである。

二〇〇〇年のセネガル大統領選挙に際しては、選挙人名簿への登録から投票の仕組みまで、政党とは一線を画した市民団体が住民に対する広報活動を開始するとともに、選挙実施と結果については、民間のFMラジオ放送局が各投票所の集計を速報し、政府集計による操作を実質的に困難にした。NGOは住民の福祉を通して、行政サービスの欠陥を単に補い、政治の方は住民のニーズとは離れた世界で、地元の実力者の利権を調整する行為という従来の分業観が崩れ出したのである。地域NGOがこうした生活領域と政治領域の分離を繋げる役割を果たすようになったことは注目すべきであろう[13]。なぜなら、市民性とは、単に社会内の横のつながりないし連帯を思考・行動軸だけでなく、政府に対して責任と権利を主張するといういわば公共性の構築も行動原理とするからである。

第四節　むすびにかえて――HIV／エイズ問題にみる国家と市民

最後に今日、人間の安全保障の脅威の一つとなっている生命に対する直接的脅威となっているHIV／エイズ感染症を事例にとって、グローバル化の波に欲すると欲せざるとを問わず適応せざるを得ないアフリカ地域において、「普通の人でも安心して暮らせる」状況をつくる主体はどこに求めるのかを考える切り口を示唆しておきたい。

アフリカにおいても、病気は常に家族や共同体にとって悲しみや苦痛の源泉であった。病気による身体の機能不全は、経済、社会的には生業における働き手の喪失、世代の再生産の危機、家族や共同体の権威の弱体化などを招くものとして、生命の躍動としての健康は常に宗教儀礼の重要な祈念目標であった。植民地から独立した後、前述のごとく、新興政府はきわめて野心的な医療・保健体制を域内の住民向けに実施しようとした。予防注射広域キャンペーンから各地方都市への総合病院の設置まで、旧宗主国や国際援助機関などによって手がけられた。しかしやがて、これら欧米諸国から移植された近代医療保健体制が運営費用面で、必ずしも人材も予算も限られるアフリカ新興国にとって適切でないという反省が生まれた。住民の保健活動への参加の必要を明確に打ち出した一九七八年の国連アルマ・アタ宣言、八七年の万人への一般薬の供給と住民のコスト負担を基本戦略としたバマコ・イニシアティブは、これらの南の諸国に共通する障害を正面から直視し、対策を現実の状況に合わせようとする試みであった。

しかしながら、こうした試みに一定程度の成果があったものの、八〇年代後半から従来のマラリア、結核といったアフリカ地域でいまだ罹病率の高い感染症に加えて、ＨＩＶ／エイズ感染症が猛威をふるい始めた。二〇〇〇年末の国連報告では、ＨＩＶ／エイズ感染者は三六一〇万人にのぼり、そのうち約七〇％にあたる二五三〇万人がサハラ以南のアフリカに集中している。そしてエイズによる死者は二〇〇〇年には約二六〇万人にのぼったとされている。域内では、ボツワナ、南アフリカ、ジンバブエ、ザンビアなどの南部アフリカに集中している。これらＨＩＶ／エイズ感染者が多いアフリカの上位八カ国では、一五歳以下の子供の二〇～三五％が片親ないし両親が感染し、孤児となっている。経済的影響としては広範で、体系だった調査は存在していないものの、広域かつ世代間感染による労働人口の減少に伴う生産低下や収入源の減少は明白な結果であろう。(14)

この問題の取り組みとしては、二つの次元が考えられる。第一の次元は、薬品供与の問題であり、第二の次元はＨＩＶ／エイズ問題を取り巻く国際的次元である。

ＨＩＶ／エイズ問題の第一の課題は、いかに多くの患者が「北」の先進国で開発された治療薬にアクセスできるかという点であった。この課題がアフリカにおいて表面化したのは、一九九七年、南アフリカ共和国のポスト・アパルトヘイト政権が増大するエイズ患者が安価な治療薬を入手できるように、製薬会社の特許保護を制限できるように法律の改正を断行して以来である。欧米の製薬会社は九五年に発足した世界貿易機関（ＷＴＯ）の取り決める知的所有権の保護に関する協定（Agreement on Trade Related Aspects of Intellectual Property Rights：ＴＲＩＰＳ協定）に違反するとして、南アフリカ政府を裁判所に訴えた。また、知的所有権の囲い込みを自国の国家戦略にしている米国政府も、国際的取り決めを無視した南アフリカ政府に対して制裁措置をちらつかせ政治的圧力をかけた。

しかしながら、南アフリカ国内および国際的に人権問題に取り組む国際ＮＧＯが、特許の保護を盾に「南」の低所得層の治療薬へのアクセスを実質的に不可能にする製薬会社の提訴の姿勢そのものに大々的な抗議を開始した。こうした市民社会の圧力のもとで、二〇〇一年四月提訴していた三九の製薬会社のうちのほとんどが提訴を取り下げ、低価格の治療薬を提供すると確約するにいたり、アフリカにおけるＨＩＶ／エイズ問題は新たな局面を迎えるに至った(15)。

南アフリカの事例は、人間の安全保障の確保が現在の国際経済制度の理念と運用に対する考察に踏み込むという意味で、二一世紀にいっそう顕在化すると予想される人間の生命という絶対的価値と、利潤追求を第一原理として行動する企業の方向を、どうグローバル化する国際社会で折り合いをつけていくかという問いを先取りしていると言えよう。

しかしながら、ＨＩＶ／エイズ問題は、知的所有権の保護問題を超えて、新たな治療薬の低価格化の実効性と予防対策という課題を残した。すなわち、低価格の治療薬をどうやって、どれだけの患者に投与できるのかという具体的問い、およびどこまでＨＩＶ／エイズの拡大を抑制できるかという予防に対する問いである。すでに、低価格供給によるＨＩＶ／エイズ対策の有効性については、低価格といってもアフリカ人低所得層にとっても多大な負担となるのではないか、あるいはアフリカの現在の劣悪な保健・医療環境においては、遵守すべき投与条件が守られない可能性が高いとし、広範かつ有効な治療対策になりにくいという懸念が地域の専門家から出されている[16]。

また、ＨＩＶ／エイズの拡大をくい止める予防対策に対しては、国際援助機関やＮＧＯの予防キャンペーンにもかかわらず、目に見える成果が上がっていない。その背景には、地域の行政を巻き込んだ本格的制度的対策が国家の財政難からほとんど取り組めないというアフリカ国家の現状がある。したがって、ＨＩＶ／エイズ対策は、単に、安価での提供のみの問題だけでなく、現在のアフリカ国家の行政サービスの著しい低下ないし不在問題にも向けられなければならない。

かくして、人間の安全保障問題としてのＨＩＶ／エイズ問題は、結局は貧困問題の抜本的取り組みという課題にぶつかっていく。最後にアフリカにおける広義の貧困対策上避けて通れないと思われる国際的課題を二点示唆しておこう。

第一は、今日のアフリカの政府の活動を弱体化させている対外累積債務の抜本的解決である。アフリカ諸国の対外債務の大半は、公的債務で、欧米日政府の一存で決まるといって過言でない。実際アフリカ地域には最貧国やＩＭＦと世銀が一九九六年以来打ちだした重債務貧困国債務救済イニシアティブの対象国のほとんどが集中しており、過去数回にわたって債務繰り延べ、部分的帳消しが欧米日によって実施されてきたが、いずれも不十分で、アフリカ政府が住民向け民生支出を改善できるほどの規模を有しなかった。アフリカ経済のながびく低調傾向の中で、貸し手側の欧米日政府も借り手側のアフリカ政府が返済できないと知りつつ、モラル・ハザードや自助努力の名において、小出しの債務帳消し策をＧ７サミットのたびに債務問題を人道問題としてみる先進諸国の世論向けに打ち出して

いるのが現状である。(17)

こうした現状認識を踏まえて、日本は思い切った債務帳消し策を欧米に先立ち断行し、アフリカの貧困問題に対するグローバル・ガバナンス能力を示すべきであろう。なお、帳消し分は、アフリカ政府によって貧困対策以外に流用されないよう内外の市民団体などによる独立したモニタリング・システムを条件づけることは言うまでもない。

第二は中期的課題であるが、アフリカの貧困問題に国際的に取り組むには必ずしも適切でないことが判明してきている現行のＩＭＦ・世銀・ＷＴＯおよび国連諸機構の改革である。その最大の課題は、どのようにアフリカ諸国政府が自国民の国益がからむ国際的取り決めに対して、自らの国益を主張し、協議できるように、国際諸制度を民主化していくかという点である。実際、ＩＭＦ・世銀に対して米国の議会から欧米のＮＧＯまで様々なアクターから改革案が提示されているが、理事会の決定は、相変わらず出資比率によってなされ、アフリカ諸国のような小国はこれらの金融機関の方針に対して、交渉力が皆無に近い。アフリカ諸国がこうした力関係のもとで八〇年代に受け入れ、結局成功したとは言えない構造改革（構造調整融資）も、アフリカ諸国当局がその国内諸条件からそのままでは実現しそうもない改革内容を知りながら、交渉力の弱体化の中で「実施するふりをした」ところにその不成功の要因の一つがあったのである。

ＷＴＯも、一九九九年末のシアトルにおける新ラウンド開始交渉が決裂した一つの理由は、アフリカ諸国を含めた途上国の主張が充分に汲み取られないまま結論を急ごうとした事務局主導の決定システムに対する南の政府の拒否反応にあったというべきである。さらに国連自体においても、安保理におけるアフリカ地域のマージナリゼーションなど制度改革には、実に多くの検討課題が残されている。

しかし、こうした改革なくしてＨＩＶ／エイズ問題といった個別の貧困問題の対処を、アフリカ諸国に打ち出しても、その場しのぎとなりかねないと言える。

【注】

（１）ナイジェリアのPeter P. Ekehも、*The Constitution of Society in African History and Politics*, CREDU Document in Social Sciences and Humanities Series No.1, Proceeding of the Symposium on Democratic Transition in Africa, ed. by B. Caron, A. Gboyega, E. Osaghae, Ibadan,1992で、civil publicとprimondial publicという新旧二つのpublic概念の共存を指摘している。

（２）公務員は汚職を通じて資財を蓄えるのは当然であるという考えは、社会に広まっており、たとえば、セネガルではあえて汚職を拒否し、つつましい生活をする公務員は土地の言語で「ドフ」（ウォルフ語で「気が狂った」の意）と呼ばれることがある。

（３）原口武彦は『部族と国家――その意味とコートジボワールの現実』（アジア経済研究所、一九九六年）で、ネーション・ステートを経ない複数の「部族」の集合体を部族国家として逆に肯定的評価を与えている。

（４）一九九〇年代前半の旧ザイール共和国（現コンゴ民主共和国）の国内総生産に占めるインフォーマル部門のシェアは、世界銀行の推計によると七割近くにのぼるとされた。

（５）世界銀行「セネガル貧困報告」一九九五年、一二三頁。

（６）前掲書、一二四頁。*Étude sur le Secteur Informel Urbain de Dakar*, *Rapport Final*, Synergie, 1992, から引用。

（７）前掲書、一二五頁。Zarour 報告、Volume.1, 六頁から引用。

（８）前掲書、一二六頁。Enquête Emploi, Sous-Emploi, *Chômage en Milieu Urbain* d'avril-mai, 一九九一

年から引用。

（9）前掲書、二六頁。Zarour報告、一九九〇年、一三三頁から引用。

（10）アフリカ国家の財政基盤の弱体化は、税収率の低下に見出される。たとえば、国内総生産に占める徴税率はアフリカのフラン圏低所得債務国平均では一九八〇／八一年の一六・五％から一九八八／八九年には一三・八％に低下している。Chambas, Gérard, *Fiscalité–Développement en Afrique Subsaharienne* Économica, 1994, pp.7–8.

（11）こうした関心に立った共同研究が最貧国のセネガル、マリ、ブルキナファソの三国を事例として、明治学院大学国際平和研究所のプロジェクトとして手がけられている。本研究は、構造調整下における基本サービスの充足に対する住民側の反応を市民社会の形成という概念から検証してみることがねらいで、具体的には以下の問題群を明らかにすることである。

1. 従来、行政によって任われてきた基本的ニーズないしサービスがどのように住民自らによって代替され始め、その住民層の主体はどこに求められたか。対象分野として保健、教育、食糧生産を重視する。

2. これらの活動がどのような運営、決定システムによって実施され、どのような点が争点となってきたか。すなわち参加の特質を明らかにして、その動態的把握に努める。

3. これらの活動がどのような期待と展望のもとで、地方行政、外国の公的援助機関、伝統組織、内外の非営利団体といかなる関係を有してきたか。政治的自律性と新たな公共性の可能性を探る。

二〇〇一年度内に研究報告（トヨタ財団研究助成）が刊行される予定である。

（12）セネガルにおけるＮＧＯの定款（Statut）は、ＮＧＯの活動の調整を任務とする社会開発省の一九八九年六月三〇日の省令八九・七七五号およびその後の修正された省令九六・一〇三号によって管轄されている。そのフォローアップ（suivi）は、同省のコミュニティー開発局によって実施されているが、九〇年代後半、調整とフォローアップの省庁間委員会が情報の集中管理と調整機能を改善するために発足した。

(13) アフリカでこの政治と生活の分離を明確な統治原理としていたのは、ヨーロッパ列強による植民地経営であった。当局は、領域の治安を守り、その対策は宗主国の議会によって左右され、住民の福祉の方は宗主国や欧米のキリスト教布教組織が担当するという分業体制が事実上存在していた。そこでは住民は受益者であったが、政治的には存在しなかったと言える。

(14) 一九九二年成人の二〇%近くが感染者だったウガンダ（九〇年代末には八%に落ちる）に対して国際労働機関（ＩＬＯ）が行った研究では、二〇〇五年には一六%以上の労働時間が失われるとしている（*le Monde*, 20001. 6. 26)。

(15) この問題の国際関係における位置づけをまとめた最近の論評としては、『月刊オルタ』二〇〇一年七月号、アジア太平洋資料センター（ＰＡＲＣ）を参照。

(16) 英国の大手ＮＧＯのクリスチャン・エイドは、国連のグローバル健康基金は、貧困という問題の本質をずらし、安い薬の供与のみに過大な期待をかけてはならないと主張した（*Financial Times*, 2001. 6. 21.)。

(17) この点に関し、アフリカ担当スタッフとして世界銀行で活躍されたエコノミスト服部正也氏の、現行の欧米日による債務救済策の消極性についての評価は、極めて明解なので引用しておきたい（『援助する国、される国』中央公論新社、二〇〇一年、八〇頁）。

「世界銀行および日米両政府が、債権の減免に消極的であったのは、借りたものは返さなければならない法律的、道義的責任を損なうというモラル・ハザード論と、世界銀行の信用維持論とが唱えられたが、債権放棄の責任を負いたくないこと、および不良貸付が明るみに出ることを恐れた官僚心理によるものではないかと思われる。

事実、日本政府や世界銀行が〔発掘〕して融資した案件の中には、国の返済能力を考慮せず、過大な借り入れを勧奨し、あるいは事前調査不備などで失敗した事例もあり、本来は、貸し手側で陳謝して自発的に債権を放棄すべきものがあるが、官僚としては所属機関の〔威信〕を損なうようなことはできないらしい」（八〇ページ）。

第III部　アクターとしての市民社会と国家

NGO 主催の成人識字クラスで学ぶ村の女性たち．（1997年バングラデシュにて撮影：大橋正明）

第一章　南の市民社会による保健医療活動
――「人間の安全保障」概念を考え直す

重光　哲明

本章の狙いは、「人間の安全保障」が上あるいは外から与えられる政策や対策の一概念としてのみ、使用あるいは利用されることに対して、南の地域住民、さまざまな運動の視点から、批判的考察を試みることである。そのため、まず私が危惧する「人間の安全保障」概念の位置づけを試み、次に南の地域住民運動の具体的実践を検討することにより、住民側のダイナミズムを明らかにしたい。

第一節　「人間の安全保障」概念について

「人間の安全保障」が従来の開発用語と同一線上の言葉として使われていくことに対し、危惧を覚える。はじめに、この点について問題を提起したい。

1　「人間の安全保障」概念のあいまいさと限界

まず、「人間」という概念が無前提で、誰を指しているのかがあいまいである。誰にとっての誰のための「安全保障」なのかが抽象的で、いっこうに明らかではない。もちろん、「南の現地の住民である」と、発案した外部の援助関係者は答えるに違いない。けれども南の現場では、抽象的で一般的な「人間」から出発して、運動や組織に参加してくる者など誰もいない。運動が集合的な目的をもっているとはいえ、具体的な身体をもった個人が、具体的な物やサービスを獲得するために参加し行動するのであり、抽象的・普遍的な「人間」からではない。地域社会の具体的な関係のなかで、日々生活し生きている南の人々は、外から定義される抽象的かつ普遍的な「安全保障」の内容の決定過程とは、実際には無縁であり、その過程から完全に排除されているのである。

「人間の安全保障」という発想の限界は、対象とする社会（他者）の内在的な生成変化への能力と可能性を否定して、地域住民を欠如や不足を前提とした受け身で下位の存在に固定しようという、抑圧的で限定的、ネガティブで悪意に満ちた支配のイデオロギー（強者が弱者を哀れむ、アーレントのいう「君主に哀れみを請う」）の表現と、とれてしまう点にある。このような発想は、明らかに当該社会や地域住民の外からのものであり、上からのものである。その意味でこの用語は、歴史的には中世の慈善（教会や王侯）の伝統、ヨーロッパ中心主義や植民地主義の延長にある。また国際政治的には、ネオ・コロニアリズムの影がつきまとう。経済的には、ネオ・リベラリズムによる経済のグローバル化の補装具であり、その結果を見えにくくしようとする弥縫策（セフティネット論も同類）の正当化である。政治的には、現行秩序と支配の維持のために、都合の良い概念である。そのため、外部介入型の国際援助機関によるプロジェクトにとって、現時点で、介入者の存在と行為を正当化するのに使いやすい武器となるだろう。しかし南の現地の地域住民による、下からの社会的運動実践や組織にとっては、運動の創出期にも発展安定期にも使えない。場合によっては、組織や運動を内に閉じさせる反動的な役割さえ果たしかねない、落とし穴ともなる用語である。

また、「人間の安全保障」概念は、自分たちと異なる他者の能力に対する不信、異なる社会への敵対を暗に前提としているだけでなく、自分たちの予期しない出来事、問題解決法、自分たちが定義できない組織や運動の逸脱や不測の展開をあらかじめ排除し、ダイナミズムを封じ、それを予防し、防衛（だから安全保障）しようとする意図が組み込まれている。地域住民が考えている「保健医療」という言葉が喚起する「欲望」（ポジティブ）の豊富さは、外部のものが測りレベルを決定する「保健医療」の「ニーズ（需要）」（ネガティブ）に還元縮小して、置き換えることはけっしてできない。豊かにあふれ出る地域住民のオルタナティブな「欲望」の量と質を、外部の考えで判定する「ニーズ（需要）」や「安全保障のレベル」に服従させ、管制コントロールし押さえつけるのは、反動的としか言いようがないのではないだろうか。

公共空間や共同体のなかで進行する特異性の解放（自由化）、差異化、他者性の出現にこそ、ミクロとマクロ、ローカルとグローバル、個と全体、個人と共同体、特異性と多数性といった、見せかけの二項対立の諸問題を、組み替えずらして解決していく鍵がある。さらに、地域住民の手で下から共同体や社会の力関係を変えていくダイナミックな運動の、豊かな源泉とエネルギーの鍵もそこにある。

しかしながら、外部から持ち込まれた「人間の安全保障」という概念は、偽装された抽象的な普遍性や共同性のオブラートのもとで、対象とする社会（他者）の個別単一性、特異性、地域性、少数性のなかに潜在的に埋め込まれ、社会運動や組織化を通じて内部から外部へと逆方向に発芽する、もう一つの普遍性、共同性、多数性への開花の機会と可能性を、種子の段階であらかじめ摘み取ってしまわないだろうか。

2　上からの「人間の安全保障」概念と南の地域住民の運動

西アフリカの現地で起きている下からの保健医療分野での改革整備の諸運動を実際に見ていると、国連開発計画（ＵＮＤＰ）が公式に発案し、国際援助機関やＮＧＯも使い始めた「人間の安全保障」という用語の限界が、明らかになってくる。

西アフリカで、地域住民による下から生まれてきた運動や組織を今まで調査したかぎりでは、欠如や不足を単に代補（サブスティテューション）するとか、最小限度を想定するというような受け身でネガティブな概念が、運動内部で使用されたり、機能したり、力になっている例は全く見られない。どの運動や組織も創始期には、個人が独創的な発想をしたり、新しい方式を発明したりしているし、社会内部で、制度のなかの力関係を変えながら創意工夫し、技術的な解決策を具体的に編み出している。「人間の安全保障」といった抽象的な概念とは無縁に、全く自由にあふれ出てくる無制限な創造性と展望から出発しているのである。

これに対し、運動の高揚期が過ぎて定着期にある時や、運動や組織のダイナミズムが失われ停滞期にある時に、過剰、横溢、逸脱という予期せぬ変化を恐れる、自己限定的で防衛的といったネガティブな概念が持ち込まれる。これがまさに「人間の安全保障」のような概念なのではないか。内に閉じがちな運動組織を外部や他者（他の組織、マイノリティ、最貧困層、弱者など）に開き、横断的に連結することで、新たに飛躍させるといった内発力が、この概念によって減退させられ、運動組織の危機を招くという意味では、反動的な役割すら果たしかねない。この意味で「人間の安全保障」という概念は、南の社会内部から発生した運動組織には使えない概念ではないだろうか。

逆に、従来の外部や上からの介入型援助の現場で、自己を正当化する隠れ蓑とする場面では、好んで使われる。しかし、そこでは「住民参加」も、「共同体」も、「民主的運営」も、「プライマリー・ヘルスケア」も、「貧困対策」も、抽象的な掛け声だけで、今までの国際援助機関のスローガンと同じ延長線上にあるから、けっして実現されることはない。そこには、地域住民を動員し、これらの用語を具現化する力もないし、活動を支える運動や組織も、実際には存在しないのである。

ここで一つ例を挙げる。国際開発機関が保健医療の「ニーズ（需要）」を判定する指標の一つ、アフリカの住民当たりの医師数をみると、数字上では圧倒的に少ない。そこで、この問題解決のために、アフリカでは、独立以来四〇年にわたり「ニーズ（需要）」に応え医師の欠損を補填しようと、医師養成のために膨大な資金が、外部の国際機関や援助機関により投入され、医師が増産された。しかし、欠乏は単なる充填によって解決することはできない。結果的には、都市の基幹病院や保健省など、中央の公共セクターの医師ポストがすぐに飽和してポスト不足となり、過剰医師の失業や北への頭脳流出は増えたが、地方や底辺の保健センターでは、相変わらず医師は不在で、地域住民の保健医療はさらに悪化した。

一方、後に取り上げるマリの保健医療関連の非営利民間の諸運動は、逆である。外部から定義された「ニーズ（需要）」とは無縁に、地域の望む保健医療を創出しようとする「欲望」から出発し、地域的な問題解決法を非営利民間センターの創出、住民協会型共同体保健センター創設、「田舎の開業医師」運動、必須医薬品供給運動などの形態で、具体的に編み出した。地域の現有資源と自分たちの手による、オルタナティブな形式での解決法である。こうした運動と組織化により、保健医療の領域で、ある程度の改革に成果を上げている。それだけでなく、この運動の過程で、若手の失業医師層（三〇〇名以上）の問題解決にも関与している。若手失業医師を運動のなかに積極的に巻き込み、雇用機会を与え、医師養成過剰の矛盾まで解決する可能性を、切り開いているのである。また、バマコにかぎらず、保健予算の圧縮により、公務員は低収入や給与遅配の問題を抱えているのに対し、これらの運動のなかでは安定した収入で臨床経験も豊富に積めるため、特に若年医師や看護士の就職希望者が殺到し、営利民間セクターからの引き抜きも起きている。

こうして、上からの外部介入が、限定的で抽象的な「ニーズ（需要）」の問題解決に悪戦苦闘している一方で、マリの下からの非営利民間の運動組織は、素人仕事のように見えながらも、わずかな資源だけで、保健医療領域のいくつかの複雑な問題――つまり底辺施設の医師や医療スタッフ不足の問題、国際機関が頭を痛めている職員の士気や規律の問題、施設の維持管理の問題、そして公務員のポスト不足による過剰医師の失業問題――に、部分的とはいえ、いとも簡単に、同時に解決する道筋を見つけ出しているのである。

この例が示すように、「人間の安全保障」のような抽象的でネガティブな発想からは、地域社会の内部の問題や具体的な関係性に根差した、波及性や横断性のある独創的な問題解決法や運動組織は、けっして生まれることはない。また住民を広範に巻き込み地域社会の力関係を変えるダイナミックで持続的な高揚や動員力を、運動内外に引き起こすことも難しい。

それでは、南の市民社会の保健医療の活動現場で何が起きているのか。それを具体的にみていくこととしたい。

第二節　南の市民社会による保健医療活動

1　援助機関のスローガンと新しい住民活動

アフリカでは八〇年代に入ると、国際通貨基金（ＩＭＦ）や世界銀行などの国際金融機関による構造調整プログラムが本格化し、教育や保健医療などの社会セクター部門が切り捨てられた。世界保健機構（ＷＨＯ）や国連児童基金（ＵＮＩＣＥＦ）、北の二国間援助機関など、国際専門機関の主導により、国や行政など公共セクターを一元的に重視する、植民地時代からの上からの保健医療システム整備路線の破綻が、決定的になった。

しかし、アフリカのなかでも最貧国の集中している西アフリカでは、八〇年代後半から九〇年代にかけて、国や行政の権威の失墜や政治的中央権力の正統性の喪失、北や国際機関の不能という状況の網目から、これらと一線を画して、地域住民の間で下からのイニシアティブによる新たな保健医療の革新という、多種多様な試行錯誤的動きが顕在化してきた。また、周辺地域や隣接国の住民への波及効果も現れた。

一方、路線に行き詰まっていた国や行政、国際援助機関は、これらの動きを自分たちの組織存続に利用し、上からモデルとして採用しようとする試みも見られる。その理由は、一九七八年のＷＨＯのアルマ・アタ宣言路線の目標（プライマリー・ヘルスケアや保健医療システムのピラミッド底辺から、保健医療改革整備を唱えた）や、国際保健専門機関やアフリカの保健省会議から提案された八七年のバマコ・イニシアティブの趣旨（構造調整プログラムによる公共セクターの保健医療財政逼迫の弥縫策として、受益者負担（公共施設の無料制の廃止）、地域共同体参加、保健医療施設での必須医薬品販売による回転資金の運用などの導入）を、地域的にも規模的にも限られたものではあるが、公共セクターに属さない地域住民の下からの運動が、全く違った方向から、自分たちの現有資源をもとに、独創的な方式で先取り的に実現しつつあるからである。それとは逆に、国際援助機関の指導の下に鳴り物入りで取り組まれている、上からの公共セクターの改革整備は今でもいっこうに進行していない。

地域住民の新しい動きのアイデアや組織運動形態は、既に北の国々で、歴史的に特殊なコンテキスト（戦乱、社会混乱など、既製の中央政治権力の空白や過渡期）で現れたものに似ていたり、北のシステムの模倣や輸入であるものが確かに多い。しかし一方では、北の経験を乗り越えてさらに先行的に実現したり、北では考えられないような独創的な工夫や、多様な方式を発明した例も多くある。同時に、保健医療の問題がもっている政治性ゆえに、既存の行政的権力や地域の伝統的権力との対応や交渉を通して、地域社会の力関係を変え、政治的改革を促す触媒ともなる。地域住民参加の様式が変化することにより、新たな地域的民主主義や市民的成熟を活性化する効果につながることも期待できる。

西アフリカで、外部の直接介入ではなく地域社会内部から押し出されてきた保健医療の「革新」的な動きとして、現在ある程度の経験が蓄積され定着しつつある非営利民間セクターの運動には、次のようなものがある。①住民協会型共同体保健センター、②必須医薬品共同供給組織、③保健医療共済組合、④医療生活協同組合などであり、各地で活動している。また、非営利とは言いがたいが、それに準じ公益性の高い、⑤僻地村落部の「田舎の開業医」運動などもある。いずれも、地域住民による保健医療サービス供給を直接創出し、運営や、保健医療共済組合、医療生活協同組合のように、既存の公共セクターを含めた保健医療サービスに対する地域住民（利用者）側の財政的アクセスの改善に関連している。

それでは実際に、西アフリカの現地で調査した保健医療関連の地域住民による運動のなかから、マリの首都バマコ周辺の住民協会型共同体保健センター創設・運営運動を例として紹介し、その可能性を検討する。

2　下からの共同体保健センターの登場

一九八九年三月、バマコのバンコニ地区に、第一号の住民協会型共同体保健センターが開業した。その後、国や行政とは一線を画した、地域住民の下からのイニシアティブによる民間非営利の共同体保健センター創設の運動は、バマコ市周辺だけでなく地方にも急激に広まった。この背景には、マリ国内の政治的流動化、中央権力の不能と権威の失墜、いわゆる民主化（複数政党、文民化）過程に伴う社会的・政治的運動の高揚があった。また、それが、保健財政緊縮と地方分権化を進める行政や、構造調整プログラムの社会セクターへの弊害を糊塗しようとする世界銀行などの国際援助機関により、モデルとして利用され、地方村落部や僻地で自分たちの組織存続に利用され、異なる波及的展開が加速された。しかし従来の公立保健センターを使用し、公共セクターとの関連が不透明なままに、同じ共同体保健センターの名が用いられているので混同しやすい。

保健センターとは、定義上は、WHOなどの国際機関が提案している公共セクターの保健医療施設のピラミッドでは、第一次レベルの底辺施設であり、近代医学で養成された医療スタッフに住民が最初に接する施設とされている。これよりさらに下位の最底辺には、伝統施療士や伝統的産婆を、にわか仕立てに村落保健要員として養成し、常駐させている保健ポストや保健キャビンと呼ばれる施設がある。本来、保健センターには医者がいることになっている。しかし、アフリカ諸国では、医者が養成過剰で公共セクターのポストの飽和から、深刻な医師の失業問題が起きている国ですら、実際に保健センター勤務を希望する医者はほとんどいない。せいぜい看護士が勤務しているくらいだが、それすらまれといった方がよい。施設の設備は財政難で老朽化、荒廃し、公務員給与の遅配などからスタッフの士気は地に落ち、活動は低迷しているのが現状だからである。それでも保健センターは、地域住民にとって、日常生活のなかで疾病時に近代医学と出会う最初の施設とみなすことができる。

以降、本章では、共同体保健センターという用語を、首都バマコ周辺に典型的に見られる非営利、民間の住民協会型共同体保健センターを指すものとする。

3　住民による住民のための保健医療活動の実際

バマコから始まった共同体保健センター（CSCOM）は、前にも述べたとおり公共セクターではなく、非営利民間セクターの施設である。診療施設、出産施設、医薬品倉庫を備え、協会費を払った地域住民で組織する消費者協会（アソシエーション）である共同体保健協会（ASACO）によって、運営管理されている。

ここで、一〇年の活動蓄積のなかでつくりあげられた、現在のバマコ周辺の共同体保健センターの一般的輪郭と特徴を挙げておく。

共同体保健協会は非営利の協会（アソシエーション）組織で、同じ都市街区や村落などの地理圏（保健行政が使う、保健圏に近い）の住民協会員で構成されている。この協会組織が、共同体保健センターを運営・管理する。また、この地区の予防衛生や公衆保健（パブリックヘルス）向上のための活動も、同時に進めている。公衆保健の活動については、国との協定に基づき、実施様式と業務分担を決めている。協会組織の認可と運営については、法制の整備が遅れがちでまだ不十分であるが、地域住民の出資による任意参加の法人組織であり、マリ憲法の趣旨に沿って市民的権利と義務に従う。毎年少なくとも一回は開かれることになっている協会員総会が、最も重要な機関であり、そこで保健センター長、幹部人事、運営、活動方針などが決定される。実際の日常的活動は、総会の決定方針に基づき、三年に一度総会で選出される事務局によって運営されている。協会員総会は、保健センター長を任命、支持し、助言を与えるだけではない。日常的活動のなかで、保健圏の地域住民に対して保健センターの活動内容を広め、活動に動員し、協会活動の拡大に努めることになっている。

また共同体保健センターは、協会員以外の一般の地域住民が、自由に利用できる公益施設である。年次総会で投票権をもつ加盟協会員は、共同体保健センター運営に積極的に参加できるだけでなく、疾病時には、非協会員より低額の協会員診療費で利用することができる。協会員の家族にもより有利な診療額が定められている。共同体保健センターには国や行政との協定で、一般民間営利開業診療所とは区別された特別資格が与えられている。公衆保健領域の業務を分担する代わりに、免税措置、医療スタッフ養成、助成金などの優遇措置が受けられるように整備されてきた。

また、共同体保健センターは地域住民の大多数を対象にした、日常的基礎疾患に対する診療介護に重点を置いている。国際機関の提案する、治療、予防、保健向上の「最小限パッケージ診療業務」だけでなく、さらに出産や周産期の母子診療業務、必須医薬品有料配布販売も含まれている。それまでは医薬分業が原則の仏語圏アフリカでは、以前には診療施設で医薬品の販売は行われず、市中の民間薬局で購入するほかはなかった。また、共同体保健センターは二四時間、週末を含めて常時開院が義務づけられている。

また、最貧困層を含めてすべての住民が差別なく受診できることになっている。予防接種、周産期（出産前後）診察、結核などの特殊な伝染性疾患、衛生教育、疫学的監視などの公衆保健業務に関しては、設置された保健圏内の住民にのみ責任をもつことで、行政責任との分担が明確化されるようになってきた。患者の疾病時には、従来の公共保健センターや民間開業診療所だけでなく、非営利民間の共同体保健センターが加わることにより、選択の幅が広がり、患者による選択の自由も保証されるようになった。

4　着実な経営と実績

バマコ周辺の共同体保健センターは現在三五あり（一九九九年調査時）、そのすべてに協会に雇われた医師が常勤している。そのうち四六％（一六施設）が財政的に自立した状態に達している。診療費だけの収入では一般的に赤字であるが、医薬同業とし、安くよく使われる医薬品であるジェネリック（特許のきれた一般薬）の販売により、ほとんどの共同体保健センターが、財政均衡状態を保っている。

いずれの共同体保健センターも、比較的最近創設されたにもかかわらず、首都の住民の保健医療のかなりの部分を担っている。診療数では、公共セクターの保健センターの二倍以上であり、出産件数や、周産期診察件数のいずれも、公共セクターの件数を大幅に上回っている。しかし、ＢＣＧの接種件数では公共セクターに及ばない。それでも首都バマコの住民の日常的疾患の診察・治療の過半を、これらの共同体保健センターが担っている。

地方村落部には四〇九の施設があるが、大多数は看護婦が常駐しているだけである。地方や僻地であえて勤務しようという「田舎の開業医師」運動とも連携しており、その運動を行っている医師の三分の二に当たる三二名が、村落部や僻地の共同体保健センターに勤務している。そのほかにも、地方の二一施設には医師が存在し、うち一〇施設では、勤務医師の士気を満足させられる水準の給与を支払っても、財政的に自立可能な活動状態に達している。このような活動水準に達するまでには、一般的に創設から二年を要することが、経営分析から明らかにされている。

診療費、出産費などは、協会員・家族と、それ以外の患者とに差が設けられているが、地域住民の支払い可能な水準にある。収入の約六〇％を必須医薬品の販売収入が、占めている。出費の八〇％は減価償却以外の運営管理費である。

5　非営利民間活動とその可能性

住民協会型共同体保健協会や共同体保健センターは、非営利民間である。そのため、組織やスティタスの点で、国や行政に保証された公共セクターや、市場原理至上主義や利潤追求主義に陥りがちな営利民間セクターと比べ、確かに経営上、恒常的な脆弱性から免れない。しかし、ここでは、あえて幾つかの可能性を開く、肯定的な点に焦点を当てることにする。

共同体保健センターは民間施設のため、企業的運営管理規則に従う。それには財政的持続性と企業発展を保証する成果の追求が求められる。共同体保健センターを創設し、保健医療の改革を実現するという積極的な社会的参加（アンガージュマン）は、施設運営指導層の経営能力と責任につながってくる。公共セクターの公務員とは違って、財政的成果が従業員への給料や賞与に影響を与えることは、職場での浪費を回避し、士気や効率を高めることにもつながる。外部の第三者による経営分析評価も行われている。

非営利施設である共同体保健センターの活動の目的は、利用者である地域住民患者の期待する保健医療サービスを、実施することである。運営方針は、協会員総会とそれに権限を委託された運営委員会の決定に従う。民間であるため、市場原理的営利追求型の医療サービスの供給を、最大限チェックすることが期待できる。一方、国や行政の認可施設となることにより、保健医療施設としての条件を満たさなければならない。また、共同体保健協会は、行政との協定で定められた保健医療上の役割分担を実施する。そのため、その活動を保証する国や行政からの助成金受託の道が開かれている。

共同体保健協会では、地域の保健医療向上のための改革への、市民の責任参加を目標として掲げている。そのため市民は、保健医療サービスの供給と管制に参加する一方で、地域で供給される保健医療水準の決定にも、積極的に参加する事ができる。これは地域の疾病構造とは懸け離れた、医師や医療スタッフ主導の技術至上主義的な高度高額治療をチェック、コントロールし、地域に適合したレベルを明確にするという効果がある。住民協会は、個人単位の自発的参加が原則であり、上から唱えられた今までの「住民参加」とは全く異なった、住民の責任ある参加を強化することが求められている。スタッフが公共セクターの公務員のように派遣されるのではなく、地域出身者で固められている点も有利に働いている。

また、マリ以外の西アフリカ周辺諸国で見られる、国際保健機関の路線に従った保健センターの「運営委員会」との決定的な違いは、マリの住民協会（アソシエーション）が、独立した法人資格をもっていることである。したがって、国家や行政から独立しており、地域保健医療を改革していくうえで対等なパートナーとして活動できる。雇用や、銀行口座、資産を独自に管理し、行政と対等に協定や契約を結び、助成金を得ることができる。しかし、その一方、裁判の時は司法責任も負わなければならない。この協会組織を通して、住民は共同体保健センターの運営に参加するのみならず、その運営責任を分担させられることにもなるのである。人事権が行政から独立しているため、地域出身の保健医療スタッフが雇えることは、士気や規律の面でも有利である。また、協会員である患者の要望に適合しないスタッフは、医師であっても解雇することができる。民間施設であるが、保健医療の内容や質、施設設備の使用状況については、保健省の認可条件を守らなければならない。

協会組織（アソシエーション）という法制上の規則により、指導陣の代表資格が保証され、行政からは保健医療の分権化に使える武器としてみなされている。この点について住民協会は、住民のなかにある市民性の一つの表現としてとらえることができる。したがって、住民協会の一人ひとりはシステムの運営に実際に参加しているだけではなく、地域社会の活動にも全面的に参加しているとみなされる。現在マリでは、国や行政による上からの地方分権化の動きが進行している。そのなかで、共同体保健協会の運動は、市民による下からの組織運動であり、より多様でオルタナティブな分権化の動きである。国や行政による保健医療の上からの分権化の動きに対して、反応したり時には対決したりしながら、かかわっていく展望を開いている。

バマコの住民協会型共同体保健センターは連合組織をつくり、共同の運動方針を練り上げながら補完協力している。さらに、より廉価のジェネリックの必須医薬品を国際市場で購入し、共同体保健センターへの安定供給を目的とした必須医薬品供給事業ＮＰＯである「Santé pour Tous（みんなに保健を）」は、共同体保健センター運動の職員が交差する関連組織であり、財政的補助などを通してお互いに支えあっている。また、公務員の保健共済組合とは、診療の質の向上の点で連携している。このように、他の非営利民間の保健関連諸組織に開かれた、横断的運動を展開している。

6　国家が弱ると住民は活気づく

一九八八九年三月のバンコニ地区第一号の共同体保健センター開設は、この地域のある住民が個人的に、地域保健医療を改革・整備しようとする意志を抱いたことから出発した。この改革に対する個人的な意志は、彼がその地域のマリ国籍をもつ一人のフランス人医師にたまたま相談し、助言を得ることにより、非営利民間の住民協会（アソシエーション）方式というアイデアとして、結実した。改革への堅い意志と独創性、周辺の人々を納得させ運動に巻き込んでいくという個人的能力が、地域住民の広範な支持、共感を得て、集合的なダイナミズムを生み出すのに成功した。第一号の出現は、バマコ周辺の他の地域住民にインパクトを与え、九〇年代に入ると、これをモデルにした同じような共同体保健センター創設を目指す住民協会創立運動が、連鎖的に広まった。さらに、条件が異なる地方の村落や僻地にも波及的な影響を与え、現在に至っている。

個人のイニシアティブから出発し、集合的な運動へのダイナミズムを獲得する過程や、他の地域で発明された運動組織（具体的な問題解決への技術的モデル）を模倣するやり方は、このタイプのバマコ周辺のあらゆる共同体保健センターがその後創設される際に、最も一般的に見られるエピソードである。また、地域の特殊事情などの違いがあるにもかかわらず、他の「田舎の開業医師」の運動や、必須医薬品供給事業創設、保健医療共済組合創設など、下からの非営利民間組織や住民協会組織運動の開始時にも、西アフリカ全域で共通して見られるものである。

バマコの地域住民が主体的に参加する背景には、民主化に伴う中央権力の弱体化と政治的・社会的流動化や、構造調整プログラム下で公共セクターの保健医療が荒廃していることがある。また保健医療が慢性的に低劣状態にあること、医師の大量失業という、マリの特殊事情があると考えられる。また一九八七年に首都で、ユニセフと世界保健機関（WHO）主催のアフリカ保健相会議が開かれ、バマコ・イニシアティブという新路線が提唱された。報道でその内容や知識が住民の頭に残っており、参加の下地が既にできあがっていたのかもしれない。さらに、マリのセネガル川流域の僻地では、出稼ぎ移民労働者からの仕送り金をもとに、出身地で診療所や学校を建設したが、この共済組合運動の経験からのインスピレーションもあるかもしれない。

もちろん、イニシアティブをとった個人もまた、今までのさまざまな改革実践や社会運動という実際の活動経験をそれぞれに蓄積してきた個人であり、いわば過去の制度や記憶、経験が内面に組み込まれている。まったく無から新たに独創的なアイデアが降って湧いてきたわけでないのは当然である。たとえば、バンコニ地区の第一号創設の発案者は、地域活動や政治権力と無縁ではない。個人的に相談を受けたフランス人医師もまた、六〇年代後半の戦乱の東南アジアで、フランスの政府開発援助（ＯＤＡ）保健医療協力を経験していった。しかし、運動が具体的な地域の問題を技術的に解決しようとする個人の堅い意志から出発したこと、そこから練り上げられ発明された方式が、地域的特殊利害から出発したにもかかわらず、普遍性をもちうる可能性を内包していたこと、他の地域住民にとっても模倣に値する波及性（インパクト）をもち、独創性と魅力をもつ新しい開かれた方式であったことは、強調しておく必要があるだろう。

下からの特殊利害的な解決方式は、個人的かつ地域限定的であり、いまだ全体の共同利害を代表する正当性すら得るに至っていない。現実の運動を通して実際に共同性や普遍性を組織的に（集合的に）獲得するには、それなりの手続きが必要である。発案者や、共鳴者、中核になる人々だけではなく、広く地域住民を巻き込み、開かれた運動組織（住民協会組織）として、社会的に認知される必要がある。組織自体も、民主主義的代表制をとることにより、地域住民のなかでの正当性をつくりあげていなければならない。

過去の国際保健援助機関や外国援助機関の唱える保健医療改革整備のなかで、「共同体」や「参加」をうたった開発路線は、具体的な下からの手続きの過程や、その地域社会（マリやバマコ）の特殊性をないがしろにし、上からのトップダウン型（のエリート主義的なやり方）で計画実施されてきた。改革担当者や当事者である地域住民の、個人的な責任、運動に積極的に参加しようとする意志、熱意、士気、規律は軽視され、魅力ある新しい解決法の創意工夫や発明を軽視した。そのために、地域住民の主体的参加という下からのダイナミズムを生み出すことに失敗し、結局は掛け声だけに終わった計画ばかりだった。

現在も、西アフリカではさまざまな運動組織が経験の蓄積を重ねている。そして、地域住民による非営利民間の協会組織や保健関連共済組合などが、地域住民の要望を的確につかみ、組織化し、運動に巻き込むことによって、下からダイナミズムを生み出し得る基盤が構築されつつある。さらに、地方の村落部や僻地では、都市部とは異なった、地方保健行政や地域伝統権力などのイニシアティブによる多様な解決法が実施されている。

むすび

以上、「人間の安全保障」概念を検討した後、西アフリカの保健医療分野で活動する新しい非営利民間の運動や組織の一つとして、マリ共和国の首都バマコを中心とする、住民協会型保健医療センターの経験および一〇年後の現状について述べた。本章では、まだ脆弱で不安定なこの運動組織について、むしろ肯定的な可能性に焦点をあてて紹介した。このような非営利民間組織は、国や行政の公共セクターや、営利民間セクターの狭間にあり、アフリカ社会では今まで育ちにくかった。また、地域住民の暮らしと密接に結びついた、規模の小さい底辺からの運動であるために、そのインパクトが外部からは見落とされがちだった。さらに、この運動組織が切り開いた地平は、北の保健医療のあり方を新たに考える際に、重要な材料や問題を提起しているだけでなく、オルタナティブなあり方や問題解決の方式まで示唆しているとみるからである。

「人間の安全保障」という概念を、運動の、上から、そして外から用いることが、どこまで運動論にとって有効なのかを批判的に検討したが、このような下からの地域住民の運動組織を、内部から理解し推進していくことこそが、重要であることを強調したい。

第二章　開発NGOと人間の安全保障
――南アジアの現状から

大橋　正明

第一節　グローバル化とNGO――NGOは安いサービス代行団体か

経済を筆頭にグローバル化が進行する今日、市民セクターが重要だ、NGO（非政府組織）やNPO（非営利組織）の時代だ、という声が高くなっている。この声は日本だけでなく、欧米でも南の貧しい国々でも響き渡っている。

グローバル化のなかで、政府はより小さくなること、そして市場はより大きな役割を果たすことが、グローバルに求められている。これまで厚生や福祉、あるいは平等や正義の実現は主に政府が担ってきたが、小さくなる政府は、今後そういった役割を負えなくなる。しかし、競争を原理とし利潤の確保を目的とする市場、あるいはそこでのアクターである民間企業が、政府のこういった役割を果たすことは、その組織原理からして限界がある。それゆえこれからは、NGOやNPOが厚生や福祉、つまり人間の生存あるいは安全の保障を担うことが求められている。換言するならば、市民が組織するNGOやNPOは、政府の失敗や市場が不得意なことを、より安価に代行することを期待されている。

しかしNGOやNPOの社会的役割は、このような受身のものなのだろうか。確かにNGOやNPOが提供する財やサービスは、政府や企業が提供するものより、安価で良質かもしれない。多くの場合、それはNGOやNPOで働く人たちが、水準よりも安い賃金あるいは無償で、かつ献身的に働くことで可能になっている。しかしNGOやNPOに集う人たちは、政府や市場を補完するためだけに、安価あるいは無償で働いているのではない。補完のためだけだったら、継続的に質のよい財やサービスを提供することは困難になる。一般的に、善意は長続きしないからだ。つまり善意や補完といったもの以上の積極的な意義や目標を、NGOやNPOが有しているからこそ提供が可能だ、と捉えるべきであろう。

グローバル化は、貧困／開発、災害／緊急救援、環境、人権、ジェンダー、平和／軍縮などの国際的課題に関わるNGOにも及んでいる。NGOがもつ意義や目標、そしてそれに向かう際の困難さは、世界でほぼ共通したものになりつつある。それゆえ本章は、NGOの積極的な意義や目標とその危機を、南アジアのNGOの現状のなかから、探り出すことを目指している。

第二節　南アジアと開発ＮＧＯ

１　世界最大の貧困人口地域——アフリカとの比較

インドを中心とした南アジアといえば、世界で最も貧しく、開発が遅れた地域というイメージが強い。ところがこの地域の状況は、この間急速に改善が続き、最貧で最も遅れているという不名誉な座は、しばらく前からサハラ以南アフリカに譲り渡している。

表2-1に示されるように、南アジアの五歳児未満死亡率は、一九六〇年には、サハラ以南アフリカとほぼ同じレベルだったが、九九年にはサハラ以南アフリカの六〇％にまで減少している。また南アジアの出生時平均余命、成人総識字率、小学校総就学率も、最も貧しいとされる「低開発途上国」より、「開発途上国」に近い好成績を上げている。一人当たりＧＮＰ（国民総生産）の金額だけは、サハラ以南アフリカを僅かに下回って、各地域のなかでは最低である。しかし世帯当たりの所得分布をみると、貧富の格差が大きいと一般に信じられている南アジアが、この表に示された先進工業国を含めたどこよりも、格差の小さい所得分配をしていることに気がつく。つまり南アジアは、経済開発は多少遅れているものの、人間開発の主な指標は改善を示しており、かつ経済格差も少ないのである。

しかし、南アジアの問題として見落としてはならないことは、貧困にあえぐ人口の絶対数が大きいことである。たとえば一日一ドル以下という所得貧困ライン以下の人口割合は、「低開発途上国」の

表 2-1　地域別開発の主要指数

	五歳児未満死亡率（人）		人口（100万人）	1人当りGNP（＄）	出生時平均余命	成人総識字率（％）	小学校総就学率（％）＊	世帯当たりの所得分布（％）	
	1960	1999	1999	1999	1999	1995-99	1995-99	最下位40（％）	最上位20（％）
サハラ以南アフリカ	258	173	595	503	49	54	74	11	58
中東と北アフリカ	247	63	332	2,106	66	65	93	—	—
南アジア	244	104	1,344	443	62	56	90	22	39
東アジアと太平洋諸国	212	45	1,857	1,057	69	86	105	16	47
ラテンアメリカとカリブ海諸国	153	39	506	3,806	70	88	113	10	61
先進工業国	37	6	852	26,157	78	96	104	19	41
開発途上国	222	90	4,777	1,222	63	74	95	15	51
低開発途上国	283	164	630	261	51	53	77	19	44
世　界	198	82	5,962	4,884	64	77	96	18	43

出典：ユニセフ『世界子供白書2001』．＊就学該当年齢にかかわらず就学する子どもの就学該当年齢人口に対する比率なので，100％を超える場合がある．

大半を占めるサハラ以南アフリカの数カ国では七〇％にも達している。これに比べてインドは四四％にすぎないが、人口が一〇億人なので、四億四千万人余りが貧困ライン以下ということになる［国連開発計画二〇〇〇：211］。

インドを含む南アジアは、世界で一番多くの貧困者を抱えていることが容易に想像できる。南アジアのNGOが立ち向かうべき問題の規模は、巨大である。

2　南アジア各国のNGOの共通点と相違点

南アジア各国のNGOは、それぞれの歴史と社会、政府の対応、外国ドナー（援助機関）の動向などの要因によって、異なった様相を示している。各国のおおまかな事情は**表2-2**に示したとおりだが、ここでは南アジアに特徴的な共通点、対照的側面、そしてそれぞれが大きく異なる点を論じ

表2-2　南アジア各国のNGOの状況

国　名	ネパール	バングラデシュ	インド	パキスタン	スリランカ
NGO数（推定）	2万団体	数十万団体	数百万団体	万もしくは10万単位の団体	3,000団体
外国資金を受けるNGOの数	9,000団体位	1,480団体	3万団体位	不明	不明
NGOが増えた時期と理由	90年の民主化以降急激に	独立以来だが，90年末の民主化以降が一番	85年のNGO認知，補助金制度化以降	90年代前半，社会行動計画（SAP）による資金提供以来	70年代以降3回．民族紛争と政権交代がきっかけ
NGO登録制度	登録無しも多い	全部登録	全部登録	登録無しもある	登録無しも多い
外国資金受取に対する規制	あるが未徹底	80年代前半から徹底	74年から厳しく徹底．しかし柔軟化	なし	なし
政府の補助金	ごく僅か	ごく僅か	豊富	外国政府拠出のもの	ほとんどなし
外国NGO	多いが，直接のオペレーションからの撤退勧告	長期的に減少	少ない．政府は歓迎せず	少ない．現地のNGOとの共同が条件	少ない
主な特徴	人口比でNGOは最多 比較的資金潤沢 歴史が浅く，アマチュア的なもの，不透明なものが多い 「参加」の強調 政党との結びつきが噂される	比較的資金潤沢 巨大NGOの存在 マイクロ・クレジットが盛ん	全体に資金難 政府補助金への依存の傾向 外国援助多いが反感も強い 社会運動・住民運動も強い 地元企業の支援もある	政治や文化に触れない 福祉や開発分野に集中 巨大なアガカーン財団 NGOとCBOの区別が明確	民族紛争の影響大 シンクタンクや難民救援が多い サルボダヤ運動の伸び悩み

注：各国のデータは1990年代後半のもので，同一年のものではない．筆者作成．

ておく。

(1) 共通点——NGO活発化の時期

南アジア各国のNGO事情で共通するポイントの一つは、スリランカを除く南アジアの四カ国で、NGO活動が活発化し始めた時期が、一九八〇年代後半からの一〇年間であることだ。これは単なる偶然というより、開発のなかでNGOの果たす役割が重要であるという世界的なコンセンサスが、この時期に南アジアに浸透したと理解すべきであろう。

最初はインドであった。インド政府は一九八五年からの第七次五ヵ年計画のなかで、NGOを開発のパートナーとして位置づけ、さまざまなチャンネルで活動補助金を提供するようになった。そのことをきっかけに、NGOが多く誕生する。それまでインド政府は、他の多くの国の政府がそうであるように、NGOを反政府勢力の一部とみなし、監視のもとに置いていた。そのためにインドでは、反政府運動がもっとも盛んだった一九七四年に、NGOが外国から資金を受取ることに対し規制法を施行したのである。しかし八四年に四〇歳の若い首相を迎えたこと、そして何よりも世界的にNGOを認める動きが強まっていたことが、政府の態度を変更させたと考えられる。ちなみにこの外国資金の規制法は、その後バングラデシュとネパールの政府に影響を与え、同様な規制法あるいは制度が導入されている。

バングラデシュとネパールでは、両国で民主化が実現した一九九〇年が、NGOの数が飛躍的に増大する元年となった。バングラデシュでは、この年の暮れに軍人政権が倒れ翌年に選挙が行われて以降、国会議員や有力者たちが自分たちの地盤にNGOをつくる傾向が顕著になった。さらに八八年の大洪水、および九一年に一四万人が亡くなったサイクロン（台風）などの災害救援で、NGOに外国からの資金の大半が寄せられたことも、この傾向に拍車をかけた。一方、絶対王制崩壊以降のネパールでは、それこそ百花繚乱のようにNGOが誕生して、それぞれの活動に取組み始めた。それまでの上意下達の傾向への反発か、多くのNGOは「参加」を、活動のためのキーワードにしていることが特徴的だ。

一方、パキスタンは、今日においても市民社会が自主的な活動を行うスペースが極めて限られており、NGOの数や活動領域も、南アジアの他の四カ国と比べて極めて限定的である。それでも政府の社会行動計画（SAP）が開始され、そのなかでNGOへの資金が用意された頃から、NGOの数が増えてきたといわれている。

(2)　対照——バングラデシュとインドのNGOの規模

NGOの規模という点で、バングラデシュとインドは、興味深い対照を示している。

バングラデシュでは、開発NGOが政府に肉薄する程大規模な活動を行っており、第二の政府と呼ばれることも少なくない。その筆頭が二万五千人のフルタイム・スタッフを擁し、全国規模で初等教育、農村開発、保健衛生など多岐に渡る活動を行っているBRAC（Bangladesh Rural Advancement Committee：バングラデシュ農村向上委員会）である。このNGOの二〇〇〇年度の年間予算は、一億三二〇〇万ドル（約一五〇億円）。これは同時期のバングラデシュ政府予算額の一・五四％という巨額であり、日本政府の予算額で換算すると、日本のあるNGOが一兆円を超える予算を保持していることになる。ちなみに日本の公益法人である赤い羽根募金が九九年度に二五五億円、日本で最大規模の国際協力NGOが五〇億円程度の予算規模であることから考えると、バングラデシュのBRACが飛びぬけた規模を有していることが理解できよう。BRAC以外にもバングラデシュには、千人を超える規模のスタッフを擁するNGOがいくつも存在している。

これに対してインドでは、最大規模のNGOでも千人を超える程度で、全国をカバーする桁外れに大きなNGOは存在しない。これにはインドという国が広大で、各州の言語や文化の違いが大きいことも影響していよう。ところで外国から資金を受取る許可を有しているインドのNGOの数は、バングラデシュの約二〇倍、人口比でインドはバングラデシュの約九倍だから、人口比で見た場合、インドには小規模なNGOがバングラデシュより数多く存在していることになる。

このような差が生じた背景には、両国の社会と政府の違いを指摘できよう。小国バングラデシュは、一九七一年の独立当初から外国からの援助が不可欠で、次第に外国からの援助資金の受取りを当然視する傾向が強くなっていったことに加えて、政府の力が相変わらず弱体である。そのために、外国のドナーは実行力が劣り、効率的でないバングラデシュ政府を次第に避けるようになり、代わりに現地NGOにより多くの資金を提供するようになった。こういったバングラデシュのNGOの活躍は肯定的に評価されるべきであるかもしれないが、一方でNGOは誰に対してどのように説明責任を負い、かつその承認がなされるのかという疑問や、政府が弱体であることを正当化しないか、といった指摘もなされている。

一方、大国インドは、反英民族運動のなかから独立を勝ち取った歴史を反映し、欧米への対抗意識が強いだけでなく、政府は強大で、一九四七年の独立以来最近まで政府が国民の厚生や福祉を実現する責務を担おうとしてきた。そのために、NGOが活動する余地はそれほど大きくなかった。それでもインドのNGOリーダーたちは民衆の自主的な活動は、政府が存在していたか否かに関わらず歴史的に存在していたと考える。そのため政府の存在を前提にそれを否定する形で初めて成立するという意味を有し、しかも西欧から入ってきた非政府組織（NGO）という概念あるいは呼称を、好まなかった。これに端的に示されているように、インドには民衆運動や自主的な組織活動の伝統が存在しており、それが今日のNGOの数に表れているとも言える。

この違いがNGOに与える対照的な影響をもう一つ挙げるなら、外国からの資金を受取ることに対する両国のNGOの態度であろう。バングラデシュのNGOは、外国資金を受取ることにためらいがほとんどないし、受取ることによって「金回りが良い」という嫉妬を周囲に生むことはあっても、政治的な反NGOキャンペーンの標的にされる心配もない。これに対してインドのNGOの多くは、外国資金を受取ることが、国民のNGOに対する感情を逆なですることを常に意識しており、外国資金を受取らないポリシーを保持しているものも少なくない。

(3)　相違点——多様な南アジアのNGO事情

南アジア各国のNGO事情の違いは、**表2-2**に示したとおりだが、各国の開発援助およびNGOをめぐる状況についての印象を一口で表現してみたのが、**表2-3**である。

かねてから筆者は、バングラデシュがドナーの一方的な意向を実現するための「援助の実験場」になっていると指摘してきた。ところがネパールは、**表2-3**に記したように、トレッキングで来た外国人観光客などが提供する無数の小額資金援助の投げ捨て場になっており、バングラデシュよりいっそう始末におえない状態である。なぜなら、「実験」ならば何らかの仮説があり、かつその検証が可

表 2-3　南アジア5カ国の開発援助およびNGOをめぐる状況の一口表現

国　名	援助及びNGO事情の一口表現	説　明
ネパール	援助の投げ捨て場	多くの観光客や外国人グループが，自分の良心を満足させる小規模援助を無秩序に提供．その受け皿として，アマチュアあるいは怪しげな現地NGOが跋扈
バングラデシュ	援助の実験場	弱い政府を尻目に，外国ドナーやNGOが自由に試みを展開．成果も無駄も多い
インド	NGO先進国	NGOに資金提供する政府とNGOの関係，およびNGOと社会運動の関係を学ぶべき先進国
パキスタン	NGO途上国	市民社会の領域が狭く，NGOは限定的，NGOの形態をとった社会運動，女性運動が存在
スリランカ	社会開発の元優等生	NGOも活躍する社会開発のモデルだったが，長引く内戦のために，難民救援や民族和解のためのシンクタンク的NGOが増加

筆者作成.

能で、そのことによって成功や失敗が明らかになり、経験を重ねることが可能だが、「援助の投げ捨て」は、仮説や検証を必要とせず、受取った相手の腐敗を招くことがより多いからだ。ネパールに対するこのようなお手軽な援助は、ドナー側がもっと自覚を高めて自制する必要があると思われる。

これら二カ国とは対照的にインドは、外国資金に対する政府の規制やNGOの自己規制が働いており、政府資金に依存するNGOの数も多い。インドでは、伝統のある社会運動や住民運動の側から、NGOが民衆を代表しないどころか、職確保のための開発ビジネスになっている、政府の代行機関となっているという批判もなされているからだ。さらに、NGOの認可や外国資金受け取り認可、補助金の認可の過程、そしてプロジェクト現場での官僚やNGOスタッフによる不正腐敗も、問題であると指摘されることが多い。こういった意味で、インドの政府とNGOの関係、および社会運動とNGOの関係は、南アジアだけでなく日本のＮＧＯ関係者にとっても、将来を映し出す鏡として興味深いものである。

パキスタンは、政府が強権的であることに加えて、封建地主階層の影響力が大きいこと、また最近はアフガニスタンを支配するタリバーンの影響でイスラム原理主義が勢力を伸ばしていることによって、市民社会が活動できる領域が大変に狭いだけでなく、今後も予断を許さない状況である。このためＮＧＯは、エンパワーメントや女性の社会参加といった活動をオープンに行うことはできず、社会福祉あるいは基礎教育などの分野に役割が限定されており、ＮＧＯ全体としては途上であると表現せざるをえない。もっともそういったＮＧＯの形態をとった社会運動、女性運動も規模は小さいながら存在しており、希望がもてないわけではない。

スリランカは、経済成長よりも社会開発を優先した社会開発のモデルであり、識字率や五歳児未満死亡率などは、南アジアのどの国よりも数段上のレベルである。ところが一九八〇年代から民族紛争が何度か激化し、かつ今日まで長引くことで、難民救援や難民の再定住といった問題に関わるＮＧＯが増えている。また民族和解、分権化のための調査研究や提言を行うシンクタンク的ＮＧＯの活動も活発である。

第三節　人間の安全保障のためのＮＧＯに関わる提言

1　ＮＧＯの本来の役割──福祉から平等・正義へ

以上の点からいえることは、政府開発援助（ＯＤＡ）であろうがＮＧＯであろうが、外部からの援助は毒にも薬にもなるということである。これまで述べてきたように、ネパールでアマチュアの援助者がアマチュアの現地ＮＧＯを生み、無駄や不正を招いていること、バングラデシュでＮＧＯが大規模な活動を行い政府の強化が遅れていること、インドではＮＧＯの体制内化や不正腐敗が懸念されること、といった問題が指摘されよう。もっとも何が誰にとってどのように毒であり薬であるか、という問いに対する回答を明確にしておかないと、この指摘は不十分になる。

本章の第一節で問われたＮＧＯの積極的な意義や目標を、ここで改めて考えることにしたい。ＮＧＯは、これまで政府が担ってきた厚生や福祉、あるいは平等や正義といった役割のうち、主に前半の厚生や福祉を主要な活動分野としてきた。しかしＮＧＯの本体的な意義は、後半の平等や正義の実現にこそある。経済のグローバル化が進展するなかで、平等や正義は市場によって最も実現されにくいものであるばかりでなく、必ずしも必要とされないからだ。

開発系ＮＧＯに、この問いを当てはめて考えてみよう。ＮＧＯとは、世界が追い求める開発のプロセスで生じる矛盾を発見する者（watch dog）、それを関係者のみならず広く世論に訴える代弁者、必要とされる支援のいち早い提供者、そういった活動を通じて現在の「開発」を改善する、あるいは現在の「開発」に代わる試みやパラダイムを提案する者であるべきだ。

具体例を少し述べてみよう。発見者という役割でＮＧＯが最も重要な役割を演じたのは、粉ミルクが貧しい国々では、しばしば乳幼児の死亡率を高めることを指摘したことであろう。識字率が低いところでは、粉ミルクをつくるうえでの注意書きが読めないし、現地語でない場合も少なくない。また煮沸消毒するためにお湯を沸かすことが容易でない、清潔な水がないといった理由で、誤った濃度の清潔でない粉ミルクが与えられることで、乳児に下痢などを引き起こし、体力を弱めるからだ。北で過剰生産された粉ミルクを押し付けるのでなく、南で母親が母乳をしっかり出せて、それを子供に与えられる環境をつくることが、基本的な対策だ。

発見された問題が当事者によって十分アピールされない場合、ＮＧＯは代弁者の責務を負う。インドの少数民族のある村人は、人生において三度、ダムや道路の建設といった開発プロジェクトのために住居移転を強いられたが、一度とて補償どころか代替地さえ与えられていない［Sainath, 1996：95］。国境を越えてきた難民は、収容された難民キャンプで受入国の役人や軍人によってしばしば暴行や人権侵害を受ける。こういった問題を指摘し告発できるのが、ＮＧＯなのである。

そしてそういった被害を受けている人々、あるいは政治や経済の都合で公的な支援を十分受けていない人々に対して、適切な支援を提供することも、ＮＧＯの重要な役割である。たとえば東チモールやコソボ地域では、それまでの政府支配がなくなった後、国際機関が介入するまでの間は、ＮＧＯだけが支援を提供できる組織となる。日本と正式な国交関係のない北朝鮮での活動も、その一例だ。

ＮＧＯは、報道や私立学校のようなものでもある。報道は、情報を正確に提供することと同時に、権力を監視してその不正を発見し、広く伝えるという役割がある。それゆえ、第四の権力と呼ばれるのだ。ＮＧＯも、開発に関してそのような役割を果たすべきなのだ。また私立学校は、公立学校ではできないような新たな教育を行えることが、その存在価値である。つまり現行の教育のあり方を改善したり、オルタナティブな教育を実践、体系化していく、という役割を担っているといえよう。ＮＧＯも、「開発」について、同じ役割を果たすことが求められている。

2　ＮＧＯとそれを取り巻くセクターへの提言

最初にも述べたように、ＮＧＯでもグローバル化が進行している。南でも北でもＮＧＯは、開発や開発援助について、ある程度共通した理解や姿勢をもつようになってきている。そしてプロジェクトを実施したり政府の政策を変えようとする南のＮＧＯと、それをパートナーとして資金等で支援し、かつ世界的な経済秩序、北の過剰消費や過剰開発、そして開発援助のあり方を変えようとする北のＮＧＯ、という役割分担が、より明確に認識されるようになっている。しかし日本のＮＧＯの多くは、日本人が現場でボランティアとして働くことを活動の核心として、それを国内でアピールしている。日本のＮＧＯのグローバル化が、この意味では急がれている。

日本の民間企業や政府は、ＮＧＯが財やサービスの安価な提供を行う組織という認識を、根本から改める必要がある。ＮＧＯは自分たちのセクターとは異なったユニークな役割を果たすものとして、その機能が十分かつ継続的に果たせるような環境を整えるような支援をするべきだ。日本でも南アジアでも、政府はＮＧＯのプロジェクトに資金提供をする場合が多いが、本来ならＮＧＯの組織強化のための環境を整えることの方が、より重要だ。

最近、政府と財界が緊急救援を行うＮＧＯを支援するジャパン・プラットフォーム（以下ＪＰＦ）を形成した。これまでのところＪＰＦに加入しているＮＧＯにのみ、緊急援助のための資金が提供されることになっている。この形だと、一部のＮＧＯを偏重あるいは囲い込みをすることになり、日本のＮＧＯ全体の育成につながりにくい。ＪＰＦが受け皿となって、ＪＰＦへの加盟の有無を問わず、一定の要件を満たしたＮＧＯの緊急救援活動に資金を提供する方向に、その機能を変更してはどうだろうか。また、外務省は緊急援助のジャパン・プラットフォームとは別に、保健、農業／農村、教育の三分野でもＮＧＯの集まりをつくり、ＮＧＯの能力向上を目指すという方向性を示している。これらもＪＰＦと同じ問題が生じる可能性があるし、また分野ごとに分かれることは、多分野に関わることの多いＮＧＯにとって負担が増えることになる。こういった点は、もっと考慮されるべきであろう。

最後に、日本の外務省への提言を行いたい。日本の在外公館の多くには、政治担当者および経済あるいは経済協力担当者が配置されている。外交や通商は、国際関係の基礎であるという意味で、これらの担当者の存在理由は理解できる。しかし一九九五年の社会開発サミット以来、南北関係においては社会開発やそのための協力が重要視されている。そのためには、相手の国の社会や社会開発、そして市民社会やＮＧＯの状況を把握することが必須であるはずだ。これまでは日本の在外公館で現地のＮＧＯ事情を尋ねても、満足のいく回答を得られることはほとんどなかった。外務省は早急に、在外公館に社会あるいは社会開発担当者を配置すべきではなかろうか。

（注記）　この論文の基礎となっている南アジア各国のＮＧＯ事情は、国際交流基金ニューデリー事務所が筆者に委託して一九九八年から二〇〇〇年にかけて実施した「市民団体調査」によるところが大きい。

【参考文献】


国連開発計画『人間開発報告書二〇〇〇』国際協力出版会、二〇〇〇年。

西川潤編著『社会開発』有斐閣、一九九七年。

大橋正明「NGO大国インド、その活動、歴史、ネットワーク」斎藤千宏編著『NGO大国インド』明石書店、一九九七年。

ユニセフ『世界子供白書二〇〇一』ユニセフ、二〇〇〇年。

Sainath, P., *Everybody Loves a Good Drought*, New Delhi: Penguin Books, 1996.

第三章　グローバル化時代と国際人権法の歴史的役割

――先住民族・民族的少数者の「人間の安全保障」

上村　英明

第一節　はじめに――「人間の安全保障」の実現と国際基準の設定・国際監視の役割

ナチス・ドイツの人権侵害に対する教訓をどう生かせるかという大きな課題[1]のもとに、第二次世界大戦後の国際秩序づくりが始まり、「平和」を実現する重要なメカニズムとして国連の人権機構の形成が模索されるようになった。約五〇年前に始められたこの過程を検討すれば、今日問題となっている最も弱い立場にある人々の「人間の安全保障」という概念の取り扱いの原則に関して、以下のような示唆を得ることができるだろう。

まず、最も弱い立場に立たされている人々の生命、生活や権利を守るためには、現在の国民国家体制のなかにあって、一定の「国際監視システム」が不可欠であるということだ。ワイマール憲法下のドイツが証明したように、民主的な憲法や国内政治制度、高い教育水準の市民、科学技術の発達のいずれもが、数百万人にのぼるといわれるユダヤ人の大量虐殺を阻止することができなかった事実を忘れることはできない。つまり、程度の差はあれ、いかなる人類社会も、国民国家体制のもとでさえ、現在までのところ、特定の集団やこれに属する個人への抑圧や搾取、人権侵害から自由ではなく、しかも、国家内部でこれを自己改善する能力は依然として十分とはいえない。

次に、「国際監視システム」が有効に機能するためには、明確な「国際規準」が必要であり、それに基づいて「国際監視システム」がより公平に矛盾なく働くよう努力することが重要である。第一次世界大戦の教訓のもとに成立した「国際連盟」が、人類最初の平和実現のため「国際監視システム」として成立したにもかかわらず、この機能が大国の利害に大きく左右されたことから、監視システムの矛盾や不公平さへの不信感が、その失敗の大きな要因になったことは明らかである。

国連の人権機構の形成過程においては、こうした点を考慮しつつ、次のような努力が払われてきた。まず、常設で専門的な「国際監視システム」としては、「国際連盟」時代と大きく異なり、国連憲章という国際規準に明文化した形での人権機構の設置、そして同じく明文化されたＮＧＯの参加システムの確立がある。具体的にいえば、前者は国連憲章第六八条に基づいた一九四六年の「国連人権委員会」、およびその下部機関としての四七年の「差別防止・少数者保護小委員会（人権小委員会）」の設置であった。また、後者は国連憲章第七一条に基づいた四六年の「ＮＧＯ協議資格制度」［馬橋：27–31］の制定であった。他方、「国際規準」の設定作業そのものは、四八年に「すべての人民とすべての国家が達成すべき共通の規準」としての「世界人権宣言」の採択を皮切りに、国際人権法を構成するさまざまな人権宣言や人権条約が精力的に制定され、六〇年代に入ると実施措置としての監視委員会の設置など弛まぬ改善が加えられてきた。

ここで確認しておかなければならない重要なことは、今日の「グローバル化」と対比した時、次の三点にまとめられる。まず、人権保障は、この一九四〇年代後半の時点で既に明確な「グローバル化」、当時の言葉でいえば「普遍化」を前提に構築されたものであることだ。そして、こうした人権保障の「グローバル化」を積極的に推し進めたのは、当時の時代的制約があったとはいえ、中小国政府やＮＧＯであったことが二点目である。たとえば、国連憲章案の起草を行った四四年のダンバートン・オークス会議や、四五年に国連憲章を採択したサンフランシスコ会議で、人権保障を含めて国連の社会的、経済的分野での活動を強調したのは、一二〇〇団体を超す米国のＮＧＯであった。米国政府は、国際連盟時の孤立主義の再来を恐れて、国連加盟に関してはＮＧＯを利用した国内キャンペーンを行ったが、その見返りが国連憲章起草へのＮＧＯの参加となった。また、サンフランシスコ会議では、ナチズムに対する勝利は「人類の権利および正義を保持するために欠くことができない」と謳った一九四二年の「連合国共同宣言」に署名したラテンアメリカ諸国、そしてアジア・アフリカの原加盟国となったエジプトやインド政府から人権保障への関心が強く支持され［Lauren：212–214］(2)、さらにナチズムに対し国内のさまざまな団体が連合して抵抗したノルウェー政府からもＮＧＯの参加を認めた人権政策の強化が繰り返し主張された。

そして、最後に確認したい点は、こうした人権保障の「グローバル化」に当時から現在まで強い警戒と難色をみせているのが、米国、フランス、英国など、「市民社会」と「民主主義」の先駆者と実践者を標榜する西欧型政府であったことだ（もちろん、ソ連や中国も別の視点から人権の普遍化には大きな抵抗を試みてきたが、「市民社会」と「民主主義」を標榜する政府が抵抗してきたことの本質を分析することが本章の目的である)。また、一九五六年に、日本政府が国連に加盟を認められて以来示してきた態度の多くも、人権という分野に限れば、こうした西側大国と同じ路線を歩み続けてきた。

本章では、「市民社会」・「民主主義」と、一九九〇年代後半から米国政府の主導で進められてきた「グローバル化」の関係について考察する。これらの社会的価値を標榜してきた西欧型政府が人権保障の「グローバル化」に頑強な抵抗を示してきた歴史を分析することによって、その本質的な理解のヒントとなるはずである。その意味で、国際人権法の「グローバル化」の歴史を概観しつつ、特に、一九世紀の近代国家成立以来、強力な同化政策をとり続け、「同質社会」を強調してきた日本政府によって、最も弱い立場に置かれてきた集団のひとつである少数・先住民族の権利が、その人権の「グローバル化」のなかでどのように取り扱われてきたかを考察する。それによって、一九九〇年代後半、「グローバル化」が国民国家の枠組みを解体するという一般的言説が、いかに有害かつ楽観的なものであるかを含めて、「人間の安全保障」と「グローバル化」の関係を明らかにしてみたい。

第二節　国際人権法・国連人権機構のグローバル化——戦後国際社会の主要課題

1　「世界人権宣言」の「普遍性」・「不可分性」の意味

一九四八年の「世界人権宣言」の採択に始まった、第二次世界大戦後の国連憲章下での国際人権法の発展は、人類の歴史上特筆されるべきものであった。それは、それまでの時代に築かれてきた西欧中心の「人権」思想の発展と大きく異なる「普遍化」の現象が現れたことだ。この点は、この意味に無感覚で無関心な西欧の研究者に対して、非西欧の研究者から強調されてよい。

従来の西欧に起源をもつ人権思想が、「人間」という抽象的で非歴史的な概念を使って「普遍性(universality)」らしきものを宣伝してきたにもかかわらず、そのシンボルともいえる「米国独立宣言」も「フランスの男性と男性市民に関する宣言（一般にいうフランス人権宣言）」も、特定の民族、社会階層、性別、文化、所得水準に属する一握りの人々が作成したという意味で「普遍的な視点」をもっていなかった事実を確認すべきだろう。さらに、こうした人々がこれらの人権規準を「国民国家」内部だけに通用する社会規範として利用したため、たとえば植民地や属領とよばれた地域に対する「普遍的な適用メカニズム」を欠いていたこと、つまり、その二重基準の存在も決定的な事実である。より具体的にいえば、「米国独立宣言」は、先住民族やアフリカからの奴隷の人権を考慮しようとさえしなかった。また、「フランス人権宣言(3)」も女性の権利や労働者の権利に真っ向から否定的であったことを忘れてはならない。その点、これら西欧の人権思想が、「植民地主義」や「帝国主義」、あるいは、「性差別」、「階級抑圧」や「被植民地人民の搾取」と矛盾なく共存が可能であり、むしろこうした人権侵害を放置してきたことは、その歴史そのものが証明している。

しかし、ナチズムを人類の正義に対する挑戦と位置づけ、「すべての人民の経済的および社会的発達」の促進をその目的と規定して成立した国連は、国際人権法の制定にあたり、大きな限界とぶつかりながらも、「普遍的な視点」と「普遍的な適用メカニズム」の実現という二つの問題を克服する方向へゆっくりと歩みだした。

例えば、一九四六年に設置された国連人権委員会によって四七年六月に始まった「世界人権宣言」

の起草作業は、人権委員会の議長であった米国代表のエレノア・ルーズベルト（Eleanor Roosevelt）を中心に進められたが［Magill: 789–794］、各国政府は、その委員として次のような人材をそこに送りこんだ。フランスは、国際連盟でフランス代表を務め、後にヨーロッパ人権裁判所の首席判事を務めたルネ・カッサン（Rene Cassin）、中国は、儒教思想に造詣の深い外交官であったチャン（Chan Peng-chun）、レバノンは、トーマス・アクィナスを専門とする哲学の教授であったチャールス・マレク（Charles Malik）を指名した。さらに、フィリピンは大戦中の抗日義勇軍の将軍であると同時にピューリツァ賞を受賞したジャーナリストでもあったカルロス・ロムロ（Carlos Romulo）、パナマはかつて外務大臣を務め常設仲裁裁判所の判事を歴任したリカルド・アルファロ（Ricardo Alfaro）、イランは、文化大臣を務め国会議員であったガッセメ・ガーニ（Ghasseme Ghani）、そしてソ連は経験豊かな外交官でレーニン勲章の受賞者でもあったアレクサンダー・ボガモロフ（Alexander Bogamolov）をこの委員会に送り込んだ［Lauren: 200］。

それは、少なくとも、人権規準の歴史を考えれば、異なる民族、性別、文化、宗教、政治・経済体制など、異なる背景をもった人々が「普遍的な」人権規準の作成に参加したことの意義は小さくない。たとえばこの起草委員会の段階だけでも、米国とソ連の委員は、財産権、思想・良心・宗教の自由、意見・表現の自由で考え方の違いを明らかにした。また、儒教国の委員からは儒教思想からの指摘が、カトリックの委員からはトマス・アクィナスの思想に沿った論争が、起草段階で激しく闘わされた。

さらに、起草された宣言を審議・採択した第三回国連総会（パリ）には、五六カ国の政府代表が出席した。そこでも、サウジアラビアやエジプト政府からは女性の権利など人権の内容が西欧のそれに偏重していて、イスラム教の立場からは多くの疑問があること、ソ連および東欧圏諸国政府からは少数者の権利規定がなく、社会権がより具体的に規定されるべきであることなどが指摘された。そこには、多くの政治的意味が含まれていたとしても、行われた議論の今日的意義は自由権と社会権その他の「不可分性（indivisibility）」に関する最も初期タイプの論争［上村二〇〇一：31-33］であったとみなすことができるだろう。結局、ソ連、サウジアラビア、ポーランドなど八カ国政府が棄権に回ったが、反対〇で宣言が「すべての人民とすべての国とが達成すべき共通の規準」として一九四八年一二月一〇日に採択された意義は過小評価されるべきではない。

人権は特定の国や政府を相手に政治的に語られるものであってはならず、すべての人に等しく保障されるという「普遍性」そして自由権、社会権、民族の自己決定権などのそれぞれの人権分野は密接に関連しているとする「不可分性」という課題は、人権のグローバル化にとって極めて重要な原則としての地位を占めようとしていた。しかし、そうした議論に最も強く、そして最も敏感に反発したのは、他ならぬ人権委員会の第一会期から議長国を続け、また、今日の「グローバル化」の牽引車でもある米国政府であった。この姿勢は、「普遍的な視点」の確保ばかりでなく、「普遍的な適用メカニズム」の実現という点においてもそうであった点が特筆に価する。その典型的な事例では、一九四七年の発足以来、人権委員会には世界各地から人権侵害に関する数多くの通報が寄せられたが、エレノア・ルーズベルトに主導された人権委員会は同年に決議を採択し、そのなかで「人権に関する苦情申立についてはいかなる行動をとる権限も有していない」という有名な自己否定原則を打ち出して、人権のグローバル化の阻止を図った［阿部：12］(4)。

この結果、国連人権機構が後の国際人権規約など規準設定としての「国際人権章典」の起草に力を注ぎ始めると、米国政府はさらにこれに水を差す政策をとった。アイゼンハワー政権は、一九五四年国連の人権規準設定活動からの撤退を宣言し、国連の人権活動を制約するために、その逆の名を冠した悪名高い「アクション・プラン」を国連に叩きつけた。これは、国連人権機関の活動をセミナーの開催などの「アドバイサリー・サービス」、研究、および定期報告の三つに限定しようというものであった。結果的には、社会主義諸国や発展途上国の反対に会って実現しなかった米国の提案には、その他、人権委員会の開催を毎年から隔年に縮小するものから、人権小委員会を廃止しようというものまで多岐に及んでいた(5)［阿部：13］。

たとえば、現在も国際人権の分野で大きな役割を演じている人権小委員会［上村二〇〇一：33-35］に対しては、一九五一年からその廃止を目論む動きがあった。前年五〇年に人権小委員会から提出された勧告に不満を示した人権委員会の態度を受けて、その年の経済社会理事会（ＥＣＯＳＯＣ）は、人権委員会の廃止を求めた決議四一四（XIII）を採択したことがある。しかし、国連総会は、「反差別の原則を適用、実施させることは最も重要なこと」として、経済社会理事会決議を覆し、人権小委員会の再開を求めたという歴史が存在したことも注目に値する［久保田：33-34］。

2　国連人権機構の進展と「人種・民族差別」への闘い

事実としていえば、第二次世界大戦後の人権は、抽象的で非歴史的な「個人」を対象にしたものから徐々に拡大を始めていた。例えば、人権小委員会の具体的名称に、「少数者」や「差別」が使われたこともその一例だろう。「少数者」や「差別」の問題は、「集団」を対象にした人権侵害と関わることが多く、こうした集団は歴史的な存在であったからである。そして、その流れのなか、一九六〇年代に入ると、民族の自己決定権のグローバル化によって、国連人権機構の勢力図は大きく塗り替えられるまでになった。発展途上国政府の加盟によって、この時期西欧諸国ははっきりと少数派の地位に転落し、国連の活動目的は、「非植民地化」と「人種差別」に明確な焦点が当てられるようになった。

そして、一九六〇年の「植民地独立付与宣言」を筆頭に、六三年の「人種差別撤廃宣言」、六五年の「人種差別撤廃条約」が次々と採択された。特に、人種差別撤廃条約は、総括して条約機関と呼ばれる国際監視機関をもつ最初の国際人権条約として、六九年には「人種差別撤廃委員会（CERD）」を発足させることに成功した［上村一九九九b］。また、条約上の権利を侵害された個人・集団がこの人種差別撤廃委員会に訴えを起こすことを認める「個人および集団の通報制度」に関する条項（第一四条）［阿部・今井：151］が規定され、それが十分に機能したかどうかはともかく、「普遍的な適用メカニズム」への道はこの時期大きな進展をとげた。

国連人権機構が、自己否定原則を捨てるには、こうしたアジア・アフリカ諸国の台頭とともに、その相関関係におけるヨーロッパ諸国の政策転換も見逃すことができない。人種差別という問題では、発展途上国の関心事はもっぱら南アフリカのアパルトヘイトに集中したが、同じ問題は欧州諸国でも大きな懸念の原因になった。この時期ヨーロッパではネオ・ナチの運動が台頭し、一九五九〜六〇年にかけて各地で鉤十字の落書きと暴動が発生した。六〇年の人権小委員会では、これに対してネオ・ナチを批判し、この動きに効果的な措置を求める決議が採択された。こうした具体的行動は、六二年の第一七会期国連総会が、人種差別撤廃宣言と条約の起草を決議した動きに直結した［金：56］。

そして、この時期を象徴する決定的な出来事は、次の二つであった。一つは、一九六七年経済社会理事会決議一二三五によって、四七年の自己否定原則がはっきりと否定されたことである。この決議は、人権委員会に対し、人権問題を公開で審議し、「人権の重大な違反に関する情報」に関しては「徹底的研究（thorough study）」を行う権限を承認した。、NGOの積極的な役割を認めた審議の実態からこの手続きは「公開審議手続き」あるいはその決議番号から「一二三五手続き」とも呼ばれている［上村一九九九：56］。さらに、「世界人権宣言」の条約版である、「国際人権規約」が自由権規約および社会権規約という二つの国際人権条約として、六六年に採択され、監視機関をもつ、国際人権基準の役割を大きく加速することになった［山崎：42‐47］。

第三節　「国際人権規約」と「人種差別撤廃条約」の国内化と日本政府の対応
――先住・少数民族の権利と民族差別

1　「国際人権主要六条約」と先進諸国の対応

一九六〇年代の国連人権機構の発展に伴い、国連が中心となって採択された国際人権条約は、現在まで二六条約を数えるが、このなかで最も重要と考えられてきたものに「国際人権主要六条約」[6]がある。これらの条約が重要視される理由は、それぞれの条約が広域な人権保障問題をカバーするとともに、前述したように条約に監視機関の設置が明記されていることである。[7]例えば、六条約とは、以下の国際人権条約をいい、それぞれに次のような監視機関が設けられている。

①国際人権規約・自由権規約（「市民的・政治的権利に関する国際規約」）／規約人権委員会、②国

表3-1　国際人権主要六条約関連条約と主要国の批准状況（1999年2月1日現在）

	米国	英国	仏国	独国	日本	中国	ノルウェー
①国際人権規約							
自由権規約	○	○	○	○	○	×	○
社会権規約	×	○	○	○	○	×	○
第1選択議定書（個人通報）	×	×	○	○	×	×	○
第2選択議定書（死刑廃止）	×	×	×	○	×	×	○
②人種差別撤廃条約	○	○	○	○	○	○	○
③女性差別撤廃条約	×	○	○	○	○	○	○
④子どもの権利条約	×	○	○	○	○	○	○
⑤拷問等禁止条約	○	○	○	○	(×)	○	○

注：日本政府は拷問等禁止条約を1999年7月に批准したので，表では×になっている．また，中国政府は社会権規約を2001年3月に批准した．

際人権規約・社会権規約（「経済的・社会的・文化的権利に関する国際規約」）／社会権規約委員会、③人種差別撤廃条約（「あらゆる形態の人種差別の撤廃に関する国際条約」）／人種差別撤廃委員会、④女性差別撤廃条約（女性に対するあらゆる形態の差別の撤廃に関する条約）／女性差別撤廃委員会、⑤子どもの権利条約／子どもの権利委員会、⑥拷問等禁止条約（拷問およびその他の残虐、非人道的もしくは品位を傷つける取り扱いまたは刑罰を禁止する条約）／拷問禁止委員会。（本章では、国際人権規約・自由権規約に「選択議定書」として付属している二つの条約、第一選択議定書（個人通報）と第二選択議定書（死刑廃止条約）を、以下独立の条約とみなすことにする。）

ここでは、以上の六条約を規準に、国際人権条約の「グローバル化」がどのように進められたかをやや客観的に概観し、また、それに対抗する流れがどのようなものであったかを見てみることにしたい。

まず、国際人権条約の批准状況（表3-1）をみるときに、極めて興味深いことは、「グローバル化」を前提として採択され、国連機関を通して広く「批准」という名の

表 3-2　国際人権主要六条約と主要国の批准年

	採択/発効	米国	英国	仏国	日本	中国	ノルウェー
①国際人権規約							
自由権規約	1966 1977	1992	1976	1981	1979	×	1976
社会権規約	1966 1977	×	1976	1981	1979	×	1976
②人種差別撤廃条約	1965 1969	1994	1969	1971	1995	1982	1970
③女性差別撤廃条約	1979 1981	×	1986	1984	1985	1981	1981
④子どもの権利条約	1989 1990	×	1992	1990	1994	1992	1991
⑤拷問等禁止条約	1984 1987	1994	1987	1987	1999	1988	1987

注：国連人権高等弁務官事務所のHPから作成：http://www.unhchr.ch/tbs/doc.nsf, December 20, 2000.アンダーラインは各条約の発効以前の批准を示している.

「国内化」が要請された国際人権法が、むしろ「民主主義」と「市民社会」を標榜する諸国の政府によって拒絶されてきた現実である。そして、その典型は、米国政府の対応にみることができる。

一九九九年現在、米国政府は、ここに掲げた六条約のうち、わずか三条約を批准しているにすぎないが、こうした国際人権法の「国内化」の遅れが偶然でないことは、以下の批准年に関する（表3―2）でも明らかだろう。

つまり、批准した国際人権条約であっても、一九九〇年代に批准を始めた米国政府を顕著な例として、こうした「先進諸国」の政府（英国政府はやや例外といえる）の批准のほとんどは、条約が一定の批准国を得て「発効」した後であり、これらの政府が、国際人権法の「グローバル化」に積極的に貢献したと判断することは不可能に近い。それは、オーストラリア政府、ノルウェー政府、デンマーク政府などの行動と比較すればより明らかになる。

さらに、こうした傾向は、批准した条約に対する留保条項の数にも見てとることができる。たとえば、米国政府は、批准までに多大な時間を浪費した三条約に関しても、以下のような少なからぬ留保条項を付して批准したことは注目に値する（表3―3）。こ

表3-3　米国が批准した「国際人権主要六条約」の留保条項

①国際人権規約・自由権規約	全53条中9条項：5条，6条，7条，10条，15条，19条，20条，27条，47条
②人種差別撤廃条約	全25条中6条項：2条，3条，4条，5条，7条，22条
③拷問等禁止条約	全33条中9条項：1条，3条，10条，11条，12条，13条，14条，16条，30条

の**表3-3**で明らかなことは、米国政府の国際人権条約の批准は、たとえ「批准」という名の「国内化」が名目上約束されたとしても、その留保条項の数と内容からみれば、重要な条項を骨抜きにした「みせかけの批准」とみなせなくもない（そして、もうひとつ興味深い点は、人権政策をめぐって敵対的と思われがちな米国政府と中国政府が、国際人権法の「グローバル化」に関してはむしろ同じパターンの対応をしているということである）。

ではなぜ、米国やフランスのような「民主主義」と「市民社会」の長い歴史をもつといわれている国の政府が、こうもこの国際人権法の「グローバル化」に抵抗するのだろうか。

その答えのひとつは、国内政策が国際監視にさらされることに対する「屈辱感」である。こうした判断においては、「市民社会」や「民主主義」の誇りと同居するこれらの国の「大国意識」が、むしろ優先するとしか思えない。例えば、一九九八年七月にローマにおいて、「虐殺の世紀」とも揶揄される二〇世紀の課題のひとつを解決するために、「国際刑事裁判所規程（ローマ条約）」が採択された。表決の結果は、賛成一二一、反対七、棄権二一であったが、そのなかで強固な反対論を展開したのが、米国と中国政府であったことは記憶に新しい［上村一九九八：73–74］。少なくとも、「国際人権主要六条約」を批准することは、国内政策が政府の定期報告書の提出と監視機関によるその審査という形で、国際監視にさらされることを意味している。たとえば、国際人権条約の監視機関による履行状況の監視が六九年に人種差別撤廃委員会で開始されて以来、今日までこの六つの監視機関に提出された各国政府の定期報告書の数は表3-4のとおりである。

報告書の数が示すものは、実は、その数だけ各国の国内政策が国際規準という「普遍的な視点」によって、条約監視機関という「普遍的に適用されるメカニズム」にさらされたことを意味している。

表 3-4　国際人権条約の監視機関に提出された各国政府の定期報告書の数
（2000年12月末）

米国（3），フランス（22），英国（38），中国（16），日本（15），スウェーデン（36），ノルウェー（34），フィンランド（33），オーストラリア（29），カナダ（27）

2　日本政府の条約解釈と批准拒否の論理

日本政府の国際人権条約批准に関する対応やその後の解釈権の行使は、実は米国政府のそれとよく似ている。「国際人権主要六条約」でいえば、六条約のうち、一九九〇年代に入って批准した条約が全体の半分の三条約に及び、子どもの権利条約、人種差別撤廃条約、拷問等禁止条約の批准は表3-2に見られるように、いずれも九〇年代の半ば以降である。日本が、国連加盟という形で国際社会に復帰したのが五六年であり、表面上は、六四年の東京オリンピック、七〇年の大阪万国博覧会の開催といったイベントで、「国際化」は急激に進行したかのようにみえた。

しかし、国際人権法の視点からいえば、一九八二年の「難民の地位に関する条約（難民条約）」の批准が、本章が取り上げる「グローバル化」という点で、日本での転換点にあたったといって過言ではない。条約批准の結果のひとつとして、その第二三条が難民にも自国民と同一の社会保障を規定したことで、日本政府は、八六年の国民年金法の改定に追い込まれ、「少数者」である在日コリアンにも不十分とはいえ国民年金への加入を認めるようになった［Iwasawa: 169–174］。つまり、これは国際人権法の批准によって、具体的に国内諸立法が改正された初めてのケースであったが、別の視点からいえば、国際人権法のグローバル化によって、それまで日本社会の中で厳しい生活を強いられ、その「人間の安全保障」を奪われてきた在日外国人の権利がわずかとはいえ前進した画期的な事例となった。

そして、こうした国際人権規準のグローバル化、いわゆる「国内化」を阻止してきた日本政府の論理には、「グローバル化」そのものを考える教訓が潜んでいる。

たとえば、一九六五年に採択された「人種差別撤廃条約」を日本政府は、九五年まで三〇年以上に渡ってその批准を拒み続けてきたが、その最大のポイントは、第四条にあった［友永：45–46］。この第四条は、人種や民族、門地（descent）などに関する差別を法的に犯罪とし、これを法律によって禁止することを明記している。これに対し、日本政府から一般に持ち出された反論は、次の三点であった。まず、差別を禁止することは、もうひとつの基本的人権である表現の自由などの権利を奪う可能性がある。次に、過去日本は軍国主義のもとに、言論・表現・出版の自由を法律によって規制してきた歴史があり、この観点からも、こうした差別禁止法の制定は望ましくない。そして、最後に、日本の社会的風土において、差別撤廃はひとりひとりの国民の心の問題であり、啓発の対象ではあっても、法的措置になじまない、というものであった。

いずれも、十分に反論が可能であることはいうまでもない。たとえば、英国は一九六五年に差別を禁止する条項を含む「人種関係法（Race Relations Act）」を制定したが、これによって英国の表現の自由は危機にさらされてきたのだろうか。また、日本固有の歴史や文化をもちだして、差別禁止は法的措置になじまないとする議論は、むしろ明らかに権力による多数派の価値の政治的手段による維持と固定化に他ならないのではないか、といったものである。そして、むしろその後者が当たらずとも遠からずだったことは、九五年の日本政府による「人種差別撤廃条約」の批准が、あっさりと第四条を留保宣言することで実現したことが、示している。

つまり、第四条の条件付留保宣言で済むのであれば、条約の批准は一九七〇年代でも八〇年代でもいくらでも可能なはずであった。むしろ、日本政府が批准を渋ってきた本当の理由は、第四条以外にあったともいえる。日本社会という人種差別や民族差別などに無関心な社会が、この条約の批准によってその関心を高めることを恐れていたとしか考えられない。つまり、難民条約の批准まで、日本政府は、国籍をもたない外国人は治安管理の対象として権利問題を棚上げにし、また、国籍を取得した外国人およびアイヌ民族や琉球・沖縄民族のような国家形成時の併合によって国籍を一方的に取得させられた先住民族には、同化政策を強制することで、こうした人々の権利とその「人間の安全保障」を奪う政策を採用してきた。こうした政策にとって、人種差別撤廃条約のような国際人権条約の批准そして、それに伴う国内法と社会制度の改正は「国益」に反するとみなされてきたからである。

国際人権規準のグローバル化を阻止する同じような行動が、国際人権条約の批准後には、解釈権の乱用という形で執拗に行われた。例えば、一九七九年に「国際人権規約・自由権規約」を批准した日本政府は、第二七条の「少数者の保護」に関して、日本には、民族的・宗教的・言語的にいかなる少数者も存在しないと言い続けてきた。そこで組み立てられた論理は、批准した条約もその条文の解釈権は主権国家にあるということを根拠に、「少数者」とは、歴史的、社会的、文化的、政治的、制度的などあらゆる側面において、多数派とは異なる集団を指すとする独自な解釈を組み立てた［上村一九八七：239‐240］。

そして、一九八〇年代には、その観点からすれば、日本にはいかなる「少数者」も存在せず、具体的には、同じ時期八四年から「北海道旧土人保護法」の廃止とアイヌ新法の制定運動を始めたアイヌ民族に対し、そういう集団はそもそも存在しないと言ってのけた。また、例えそうした集団が存在するとしても、民族としての認定が、本当の意味でこうした人々の幸せにつながるかどうか疑問であるという、「日本的解釈」を展開して、明治維新以来の同化政策の正統性に疑問を挟もうとすらしなかった。「人種差別撤廃条約」の批准と同じように、こうした解釈権の乱用がいかに政治的であったかは、八〇年代にアイヌ民族自身が国連で展開した人権運動と、九三年の「国際先住民年」に代表される国際社会の圧力の前に、同年には、アイヌ民族を「少数民族」とみなすことができるとした解釈の大転換に表れている［上村一九九九ａ：86‐88］。

こうした例にみられる重要な特徴は何かといえば、国際規準のグローバル化の阻止を展開する時、日本政府を例にとれば、その論理はあたかも国家の本来の歴史や文化に根ざしたものであり、国際規準を受け入れれば、「国民的価値」そのものが崩壊するかのような主張が行われたことである。より明確に述べれば、日本には固有の民族文化とその歴史があり、これを守るためにこそ「国益」の概念が存在するという時代錯誤的、あるいは、何ら事実としての根拠をもたない言説がその正体であった。

もう一例紹介すれば、国連の人権機関で、国籍をもたないことを理由に日本の戦後補償関連法の援護から排除される旧日本軍軍人・軍属に懸念が寄せられたとき、日本政府が展開した理論のひとつは、日本社会においては公務員と国は特別な関係を有しており、こうした戦後補償関連法の援護は、その固有の特別な関係に立脚した制度であると反論したこともある［岡本：104–107］。しかし、日本政府が主張する公務員と国との「特別な関係」は、せいぜい明治維新後に権力維持のために精緻化された政治的制度にすぎず、少なくとも「日本国民」全体によって守るべき固有の価値と認められているものではない。つまり、こうした固有の歴史や文化の価値が政府によって語られる場合、極めて注意を喚起すべきことは、こうした歴史や文化が真実であると同時に実態であり、市民の生活や価値に根をおろしたものであるかどうか、あるいは逆に、不当なナショナリズムの強化のために国家によって意図的に刷り込まれた価値であるかどうかを検証する必要がある［Uemura：74–81］。

第四節　人権の伸張と文化的価値の相関関係――「アジア固有の人権」とグローバル化

一九九三年にオーストリアのウィーンで開催された「世界人権会議」とその準備過程をひとつの転換点として、例えば、マレーシア政府や中国政府のように、これまでの人権概念は西欧社会の思想に依拠したものであって、けっして普遍的なものではなく、アジアには多様な文化に基づくアジア固有の人権が存在するという主張が強力になされるようになった［プランティリア：10–12］。

もちろん、この「アジア固有の人権」論には、大きな問題点が含まれていることは事実だが、これについて考えるにはひとつの工夫が必要とされる。それは、最初にどの枠内でこれについて検証するかを整理しておかなければ、人権の普遍性とアジアの文化的多様性という抽象的言葉の前に、思考そのものが宙に消えてしまう危険性が存在することだ。その思考上の枠組みとしては、次の二つが重要である。まず、これを展開するアジアの政府の人権論は、歴史的な意味でアジアの価値に本当に根ざしているのか、また、西欧と異なる形だとしても、その文化に固有な形で人々の生活あるいは具体的な「人間の安全保障」を守っているのかという点を吟味することである。さらに、もう一つ、そして、これまで見逃されがちだったことだが、逆に、西欧型の政府こそが、自ら主張してきた人権の普遍性をさまざまな市民の安全と生活に関して守ってきたかという点の検証作業であり、これが本章の論点と大きく重なる部分に他ならない。

後者に関しては、前述までの展開で取り上げてきたつもりだが、西欧型の政府、特に国際社会に大きな権力をもった大国政府が人権を普遍的と考えてこなかった事実に注目すべきだろう。確認するまでもないが、米国政府は、人権を保障していないと批判している中国政府と同じように、自らの政府に都合の悪い国際人権規準を無視し続けてきた。また、日本政府は、かってな歴史や文化的価値に基づく「日本固有の人権」論を展開して、マレーシア政府と同じように、国際人権規準のグローバル化に長年抵抗し続けてきた。

そして、この検証プロセスで得られた教訓に基づいて、アジア政府の固有の人権論を見直すことが、議論のより正確な把握につながるだろう。例えば、アジアでは、個人は家族や氏族、地域共同体、民族の一員であり、個人の権利よりも集団の権利がより重要であると主張される。しかし、こう主張する中国政府は、こうした集団の権利は最終的には国家にのみ帰属するとして、先住民族の（集団の）権利をいっさい認めず、また少数者の権利も十分に保障していない。矛盾でしかない。つまり、「アジア固有の人権」論のなかでも、政府あるいは単純にその政権の政治的利害を反映した議論が、あたかもその社会の本質的価値であるかのように語られているということは明らかである。

その政治的利害を次のようにまとめる議論も存在する。つまり、「アジア固有の人権」論の多くは、ある特定の人々に人権を与えないことを正当化するため、具体的には女性や先住民族、子供といった従来政治的意思決定から疎外されてきた集団が新しい権利主張をすることを否定するため［Jawad 97–99］、あるいは同化主義によって得られる多数者の利益を擁護するため、裏を返せば、政策や制度上の不利益を一部の人々に押し付けるために、展開されることが多い［プランティリア：13–14］。つまり、ここで明らかなことは、文化の相対性の前に、権力がその利益擁護を最優先するという普遍性こそ検証されるべきだということだろう。

しかし、このスクリーニングを誠実に行ったとしても、特定の文化的価値が、現在の人権概念と矛盾する場合がないとはいえない。しかし、こうした場合にとるべき方法も国連人権機構には不十分ながら準備されている。それは、新しい概念や解釈をこうした機関の透明性と普遍性を確保するなかで新たに創造していく作業に他ならず、人権小委員会や条約機関がこれまで取り組んできた作業はまさに、この意味での「普遍的な視点」からの人権概念の伸長にあったことを忘れてはならない。

第五節　一九九〇年代の「グローバル化」現象が意味するもの

――新しい国際秩序と二一世紀の課題

一九四〇年代以降の国際人権規準のグローバル化の歴史的検証作業は、九〇年代に始められた経済を中心に語られる「グローバル化」現象の意味を考える作業に、改めて大きな示唆を与えてくれる。

グローバル化という現象は、IT（情報技術）その他の科学技術の発達によってのみ支えられてきたのではない。その端緒は、むしろ第二次世界大戦の教訓がもたらした「専制や隷従からの自由」というスローガンのもとに、戦後直後から行われた植民地解放や人権保障の伸張という社会変革の理念によって生み出されたものである。そして、その過程では、国際社会の意思決定にこれまで意見を述べることさえ不可能だった世界各地の民族や社会の意思が、徐々にではあれ、確実に反映されるようになった。これが二〇世紀のグローバル化の一九世紀とは異なる本質であったはずである。

国際人権法の視点からいえば、これを「本来のグローバル化」と呼ぶべきであり、一九九〇年代の「グローバル化」は多くの点においてグローバル化の名に値しない問題点を含んでいる。やや結論的にいえば、九〇年代の経済の「グローバル化」に対して、より公平な視点や多様な権利を守る視点で、一方的な市場経済や資本主義の実現を目的とした意思決定に抵抗しようという国際的な連帯運動こそが、「グローバル化」の本来の名に値している。

それは、国際人権法が進めてきた「本来のグローバル化」に対し、旧来の社会秩序に巨大な利権をもつ米国を中心とする先進諸国が、巧妙かつ頑強に抵抗してきた歴史を知ることで理解できるだろう。むしろ、こうした米国を中心とする先進諸国も、本来の「グローバル化」というコンセプト自体を否定して、時代を国際連盟設立以前に引き戻すことは不可能であり、この結果、自らの利権をオブラートに包んだ「一九九〇年代のグローバル化」をその資本力と技術力を背景に仕掛ける必要に迫られたと考えるべきかもしれない。コンピュータや衛星などを使った通信手段の発達は、この「一九九〇年代のグローバル化」を「本来のグローバル化」のように見せかける大きな役割を果たしているが、むしろ、「一九九〇年代のグローバル化」は大国が自らの価値を一方的に対外的に拡張するという意味において「帝国主義的」あるいは「植民地主義的」であり、また、自らの価値をそれによって防衛しようという意味において、偏狭なナショナリズムの再強化といえなくもない。

確かに、現在進行中のさまざまな国境を越えた現象は複雑な構造をもっているが、それぞれが基本的にはどちらのグローバル化に属しているかは、慎重に吟味する必要がある。たとえば、冷戦崩壊後の政治の「グローバル化」でいえば、本来その中心的役割を果たすべき国連総会に代わって、ほんの一部の先進諸国で構成される「サミット（先進国首脳会議）」にその比重が移りつつある。

また、経済の「グローバル化」にしても、国境を越えた、市場経済の展開を旗印としながら、、国際経済の意思決定は、「UNCTAD（国連貿易開発会議）」から離れて、「WTO（世界貿易機関）」やスイス・ダボスで開催される「世界経済フォーラム（WEF）」など一部の先進諸国と多国籍企業を中軸とした特定の集団に移行しつつある。もちろん、これに比例して、安全保障の決定権が、米国を含む超大国が拒否権をもつ安全保障理事会からも逸脱して、「NATO（北大西洋条約機構）」やこれを主導する米国の安全保障政策に奪われつつあることも同質の現象だろう。こうした点では、「一九九〇年代のグローバル化」は、国際的な意思決定の次元では、むしろその「非民主化」を歴然と促進していると断言してもよい。

もちろん、本章の冒頭で述べたように、さまざまな形で抑圧されている人々の救済や権利の回復には、国家を越えた国際監視が必要であることに異論の余地はない。しかし、こうした国際監視が有効に機能するためには、国際社会の意思決定の民主化と、「二重基準」を許さない国際規準の設定が、やはり、不可欠である。後者に関していえば、米国政府の推進する「一九九〇年代のグローバル化」が、さまざまな領域において、中国やインド、マレーシアなど、アジアやアフリカ諸国政府の批判にぶつかる根源的理由のひとつは、米国政府そのものが、そうした国際社会の民主化を促進せず、またその国際規準に従ってこなかったという単純な歴史的事実によっている。

米国の国際社会に対する政策への批判は、アジアやアフリカ諸国だけのものでもない。たとえば、二〇〇一年五月、米国政府は、エレノア・ルーズベルトの就任以来一九四七年から維持してきた国連人権委員会におけるメンバー国のポストを選挙によって初めて失った(8)。この結果は、米国政府の、環境保護に関する重要な国際合意である「京都議定書」からの離脱や、一方的な軍拡政策である「戦域ミサイル防衛構想」の展開などに対するヨーロッパ諸国の反発が、その主要な原因とされている。

その点、日本が、この「グローバル化」時代に、二一世紀に残り得る国際貢献を行う意思があるとすれば、それが成功するかどうかのポイントは、お金や技術や軍事力の問題ではないだろう。それは、外交政策において、次の二点における確固たる方針を明確に、それを誠実に実行することが不可欠である。まず、その政策が、国際的な意思決定の民主化に沿ったものであり、一部の特権諸国の利益擁護を目的とした意思決定とは明確に区別されるものかどうかという点である。とくに、この点では、アジア・アフリカなどの開発途上国政府とのコミュニケーションを促進すると同時に、米国や中国などの大国政府に対して、対等な対話の窓口を透明性の確保を前提として改めて開設し、「国益」ではない国際的な人権保障の促進や、人間の安全保障の確保の点から対話を進めるべきだろう。

また、もうひとつは、その外交政策において、これまでとってきた国内政策との「二重基準」を速やかに解消していくことができるかどうかに他ならない。これに関しては、日本政府関係者が多様する「国益」という言葉を、それぞれの場に応じて明確に定義する必要がある。例えば、特定の機関に関して、国家の機関である以上「国益」の確保がその最優先機能だという議論を受け入れたとしても、その「国益」とはどのタイムスパンで想定されているのか、あるいは、具体的にどのようなメカニズムを通して、誰にどのような利益をどの程度もたらすのか、これらの点に関する市民へのアカウンタビリティが確保されることは最低限の規準になるだろう。

もちろん、こうした理想が早急に実現するほど既得権益の壁がもろいものでないことは十分理解している。しかし、それでも、次のような提案をすることは可能だろう。そのひとつは、国際人権条約でみてきたように、本来の「グローバル化」に基づいた国際規準の国内化に大きな政策上のエネルギーを割くことである。さらに、条約機関の役割でみてきたように、こうした国際規準による国内政策の点検と改善に誠実に取り組み、成果を上げることである。そのための行政機構の改革は不可欠であり、そのなかでは、こうした領域における外務省の機能強化は重要な課題であると指摘することができる。もちろん、これは行政機構の改革だけで達成される問題ではない。例えば、さまざまな分野で今日行政機構とNGOの協力も進んでいるが、こうした視点では、これまで行政が重視してきたサービス提供型のNGOではなく、むしろ、いわゆる「政策提言」に関するNGOとの協力体制の整備が必要とされる。その他、立法府や司法府との開かれた関係の構築や、NGOとの有機的な関係がさまざまに模索されるべきである。

【注】

（1）　これを人間性（humanity）と人類の進歩に対する挑戦とする欧米社会の評価があった一方で、第三世界では、カリブ海マルティニック島出身のエメ・セゼールの以下のような評価もあった。「結局のところ、彼が赦さないのは、ヒトラーの犯した罪自体、つまり人間に対する罪、人間に対する辱めそれ自体ではなく、白人に対する罪、白人に対する辱めなのであり、それまでアルジェリアのアラブ人、インドの苦力、アフリカのニグロ（原典のまま）にしか使われなかった植民地主義的やり方をヨーロッパに適用したことなのである」［セゼール：126］。

（２）その他、チリ、キューバ、パナマの代表は、国連が具体的に人権保障活動を行うための条項を入れるよう提案したし、中でもパナマ代表は、国連憲章には権利章典が含まれるべきだと主張している［久保田：21］。

（３）オリヴィエ・グラン参照。フランス人権宣言を男性の宣言として批判して「女性の権利宣言」を起草し、革命裁判所から死刑とされたオランプ・ド・グージュの功績が紹介されている。

（４）この自己否定の原則に関する決議は、その後経済社会理事会の決議七五（Ｖ）でも承認された［久保田：84–85］。

（５）UN Document, E/3088（1958）, paras. 198–208.

（６）これに「移住労働者保護条約」を加えた七条約に条約監視機関が設置されており、これを含めて「国際人権主要七条約」と呼ぶこともある。

（７）国際人権規約・社会権規約だけがこのなかでは例外的に、監視機関の設置条項をもっていない。

（８）The Washington Post, May 4, 2001, Friday, Final Edition.

【引用・参考文献】

阿部浩己『人権の国際化――国際人権法の挑戦』現代人文社、一九九八年。

阿部浩己・今井直『テキストブック国際人権法』日本評論社、一九九六年。

上村英明「ＷＴＯに主導された経済のグローバル化と『改革』に晒された国連人権機構の反撃」『ＰＲＩＭＥ』第一三号、二〇〇一年。

上村英明a「アイヌ民族の権利と沖縄の人権状況」『ウォッチ！規約人権委員会』日本評論社、一九九九年。

上村英明b「国連人権機構の構造とNGOの役割」『法学セミナー』第五三〇号、一九九九年二月。

上村英明「国際刑事裁判所」『PRIME』第九号、一九九八年。

上村英明「『少数民族』とは何か—日本政府に消されたアイヌ民族」『世界』第五〇三号、一九八七年七月。

エメ・セゼール『帰郷ノート／植民地主義論』平凡社、一九九七年。

岡本雅享「在日コリアン・マイノリティ」『ウォッチ！規約人権委員会』日本評論社、一九九九年。

オリヴィエ・グラン著、辻村みよ子訳『女の人権宣言』岩波書店、一九九五年。

金東勲『解説人種差別撤廃条約』部落解放研究所、一九九〇年。

ジェファーソン・プランティィリア「人権と文化的価値との調和」『アジアの文化的価値と人権——アジア・太平洋人権レビュー一九九九』現代人文社、一九九九年。

友永健三「差別撤廃と国際人権活動」『国際人権と日本』第二東京弁護士会、一九八八年。

山崎公士『国際人権—知る・調べる・考える』解放出版社、一九九七年。

反差別国際運動日本委員会著、村山正直監修『市民が使う人種差別撤廃条約』解放出版社、二〇〇〇年。

Bhalla. A.S. ed., *Globalization, Growth and Marginalization*, Ottawa: International Development Research Centre, 1998.

Evans, Tony ed., *Human Rights Fifty Years on a Reappraisal*, Manchester: Manchester University Press, 1998.

Iwasawa, Yuji, *International Law, Human Rights and Japanese Law*, Oxford: Clarendon Press, 1998.

Langley, Winston E., ed., *Encyclopedia of Human Rights Issues Since 1945*, Westport: Greenwood Press, 1999.

Jawad, Haifaa A., *The Rights of Women in Islam*, London: MacMillan Press, 1998.

Lauren, Paul Gordon, *The Evolution of International Human Rights*, Philadelphia: University of Pennsylvania Press, 1998.

Magill, Frank N. ed., ***Great Events From History II–Human Rights Series 1937–1960***, Volume 2, Pasadena, California : Salem Press, 1992

Uemura, Hideaki, Formation of Identities and the Rights of Indigenous Peoples : Reviewing the Process Forming "National Identity", ***The Report of UNU Global Seminar 1st Hokkaido Session–The State and Ethnic Groups in the 21st Century***, Tokyo: the United Nations University, 2001.

第四章　カナダ外交と人間の安全保障論

――その意義と取り組み

加藤　普章

はじめに

一九九〇年代の後半、カナダにおいて「人間の安全保障論」が盛んに議論されるようになった。日本においても、これに関連したセミナーや国際会議などが開催され、重要な関心事のひとつになってきたともいえるだろう。この論文においては、二つの事柄に限定してカナダ外交と人間の安全保障論の関連について考察してみたい。カナダの提言に対し、一般的には「利他的で理想主義」な立場からの提言という受け止め方や理解が多い。しかし、カナダ外交の基本的特質などを考察すると、必ずしも「利他的で理想主義」だけで人間の安全保障論を積極的に提示しているわけではなく、別の視点による冷静な評価が必要である。いわば現実的なカナダ外交の流れのなかで、人間の安全保障論をどのように位置づけるのか、という作業である。

ここで議論したい二つのテーマとは、カナダ外交の「歴史的な特質」と人間の安全保障論を推進するカナダ政府の「受け皿」である。カナダの歴史的展開を無視して、人間の安全保障論だけを取り出すと、きわめてユニークな試みと映るであろう。しかし、制約の多いカナダ外交の枠組みをみると、人間の安全保障論は過去の政策的努力や試行錯誤との「連続性」でみることも可能である。さらにこの連続性という観点からすれば、人間の安全保障論はカナダの国益や経済的利害との関連とも無関係ではない。第二のテーマは、カナダの外務省がどのように人間の安全保障論を推進しようとしているのか、その理念や組織的対応を検討することである。特にカナダ外交ではNGOの役割が大きいと指摘されているが、はたしてどのような協力関係にあるのだろうか。

第一節　歴史的展開

1　カナダとイギリス

カナダ外交の流れを簡単に紹介しておこう。まず、カナダは一八六七年に北米大陸に存在していたイギリス系の三つの植民地が統一してつくられた連邦国家である。その三つの英領植民地とは、沿海部のニュー・ブランズウィック（NB）、ノバ・スコシア（NS）、そして「連合カナダ」である。連合カナダのなかで、イギリス系住民の多くはセントローレンス河の上流地域である「アッパー・カナダ」（カナダ西、現在のオンタリオ州）に住み、フランス系住民の大半はセントローレンス河の下流地域である「ロワー・カナダ」（カナダ東、現在のケベック州）に住んでいたのである。統一して生まれた新しい国家がカナダであり、イギリス流の立憲君主制をとる連邦国家（コンフェデレーションと呼ぶ）となった。

カナダの連邦憲法として、「英領北アメリカ法」（British North America Act）が制定され、連邦と州の権限や政治制度などが規定された。その後、マニトバ（一八七〇年）、ブリティッシュ・コロンビア（一八七一年）、プリンス・エドワード島（一八七三年）、サスカチュワンとアルバータ（一九〇五年）、そしてニューファンドランド（一九四九年）という州が連邦に加入した。また北方圏にはユーコン準州、北西準州、ヌナブット準州という三つの地域が存在している。現在、全体としては一〇の州と三つの準州からなる連邦国家へと成長してきた。国土の広さでは米国より少し大きいが、人口規模は米国の約九分の一にあたる約三〇〇〇万人である。

ところで一八六七年のカナダ連邦の形成は、政治的には完全な自立を達成したのではなかった。それは、カナダが内政面ではイギリスから独立して意思決定を行うことができたが、外交面は依然として母国イギリスの支配下にあった。仮に外交問題が生じた場合、それはオタワの連邦政府ではなく、イギリス政府をとおして解決しなければならなかった。当時のカナダにとって、米国との通商問題や外交問題が最大の課題であったが、それはあくまでもイギリスの利害を優先したうえで、カナダの問題が調整されることを意味した。

外交政策では、カナダはイギリス帝国の忠実なメンバーであったが、自前の意思決定ができないことはかなりの不都合さを意味した。このため、カナダはイギリスが主体の戦争（ボーア戦争、第一次世界大戦、第二次世界大戦）に協力し、その協力した事実を梃として、自己の発言力を確保してきた。たとえば、二〇世紀に入り、イギリスはその白人系の自治領政府（カナダ、オーストラリア、南アフリカなど）に協力を要請した。一九二六年、第一次世界大戦における自治領政府の貢献を認め、イギリス政府は「バルフォア宣言」を採択した。これはカナダやオーストラリアなどがイギリスに従属せず、対等な関係であることを確認した宣言であった。

さらに一九三一年のウェストミンスター条令は、バルフォア宣言を一歩進めて自治領政府の自治権を制度として認めたものであった。これにより、外交面でも自治権を法的には獲得したことになり、ようやく内外ともに主権国家としての資格を手に入れた。もっとも、カナダはウェストミンスター条令が制定される以前に、さまざまな外交能力の拡大に努めていた。一九〇九年には「対外関係省」(Department of External Affairs) を設立し、またロンドン、パリ、東京にそれぞれ公館を一九二七年に設立した。

2　イギリスからアメリカへ

二〇世紀に入るカナダはイギリスの支配から離れ、次第に自立の方向へ進んだ［グラナッティン一九九四］。しかし皮肉なことに隣の米国との関係が密接になってきた。貿易面でのアメリカとの関係強化という面にとどまらず、防衛や安全保障の点でカナダはアメリカとの緊密な関係を受け入れることになってゆく。具体的には、第二次世界大戦遂行のための米加協力がある。これはヨーロッパが戦争の舞台となり、食糧供給や武器の製造などを含め、その生産性が低下していったが、戦争による直接的な被害のない北米大陸は重要な供給源となっていく。オグデンズバーグ協定（一九四〇年）やハイドパーク宣言（一九四一年）はその具体例である。

戦後のカナダではこの傾向はいっそう、強くなっていく。NATOへの加盟や北米大陸の共同の防空機構（NORAD、一九五七年設立）などにより、安全保障のシステムでは、ほぼ完全にアメリカと共同歩調を歩むことになった。このため、キューバ・ミサイル危機（一九六二年）、ボマーク・ミサイルへの核弾頭装備問題（一九六二〜六三年）などアメリカの政策により、カナダの内政と外交が左右されることがより顕在化してきた。他方、経済の面でも米加の統合が進展し、自動車協定（一九六五年）、自由貿易協定（FTA、一九八九年）、北米自由貿易協定（NAFTA、一九九四年）というように、カナダは巨大なアメリカ経済との共存にむけて、同じ方向に進んできた。

3　カナダの独自性の発揮

ではカナダは戦後の国際社会において、主体性なくアメリカのペースに合わせてきたのであろうか。実際にはカナダは戦後から相当な試行錯誤を重ねてきており、これがカナダ外交を研究するうえで興味深い素材をわれわれに提供している。アメリカを含め、大国や超大国が優位な国際政治において、カナダにはどのような役割があるのだろうか。

仮に国際政治を軍事力を主とするパワーだけで議論すれば、カナダの国際的な役割はきわめて小さなものとなろう。しかし国際政治へのアプローチに対して、パワー以外の要素を入れるとどうなるだろうか。カナダは戦後の国際構想を論じる際、一定の発言力が確保されることを強く望んでいた。これに適うのが「機能主義」という考え方である。キング首相が主張した機能主義の背後には、兵力では八万人（一九三九年）から七八万人（一九四四年）、そして国防予算も三五〇〇万ドル（一九三九年）から四二億ドル（一九四四年）へと拡大したカナダの軍事的な国際貢献があった。これが大国主導の枠組みのなかで無視されてしまうことは耐えがたく、何らかの発言力を確保する必要があった。キング首相の言葉を借りれば、次のようになろう。「軍隊に一〇〇万人近くを招集し、平和回復のために財政赤字を三倍にしたカナダにとって、ドミニカ共和国やエルサルバドル……と同等の地位を受け入れることがいかにむずかしいか、おわかりいただけると思います」［吉田一九九四：44-45］。

具体的には国際機関の多くにカナダが積極的に関わり、時にはリーダーシップを発揮することで実現した。また機能主義という役割に限定しないで、より大きな役割を果たそうとする考え方もでてきた。これは「中規模国家の国際的な役割」を前提とする「ミドル・パワー」という概念である。カナダが国際政治において公平な調停者や緩衝役を演じることで、国際平和に貢献しうる、というものである。この有名な事例は、ピアソン外相によるスエズ危機への対応（一九五六年、国連平和維持活動）である。スエズ運河の国有化を目指したナセル大統領に対し、英仏の二カ国、そしてイスラエルは強行な姿勢を保っていた。かりにこの紛争を放置すれば、大きな国際危機へとエスカレートすることが予想されていた。そこで当時のピアソン外相は国連に働きかけて国連緊急軍を派遣し、スエズ危機の平和的解決に成功した。その後のＰＫＯ活動には、カナダが積極的にコミットしてきている。

また紛争関係国の間の公平な仲介役にとどまらず、冷戦構造のもとでの仲介役（カナダは地理的にも米ソの中間に位置していた）、そして先進国と発展途上国の間の緩衝役としての役割なども果たしてきた。ＰＫＯ活動も含め、カナダが軍事大国でなく、また領土拡大の野心を持たない（と思われる）

ので、こうしたミドル・パワーとしての活躍が可能であったともいえよう。

4　カナダ外交の基本的特質

カナダの外交をどのように位置づけたらよいだろうか。A・クーパーによれば、カナダ外交には異なるパートナーを求めるという二つの機軸があるという［Cooper 1999］。ひとつはアメリカなどの西側先進国との密接な協力・同盟関係を確立し、貿易や安全保障の点で利益を獲得するというものである。先に述べたような国際機関や多国間に関係する条約体制へのコミットメントなどに加え、アメリカとの緊密な二国間関係の樹立こそがカナダ外交の中心的な機軸である。他方、大国ではないが、カナダと同じような特質をもつ国家（like-minded partners）とのパートナーシップの確立が、二つ目の外交機軸である。たとえば、北欧諸国、オーストラリア、ニュージーランドなどがこれに該当し、大国主導の国際政治に異議を唱えてきた。もちろん、厳しい冷戦期にはその活躍する余地は限られていたが、周辺的な課題や領域において、多少なりともその発言力を確保することができた。ただし異議を唱えるとしても、アメリカの基本政策への全面的な否定は許されるものではなかった。しかし、カナダのミドル・パワー外交の事例が示すように、「仲介、調停、緩衝」という点では、カナダや北欧諸国の役割は大きく、一定の評価を得たことを強調しておこう。

二つの外交基軸は対立・矛盾するのであろうか。カナダにとっては（理論的な一貫性とは別に）超大国アメリカの隣に位置することから、二つを同時に追求することが必要であった。いわばリアリストの側面（対米協調）と、理想主義者の側面（ミドル・パワー）という矛盾した両面があってのカナダ外交である。逆に言えば、リアリストとしての厳しい選択を行ったために、理想主義的な目標を追求することが必要になったともいえよう。コインの両面を眺めることで、バランスのとれたカナダ外交の全体像が理解できよう。

こうしたカナダ外交の二面性は、ミドル・パワー論の学問的な論争とも深く関係している。リアリストの面を強調すれば、理想主義的な活動や選択肢はあまり意味がない。すべてはアメリカ主導の国際政治に還元される。他方、カナダが直面する現実を無視して理想主義だけみれば、カナダ外交は国益を追求せず、「利他主義の外交」というバランスを欠いた理解となる。この点で一九六八年から約一五年間首相を務めたトルドーの議論は興味深い［Granatstein & Bothwell 1990］。彼は、首相就任当時、ピアソン流のミドル・パワー論やPKO外交に批判的であった。このため、戦後のカナダ外交を特徴づけていた政策から大きく離脱する意向を示していた。外交は国内政治の延長に置かれるべきで、トルドーにとり、カナダ政治と無縁なPKO外交やミドル・パワー論は放棄されるべきであった。しかし、首相退任のころには、むしろPKO外交やミドル・パワー論に近い立場をとり、伝統的な外交路線にもどったという評価もでていた。

最近では、単純なミドル・パワー論ではなく、カナダが事実上の大国としての役割を果たしているというトロント大学のJ・カートンたちの考え方もあり（プリンシパル・パワー論）、すべてを単純なミドル・パワー論に還元してしまう立場が批判されている。さらに多様な争点を分析すると、ひとつの概念やアプローチだけではなく、複数の概念から分析できるという櫻田大造による研究も登場している。いわばこれまでの「リアリスト／理想主義」というイデオロギー的な切り口に加え、複雑な争点ごとに研究するべきだという、新しい考え方がでてきたのである。

第二節　人間の安全保障論の登場

1　一九九〇年代におけるカナダ外交の転換

一九八四年から九三年まで進歩保守党による政権が続いていた。この政権は基本的には対米協調を軸とし、NAFTA（北米自由貿易協定）の締結にみるように、経済統合に向けた政策を展開していた。しかし、九三年の総選挙では、自由党が圧勝して、久々に政権の座へカムバックした。すでにマルローニー政権のもとでも、カナダの外交・安全保障政策の見直しが行われていたが、クレティエンの自由党政府は、より体系的な政策のレビューを行った。これが九四年の『国防白書』である。さらに九五年にはカナダ外交に関する連邦上下両院の特別合同委員会の報告書を受け、連邦政府は『世界の中のカナダ』を発表した。

『国防白書』では冷戦構造が崩壊し、カナダの国際的な役割がこれまで以上に増大したことを分析している。他方、国際社会の主体となる国連の機能低下という深刻な状況も指摘されている。また『世界の中のカナダ』では、「繁栄と雇用の推進」、「安定した国際社会とカナダの安全保障」、そして「外交政策にカナダの価値や文化を反映する」という三つの目標が明示された。クレティエン政権は外務大臣にフランス系のF・ウレットを任命したが、ウレット大臣はケベックに主要な関心があり、ポスト冷戦期における「新しいカナダ外交」を展開する強いリーダーシップを発揮しなかったとされる。国内政治の日程でみれば、一九九五年一〇月にはケベック州の分離問題の是非をめぐるレファレンダムがあり、ウレット大臣がケベックに関心を寄せていたとしても、それはやむを得ない状況であった。

一九九六年一月、ウレットに代わり、自由党の左派政治家として知られるL・アクスワージーが外務大臣に就任した。彼の就任により、カナダ外交の方向性がより明確になってきた。これが「人間の安全保障論」であり、機能主義外交、ミドル・パワー外交、PKO外交、国際主義といったこれまでの外交路線に別の観点を導入することになった（アクスワージー外相は二〇〇〇年一一月、辞任）。

2　隙間外交論

ところで、ポスト冷戦期のカナダ外交には大きな活躍の余地は残されていたのであろうか。国内のレベルでみれば、クレティエン政権は財政赤字を解決するため、予算の大幅な削減を実施した。このため、官庁の統廃合や行政サービスのカットなど、大胆な方法が導入された。外交政策といえども、こうした影響から免れるわけではない。PKOでいえば、兵員の削減といったきわめて現実的な影響がでることになった。A・クーパーは、こうした段階におけるカナダ外交の特質をとらえて「隙間外交」（Niche Diplomacy）という概念を提示した［Cooper 1995］。これまでのように「すべての事柄」に対応することができないので、争点や領域を限定して、そこでより効果的な外交政策を達成しようというものである。クーパーはポスト冷戦の国際政治は、これまで以上に国際社会の貢献や介入を必要としているが、半面、これに対応できるカナダの能力も十分ではなく、焦点を絞ることがカナダの国益に適うという。この隙間外交は、本来カナダやスウェーデンといったミドル・パワーの国には重要であり、限られた予算や資源のなかでいかに効率良く目標を達成できるかが、課題となった。

D・ブラットはこの隙間外交論とカナダの平和維持活動を結びつけた興味深い論文をまとめている。ブラットによれば、二つの大きな要因がある［Bratt 1999］。ひとつはクレティエン政権による厳しい国防省の予算削減（一九九三年度から九八年度にかけて、二〇％以上の削減）とそれに伴う兵員の削減（一九九三年度の七万四八〇〇名から九七年度の六万一四六五名、文民を除く兵員のみ）があり、九〇年代になって拡大してきた平和維持活動には対応できないことが明白となってきた。これまでのレベル以上での平和維持活動が求められるが、国内の事情がそれを許さないのである。

第二の要因は、一九九〇年代の平和維持活動の変化である。八〇年代までであれば、ＰＫＯといえば、カナダが必ず注目されるという特徴があり、カナダにとり平和維持の負担は大きいが、それなりの「政策効果」は絶大であったといえよう。しかし、湾岸戦争以後、平和維持の性格が変化し、これにコミットする国家も三七カ国（一九九一年）から七二カ国（九七年）とほぼ倍増した。このため、もはや平和維持活動への貢献はカナダだけのものではなくなり、カナダの「独自性」をアピールする手段としては、やや「魅力」が乏しくなったのである。

3　人間の安全保障論

カナダ外務省のホームページを手がかりにして、人間の安全保障論を考えてみよう。もちろん、人間の安全保障論には、さまざまな意味や対応手段があり、ひとつの概念や政策に集約できるものではない。しかしＬ・アクスワージー外務大臣が提唱したという経緯があり、どのような概念がカナダ政府により規定されているかをみることは重要と思われる。

ホームページのなかで「外交政策」を見ると、条約、援助、平和構築、環境問題、中東和平プロセスなど全部で二七の政策領域があげられている。「人間の安全保障」という項目に関連する政策として「平和維持」、「平和構築」、「対人地雷」、「戦争被害を受ける子供たち」という四つがある。ついで人間の安全保障のホームページを見ると、具体的に五つの争点がまとめられている。

- 非戦闘員の保護
  戦争被害を受ける子供たち／法的・物理的保護／国内避難民／人権／地雷／人道的介入
- 平和支援作業
  平和支援能力／専門家の派遣／平和支援と警察
- 紛争回避
  協調的な紛争回避／制裁／小火器／紛争後の平和構築
- 統治と責任
  国際刑事裁判所／安全保障部門の改善／腐敗と透明性／表現の自由／民主的な統治／企業の社会責任
- 公共の安全
  国際犯罪組織／麻薬／テロリズム

こうした課題を具体的にはどのように対応するのだろうか。ホームページの情報に従えば、四つの活動領域がある。
●国内レベルでの対応能力の向上
専門家や国民に対して、人間の安全保障を擁護し、取り組むように努める。
●外交面でのリーダーシップの発揮と世論形成
外交交渉などを通して、人間の安全保障の理念や目的を推進するメンバーを拡大する。
●多面的な協力機関の強化
国際機関とNGOへの人間の安全保障を進めるための支援を行う。カナダの専門家の派遣。
●対象を特定した活動
他の官庁の活動を補完する意味から、短期的な視点で人間の安全保障を達成する事業を行う。

4　外務省の組織と人間の安全保障論

人間の安全保障はこれだけ広い政策課題をカバーしているが、カナダ政府はどのように取り組んでいるのだろうか。まず簡単な外務省の機構について検討してみよう。外務省の正式名称は外務・国際貿易省（Department of Foreign Affairs and International Trade）である。これは旧外務省と旧通産省の国際貿易部門が一九八二年に統合したためであり、旧通産省の国際貿易部門を外務省に統合し、調和のとれた国際経済政策と外交政策の達成を目指した。現在の通産省は国内部門のみを担当する官庁であり、NAFTA（北米自由貿易協定）などの国際貿易問題は外務・国際貿易省が管轄している。

担当大臣としては、一名の外務大臣（Minister of Foreign Affairs）と五名の関連する大臣が任名されている。国際貿易大臣は文字どおり、国際貿易部門を担当し、国際協力大臣はカナダの発展途上国への援助政策の責任者である。この三名に加え、別の三名の国務大臣（アジア・太平洋担当／ラテン・アメリカ担当／フランス語圏担当）が任命されている。クレティエン首相は一九九六年のアクスワージー大臣の任命と同時に国際協力大臣のポストを新設した。これはケベック州のフランス系有権者を意識して、ケベック出身の議員に閣僚ポストを新しく設けたのである。

外務省のなかで、人間の安全保障を担当する部局は「グローバル・ポリシー／安全保障政策局」の「平和構築・人間の安全保障課」である。グローバル・ポリシー／安全保障政策局には国際安全保障、武器の不拡散・軍縮、PKO、核の不拡散・軍縮、国際機関など全部で一七の課が設けられている。人間の安全保障に関連する課として「グローバル／人道的な争点」、「先住民／北極圏」、「人権」、「国際的な先住民」などがある。

5　NGOと人間の安全保障論

カナダ政府とNGOの密接な関係は日本においても有名である。しかし、外務省本体との関係でみるよりも、外務省の関連機関である「カナダ国際開発庁」（CIDA）で検討する方が適切であろう。CIDAは被援助国の人権体制や政治的民主化、そして男女平等などに関心を払い、援助支援を進める機関として世界的に有名である。CIDAの前身機関である対外援助局（External Aid Office）は一九六〇年に設立され、六八年には現在の組織へと格上げされた。外務省におけるスタッフ数は約四〇〇〇名であるが、CIDAはその四分の一強に当たる一二〇〇名から構成されている。また命令・

指揮系統では、国際協力大臣の管轄にあるが、ＣＩＤＡの長官（現在はＨ・ラベル女史）が事実上の責任者である。ＣＩＤＡは政府機関であるが、そのスタッフの多くがＮＧＯ関係の人物により占められているので、ＣＩＤＡとＮＧＯの関係は一般的に良好とされる。しかし外務省は人道主義的な援助政策よりは、経済や貿易を重視した政策を行うため、しばしばＣＩＤＡの自立性を骨抜きにする試みがあったという。またＣＩＤＡに政策的な自立性を認めると、外務省全体の政策とも調和がとれないこともあり、これまで緊張・対立関係が生じてきたといわれる［Pratt 1998］。

しかし、興味深いことに、人間の安全保障論では「外務省（平和構築・人間の安全保障課）―ＣＩＤＡ―ＮＧＯの全国組織（ＣＰＣＣ）―個別のＮＧＯ」というラインが形成され、個別の協議や政策が展開されている。おそらく、外務省本体はＮＧＯと日常的にコンタクトすることがあまりなく、その分の穴埋めをＣＩＤＡに依存しているものと思われる。カナダのＯＤＡ政策とＣＩＤＡを研究している高柳彰夫によれば、ＮＧＯの独自性を尊重し、またＮＧＯのプロジェクトに一定額の財政支援を行う（マッチング・ファンドと呼ぶ）ことが定着してきた［高柳b二〇〇〇］。ＮＧＯによるＣＩＤＡへの依存度は、ＮＧＯの活動領域や財政基盤により異なる。依存度の高いところではＣＩＤＡからの資金が収入の八〇％から九〇％、低いところでは一％未満である。もっとも、クレティエン政権の下での財政見直しの際、人道主義的な政策よりも貿易・経済に有利な援助へのシフトが起きたとされる。

一九九七年度の連邦ＯＤＡ予算は一九億ドルである［カナダ・ファクト二〇〇〇：44］。ＣＩＤＡは援助関連の予算の約八〇％を担当し、残りの二〇％は外務省や大蔵省などにより執行されている。またおもな対象地域は南アメリカ、アフリカ・中東、アジア、中欧・東欧であり、カナダ国内と援助政策をつなげる「Canadian Partnership」という組織もある。このなかにＮＧＯ担当のセクションがあり、主にNGOへの資金援助を行っている。NGOの全国組織として「カナダ平和構築協議会」（CPCC：Canadian Peacebuilding Coordinating Committee）が一九九四年に設立され、三五のNGOが加盟している。また一九九八年からは外務省（平和構築・人間の安全保障課）からの資金援助もスタートした。また二〇〇〇年二月二九日と三月一日にはCPCCと外務省による第四回目の年次大会が、外務省が入っているL・B・ピアソン・ビルにて開催された。広く意見交換を行い、問題点を解決しようというのが大会の目的である。

第三節　意義と限界

カナダの外交・安全保障を進める組織という点から考えると、人間の安全保障論は格別新しい対応策を打ち出しているようにはみえない。もちろん、対人地雷の国際的な規制を実現したオタワ・プロセス、そしてカナダ政府のリーダーシップの貢献は大きい。しかし、外務省の機構面から検討すると、PKOや平和維持活動はすでに国防省や外務省に受け皿があり、その他の環境保護や軍縮なども、同じように受け皿がつくられてきている。おそらく新しい側面は、「外務省―CIDA―CPCC―NGO」というネットワークを制度化し、密接な協議を開始したことにあろう。

これまで、筆者はカナダの人間の安全保障論をやや否定的な論調で紹介してきた。しかし、これは人間の安全保障論を全面的に否定するための議論ではない。むしろ、軍事力や核兵器に彩られてきた戦後の国際政治の構図をどのように再編成するのか、という点では重要な意義をもつものと考えている。皮肉なことに、冷戦体制が崩壊することでさまざまな問題や争点が表面化してきた。カナダはこうした問題設定に対して、積極的に取り組んでいると評価してもよいだろう。

カナダは伝統的なリアリズムの立場からの外交政策、そして理想主義的な立場からの外交政策を展開してきたと先に簡単に紹介した。人間の安全保障論もおそらく二一世紀にむけて、カナダ外交を活性化し、カナダの「国益」を実現する有力な概念と思われる。確かに人間の安全保障を実現するためには、多大な努力と政策協調が必要であり、カナダの国内レベルのみでは対応が不十分であろう。しかし現在のところ、国際社会においてわれわれが追求すべき「争点」を明確にし、より具体的対応をとるための「世論形成」という点では重要な出発点と思われる。カナダの事例からわれわれが大いに学ぶべき点は多いとしたい。

【参考文献】


木村和男／吉田健正／細川道久『カナダ史』山川出版社、一九九九年。

阿部斉／加藤普章／久保文明『北アメリカ』自由国民社、一九九九年。

日本カナダ学会編『史料が語るカナダ』有斐閣、一九九七年。

J・L・グラナッティン／J・セイウェル／吉田健正『カナダの外交』御茶の水書房、一九九四年。

馬場伸也編『ミドル・パワーの外交』日本評論社、一九八八年。

吉田健正『国連平和維持活動――ミドルパワー・カナダの国際貢献』彩流社、一九九四年。

櫻田大造『カナダ外交政策論の研究』彩流社、一九九九年
目加田説子『地雷なき地球へ――夢を実現した人々』岩波書店、一九九八年。

高柳彰夫ａ「『世界の中のカナダ』後のカナダ国際開発庁のＮＧＯ政策」『北九州大学外国語学部紀要』第九七

号、二〇〇〇年一月、六三～一一〇頁。

高柳彰夫b「九〇年代のカナダ国際開発庁のＮＧＯへの資金配分」同紀要、第九八号、二〇〇〇年三月、四三～六八頁。

高柳彰夫『カナダのＮＧＯ』明石書店、二〇〇一年。

カナダ大使館広報文化部『カナダ・ファクト』二〇〇〇年三月。

B. Tomlin, M. A. Cameron, & R. Lawson, *To Walk Without Fear : The Global Movement to Ban Landmines*, Toronto : Oxford University Press, 1998.

K. R. Nossal, *The Politics of Canadian Foreign Policy*, Scarborough : Prenctice–Hall, 1997.

D. Munton & J. J. Kirton, eds., *Canadian Foreign Policy : Selected Cases*, Scarborough : Prenctice–Hall, 1992.

A. F. Cooper, *Canadian Foreign Policy:Old Habits and New Directions*, Scarborough : Prenctice–Hall, 1997.

A. F. Cooper, ed., *Niche Diplomacy : Middle Powers after the Cold War*, New York : St. Martin's Press, 1997.

J. L. Granatstein & R. Bothwell, *Pirouette : Pierre Trudeau and Canadian Foreign Policy*, Toronto : University of Toronto Press, 1990.

D.B. Dewitt & J. J. Kirton, *Canada as a Principal Power : A Study in Foreign Policy and International Relations*, Toronto : John Wiley & Sons, 1983.

L. Axworthy, "Canada and Human Security : the Need for Leadership," *International Journal*, Vol. LII, No. 2, Spring 1997, pp. 183–196.

F. Osler & D. F. Oliver, "Pulpit Diplomacy: A Critical Assesment of Axworthy Doctrine," *ibid.*, Vol. LIII, No. 3, Summer 1998, pp. 379–406.

L. Axworthy & S. Taylor, "A Ban for All Seasons : the Landmines Convention and its Implications for Canadian Diplomacy," *ibid.*, Vol. LIII, No. 2, Spring 1998, pp. 189–203.

A. Chapnick, "The Canadian Middle Power Myth," *ibid.*, Vol. LV, No. 2, Spring 2000, pp.188–206.
A. Cooper, "In Search of Niches," *Canadian Foreign Policy*, Vol. 3, No. 3, Winter 1995, pp. 1–13.
B. Pratt, "DFAIT Takeover Bid of CIDA," *ibid.*, Vol. 5, No. 2, Winter 1998, pp. 1–13.
M. Dolan & C. Hunt, "Negotiating in the Ottawa Process," *ibid.*, Vol. 5, No. 3, Spring 1998, pp. 25–50.
D. Bratt, "Niche-Making and Canadian Peacekeeping," *ibid.*, Vol. 6, No. 3, Spring 1999, pp. 73–84.
A. Cooper, "'Coalitions of the Willing': The Seach for Like-Minded Partners in Canadian Diplomacy" in L. A. Pal, ed., *How Ottawa Spends, 1999–2000*, Toronto : Oxford University Press, 1999, pp. 221–250.

外務省／ＨＰアドレス（www.dfait-maeci.gc.ca）
ＣＩＤＡ／ＨＰアドレス（www.acdi-cida.gc.ca）
ＣＰＣＣ／ＨＰアドレス（www.cpcc.ottawa.on.ca）

第五章　日本の外交政策と人間の安全保障

――バングラデシュの事例から

平井　照水

理念なき外交と言われ続けてきた日本の外交において、「人間の安全保障」とは、一つの理念の提示でもあり、日本の外交政策が大きく変わろうとしていることを象徴するものである。本章では、日本の外交における人間の安全保障のもつ意味を考察する。そのうえで、人間の安全保障という理念に基づく援助とはどうあるべきかについて、バングラデシュで貧しい人々のための活動を長年行っているNGOなどの具体的事例をもとに考察する。人間の安全保障を実現していくためには、現地の状況を正確に把握したうえで、現地の人々の主体的な活動や智恵を生かした支援としていくこと、市民社会、企業、政府といったアクターを超えた連携が必要であることを提言する。

第一節　日本の外交政策と人間の安全保障

1　外交政策の変化への兆し

冷戦という国際秩序において日本は、「経済成長によって国民を統合し、国際政治上の地位を強化する」という経済外交を行っていればよく〔中西：94–96〕、それは冷戦に巻き込まれるのを防ぐうえでの一つの智恵でもあった。しかし、その経済外交の終焉を思い知らされるのが、湾岸戦争である。湾岸戦争は、既に経済大国となっていた日本が、侵略戦争からの「社会更生中」ではもはやなく、国際的な問題に対して主体的な責任をもつべき存在となっていたことを示した。また、「世界中から非難を浴びてから提供した一三〇億ドル」〔五百旗頭：24〕も、冷戦終結という新たな国際情勢の変化に対応できずに孤立する日本の姿を、さらけ出したにすぎなかった。

日本の外交にとり、政府開発援助（ODA）は重要な外交手段となってきた。しかし、ここでも冷戦下の戦略援助が意味を失うなかで、一九九一年以来アメリカを抜き世界のトップ・ドナーとなった日本は、欧米追随ではなくリーディング・ドナーとして、積極的に冷戦終結後の新たな開発援助戦略策定のイニシアティブをとっていくことが求められるようになる。理念、戦略がはっきりせず「顔の見えない援助」、「物言わぬトップドナー」からの脱却が求められたのである。

こうした状況のもと、日本は一九九二年にPKO法を成立させ、さまざまな形でカンボジア和平

（九二～九三年）に貢献した。「ＯＤＡ大綱」を公表する一方、「援助疲れ」が取り沙汰されるヨーロッパに代わり、アジア地域だけではなく、アフリカ開発会議（九三、九八年）の開催など、アフリカ地域への関与を深めてきた。さらに、国連五〇周年を翌年に控えた九四年には、国連安全保障理事会常任理事国となって「責任を果たす用意があることを表明」している。湾岸戦争の後遺症は大きかったが、それを一つのきっかけとして、「国際の平和と安全」のために国際的な責任を担うべきとの認識が、日本にもようやく根づきつつあるといえる。

一方、冷戦下でのイデオロギー対立が終わった今日、中本［59］は「国際倫理の問題を大いに語るべき時代」がきているとし、田中［147］は、「軍事力や経済力といったハードパワーは、言力（ワード・パワー）によって補強されないと、十分効果をもたなくなっている」とする。冷戦終結後の新たな世界が「どこへ向かうのか」を世界中が模索するなかで、人間の安全保障を掲げることにより、社会的に弱い立場に置かれた人々を中心に据えた「人間中心の世界像」を、一つの目標として日本が提示しえたことは、極めて重要である。日本の外交、開発援助が明確な言葉を伴うことにより、初めて外交、開発援助としての力を持ち始めたともいえるのである。それは人類が長年にわたり構築してきた人権規範や、国際人道法および人道的規範、さらには一九九〇年代の世界が構築してきた新たな価値や規範に支えられた、二一世紀を切り拓くパワーをもった概念でもあり、その意味からも重要である［Suhrke, 他］。

2　二つの「人間の安全保障」――日本とカナダ

人間の安全保障が今日のように広がるきっかけともなったのは、一九九四年に出された『人間開発報告書』であった（序章参照）。また、翌九五年には社会開発サミットにおける「人間中心の開発」とともに、国連五〇周年記念総会特別会合において村山総理が、「人間の安全保障」を大きな課題として取り上げた。九六年には国連総会において橋本総理が「人間一人ひとりを大切にするという考え」の重要性について述べている。しかし、「人間の安全保障」を重要な政策として一貫して掲げたのは、故小渕総理であった。小渕総理の掲げる「人間の安全保障」とはどのような概念だったのだろうか。

小渕氏は外相時代の一九九八年五月にシンガポールで行った演説で、既に「人間の安全保障」に言及しているが、総理として初めて「人間の安全保障」について述べたのは、九八年一二月である。タイ・バーツの暴落（九七年七月）に端を発したアジア危機が深刻化しているなかで開催された、国際会議「アジアの明日を創る知的対話」においてであった［JCIE・ISEAS］。同会議で小渕総理は、「近年のアジアの目覚しい経済発展は、同時にさまざまな社会的ひずみを生み出し」、「経済危機によりこうしたひずみが一層顕在化し、人間の生活を脅かしている」との認識を示す。そのうえで、「このような事態に鑑み、『人間の安全保障』の観点に立って、社会的弱者に配慮しつつ、この危機に対処することが必要であるとともに、この地域の長期的発展のためには、『人間の安全保障』を重視した新しい経済発展戦略を考えていかなければならない」と述べている。さらに、同月のヴェトナム国際関係学院（ハノイ）での講演で、「人間の尊厳に立脚した平和と繁栄の世紀」をアジアにおいて構築するための努力の一環として、「アジアの再生」とともに、「人間の安全保障の重視」を掲げた[1]。また、国連に「人間の安全保障基金」を設置するために、五億円を拠出するとの政策を発表している。

『人間開発報告書一九九四』における人間の安全保障は、「恐怖からの自由」と「欠乏からの自由」という、人々の日常生活にまつわる包括的安全保障である[2]。しかしそのための手段は、国内紛争の原因である社会経済的な貧困や経済格差の増大に対処する「人間中心の開発」であり、社会が危機的な状況に陥るのを防ぐ「予防外交」や「予防開発」であった［同右：iv、22-23］。その意味では、開発本来のもつ機能を再定義したものでもあった。アジア経済危機に際して提唱された小渕総理の「人間の安全保障」は、対人地雷やテロへの言及はあるものの、貧困や社会的弱者に配慮した「欠乏からの自由」を軸とし、その手段も開発援助である。開発本来のもつ機能を重視する『人間開発報告書一九九四』と同様の性格をもつものであるといえよう。

これに対し、カナダの「人間の安全保障」は、第Ⅲ部第四章で加藤が述べているように、紛争や地雷など「恐怖からの自由」を軸としたものである。その手段も、カナダが得意とする平和維持活動を中心に置き、紛争後の平和構築との連携とともに、「人道的介入」や緊急展開軍の提案を軸に、新たな展開をみせている。日本における人間の安全保障が、開発援助を主な手段とし、紛争そのものを未然に防止する予防外交、および紛争前の平和構築としての開発援助が語られることが多いのと、対照的である[3]。

しかし、主として非軍事的・非強制的な活動に限定されているものの、日本においても紛争後の平和構築への関心が高まってきており、日本とカナダの概念上の違いは徐々に小さくなってきている[4]。

3　人間の安全保障と開発援助

日本における人間の安全保障にとり、開発援助は重要な手段である。では、日本の政府開発援助政策において、人間の安全保障はどのような意味をもつのだろうか。

政府開発援助（ＯＤＡ）の今後の方向性を示す中期政策に述べられているのは、二〇世紀後半における開発の成果であるとともに、一三億の人々が依然として極度の貧困の中にあるという、過去の開発が解決できなかった課題の数々である。つまり、従来の国家を中心とするＯＤＡにおいて、絶対的貧困の問題が解決されず、グローバル化の進展のなかでそうした問題がさらに悪化している。また、環境問題や国内紛争など新たな課題への対応を迫られている。そこで求められているのが、ＯＤＡの大きな変革であり、そのための基本理念として求められているのが、「人間の安全保障」という新たな枠組みでもあると考えられる。

では、従来のＯＤＡはどのように変わっていくことが求められているのだろうか。日本のＯＤＡは経済発展重視といわれてきた。しかし、人間の安全保障を掲げることにより、貧困問題など社会的に弱い立場に置かれている人々を主な対象とする社会開発へと、重点を移していくべきことを示している。援助の重点地域も、経済発展をめざすアジア地域から、貧困問題が深刻な南西アジアやアフリカへと、変化あるいは拡大していくことが想定される。また、環境問題など、地球的共通の課題への取り組みが求められている。さらに、国内紛争の多発が大きな課題となっていることから、貧困や低開発の問題においても、武力紛争の発生を予防するための包括的安全保障の視点からの取り組みが求められていると考えられる。

これらを踏まえ、本章では、従来の政府開発援助政策では解決できず、グローバル化のもとでさらに悪化している貧困問題を中心に、人間の安全保障を実現していくためには、どのような取り組みやアプローチが求められているのかを、考察する。そのため、後発開発途上国（ＬＬＤＣ）のなかでも最大の人口を抱え、貧困撲滅を最大の政策課題とするバングラデシュを一つの事例として考察する。

第二節　バングラデシュにおける「人間の安全保障」とＯＤＡ

日本は、バングラデシュにとり、二国間援助を供与するトップ・ドナーである。またバングラデシュは日本にとっても、二国間援助の上位の受け取り国であり、無償資金協力にかぎっては、八四年以来最大の受け取り国となっている。バングラデシュの現状を概観した上で、日本の政府開発援助（ＯＤＡ）の事例について考察する。

１　「人間の安全保障」の現状と課題

バングラデシュは洪水・サイクロン等の自然災害が頻発し、狭い国土（日本の約四割）に一億二千万人の人口を抱える。一九七一年の独立以来、国際機関や先進国から多額のＯＤＡが供与されてきたにも関わらず、一人あたりのＧＤＰ（国内総生産）は二八四ドル（一九九九／〇〇年度）である［アジア経済研究所］。最貧困線（一人一日一八〇五キロカロリー摂取するのに必要な所得水準）以下の者が、国民の二八％（一九九一／九二年度）を占め［長田：43］、貧困線（同二一二二キロカロリー）以下の者も、依然として国民の四七・五％（一九九五／九六年度）を占める［延末a：90］。では、国際社会から多額の援助を受けてきたにもかかわらず、なぜバングラデシュは国家としても貧しく、また一人ひとりのレベルでも貧しいままなのか。

これに対し延末は、「外国援助資金が、時の政権の支持基盤創出のための権益として分配されたこと」をその問題点として指摘する。地方制度は、政治的エリートが農村富裕層に利権を分配し、支持を取り付けるためのものであった。都市部の政府系金融機関も、政治的エリートが融資を独占し、投機を行うための資金を提供してきたにすぎない［同右］。援助をめぐる直接・間接の便益が特定の階層や社会集団に集中し、援助を含めた国家資源を私物化することにより誕生した富裕階層が、経済ばかりか政治的権力をも支配してきた［村山一九九八：23–24］。一方、政治からも福祉からも見離されてきた巨大な貧困者層が存在してきたというのが、今日に至るバングラデシュの姿である。

政府が基本的な社会サービスや福祉を住民に提供できないという隙間を埋め、政府の役割を補完する形で、ＮＧＯの数は増大し、その活動も拡大を続けてきた。今日ではＮＧＯが「貧困者に直接福祉サービスを供給すること」［延末b：23］で、政府を代替する「ＮＧＯ大国」といわれるに至っている(5)。冷戦終結後には、開発援助の三〇％は途中で消えるといわれる政府の腐敗構造や非効率さ、その効果が見えないことが問題となり、先進国の多くがその資金を直接ＮＧＯに流すようになった。それを示すのがバングラデシュ最大のＮＧＯであるＢＲＡＣ（バングラデシュ農村向上委員会）の資金規模の拡大（図5–1参照）であり、一九八八年頃を境に急激に援助額を増やしている［川村：180］。

図 5-1　ドナーからBRACへの資金提供状況

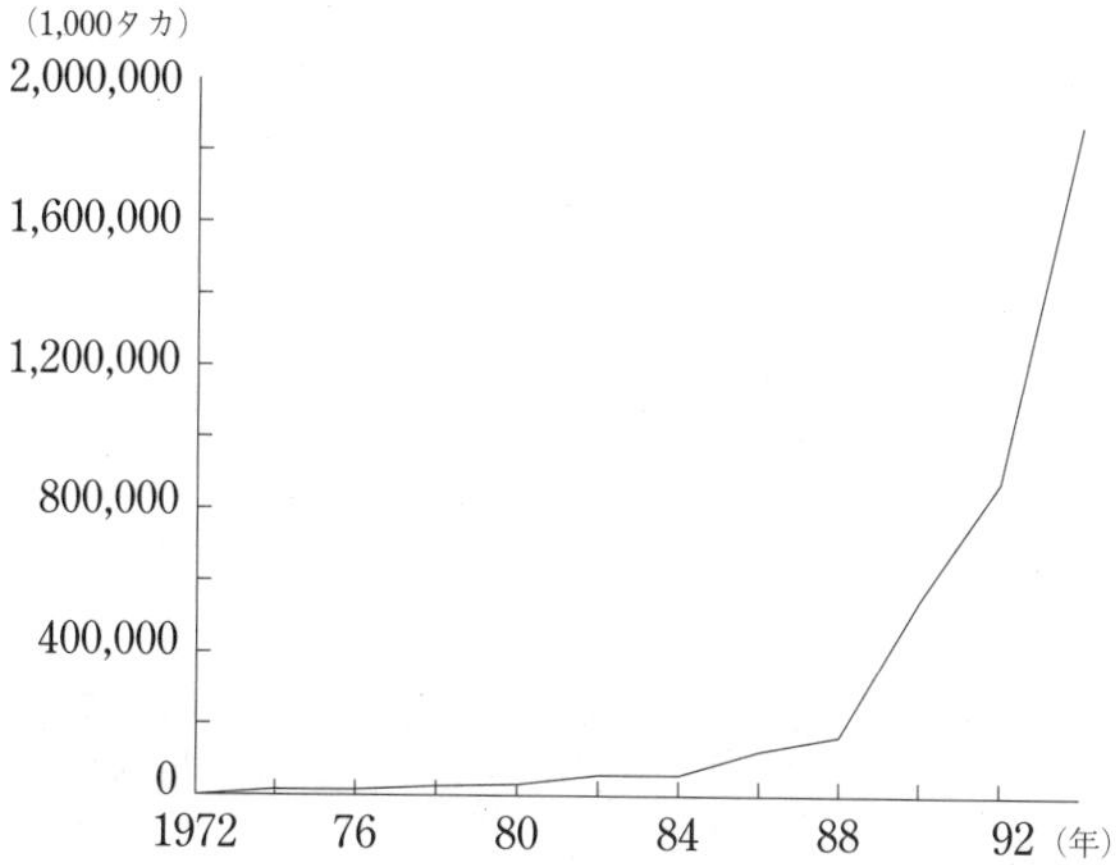

出所：Catherine H. Lovell, *Breaking the Cycle of Poverty : The BRAC Strategy*, Dhaka : University Press, 1992, p. 156/川村晃一「バングラデシュ――NGO・市民社会・国家」，岩崎育夫編『アジアと市民社会――国家と社会の政治力学』アジア経済研究所，1998年，180頁．

一方、バングラデシュ中央政府の税収入はGDPの九%のみ（一九九三／九四年度）であり、地方政府においても一世帯当たり平均一〇タカ（約二三円）以下のユニオン税（家屋税など）だけである［同右：186］。開発支出のうち海外援助の占める割合は高く、付加価値税の導入などにより、一九九一／九二年度の八四%から徐々に低下しているものの、現在でも開発支出の半分以上を海外援助に依存する［長田：36］。そのため、二国間援助を供与するトップ・ドナーである日本の政府開発援助のあり方は、バングラデシュにとり極めて重要な意味をもつ。日本が人間の安全保障のもとで、人間中心の開発や貧困問題を解決していこうとする場合、どのような援助やアプローチが求められるのだろうか。

2　日本のＯＤＡ政策とバングラデシュ

先のＯＤＡ中期政策を踏まえ、貧困問題が深刻なバングラデシュに対する国別援助政策では、従来の「総花的援助」ではなく、「貧困緩和」を最重要課題としていくこと、バングラデシュ側のいっそうの自助努力を求め、自立を促していくことが掲げられている[6]。ここには、日本のＯＤＡ政策が大きな転換期にきていることが如実に示されている。従来の日本のＯＤＡはインフラ整備というハード重視型であり、バングラデシュに対しても独立以来、電力・ガス、運輸・通信などのインフラストラクチャー関連への援助が、ＯＤＡの約六割を占めてきた。これに対し、貧困緩和の実現のためには、経済成長に伴うトリックル・ダウン効果に期待するだけでなく、住民への直接的なアプローチが必要であること、そのためにＮＧＯとの連携が必要であるという、新たな認識が示されている。

では、そもそも政府とＮＧＯの活動は、貧困問題への取り組みにおいてどこが異なっているのだろうか。バングラデシュにおいて、政府とＮＧＯ共同による初めての評価報告書である「ＮＧＯ・外務省相互学習と共同評価（バングラデシュ）」[7]ならびにバングラデシュでの現地視察をもとに考察したい。

3　ＯＤＡプロジェクトに求められる市民社会との連携・協力

この報告書で取り上げられているのは、バングラデシュのコミラ県ダウドカンディ郡およびホムナ郡で行われた「モデル農村開発計画」である。バングラデシュ側カウンターパートである「地方自治・農村開発・共同組合省（LGRD&C）」の二部門と共同で実施されており、全域の約六一万人を対象に、「効果的な農村開発のモデルを供する」ために行われた。モデル事業とはいえ、その対象地域も予算規模も大きく、その一環として道路や橋も建設されている。ここでは、NGOにおいても行われている「教育」と、灌漑ポンプ（低い場所から水を汲み上げるための低揚程ポンプ）の導入と貸し出し事業を中心に比較してみたい。

(1)　小学校建設

日本の援助により建てられたのは、鉄筋コンクリート造り二階建ての校舎である。しかし、ガラス窓や網戸が使われ風が入りにくく、電灯や天井ファンが完備されているものの、費用不足から使われていない。きれいな床や壁を維持するために掃除人が必要となり、高価な備品のために夜警が必要となるなど、維持管理コストの高さが問題となっている。また、児童一人ひとりに個別の机と椅子が割り当てられているが、児童数の増加も、途中でのドロップアウトも多いバングラデシュでは、長椅子、長机を使う方が便利である。また、机や椅子がないために学校に入れないといった不合理を生まなくてすむ。政府による公立小学校は一クラス五〇～六〇人といわれるが、筆者が二〇〇〇年九月に訪問した私立学校の七学年（日本の中学一年生にあたる）の教室では、一クラス一九二名のうち、その日は一二〇名の生徒が出席していた。日本と同様の広さの教室であったが、長椅子、長机ならでは可能な光景であった。これらは、現地の状況を把握することなく、「小学校建設」だけが行われたことを示しており、改善が急がれる点である。

(2) 灌漑ポンプ導入と貸し出し事業

バングラデシュでは、乾期における稲作（二期作・三期作）や畑作のために、灌漑ポンプや井戸などに対する需要が高い。ここでも、日本のディーゼル・ポンプ一四二台が性能の点から導入された。しかし、エンジンオイルが特定のものでないとベアリングなどを傷めること、部品も首都ダッカに行かなければ調達できないことが、問題となっている。「単位組合活動強化の一環」として行われた事業であったが、個人レベルでの生産量では効果が見られたものの、組合としての活動ではほとんど費用を回収できていない。また、既存の組合を通した活動であったため、最貧困層や女性が含まれる割合が少なくなっている。これらは政府機関をカウンターパートとしていることに伴う限界でもあると考えられる。

(3) 市民社会との連携・協力

いずれの事例においても、効率的な援助のためには、現地の社会・文化的な状況やニーズに配慮する必要があること、灌漑ポンプの事例では最貧困層や女性などを対象とした活動を意識的に行っていく必要を指摘できよう。こうした現地の情報の提供者として、また最貧困層や女性などの視点からの提言者として、市民社会の役割は重要である。この共同評価書では、外務省とNGOが今後も継続的に協力していくことが提案されている。また、無償援助協力で建物、研修用の機材を供与した一九九二年の別の評価事例(8)では、バングラデシュ婦人省が研修所の運営維持管理を担当し、日本のNGOであるオイスカ産業開発協力団（OISCA）が研修を受け持つ形での協力が行われたことが、評価されている。日本、バングラデシュ双方の政府やNGOが相互にさまざまな形で協力したプロジェクト

図 5-2　草の根無償資金協力の総予算額・件数

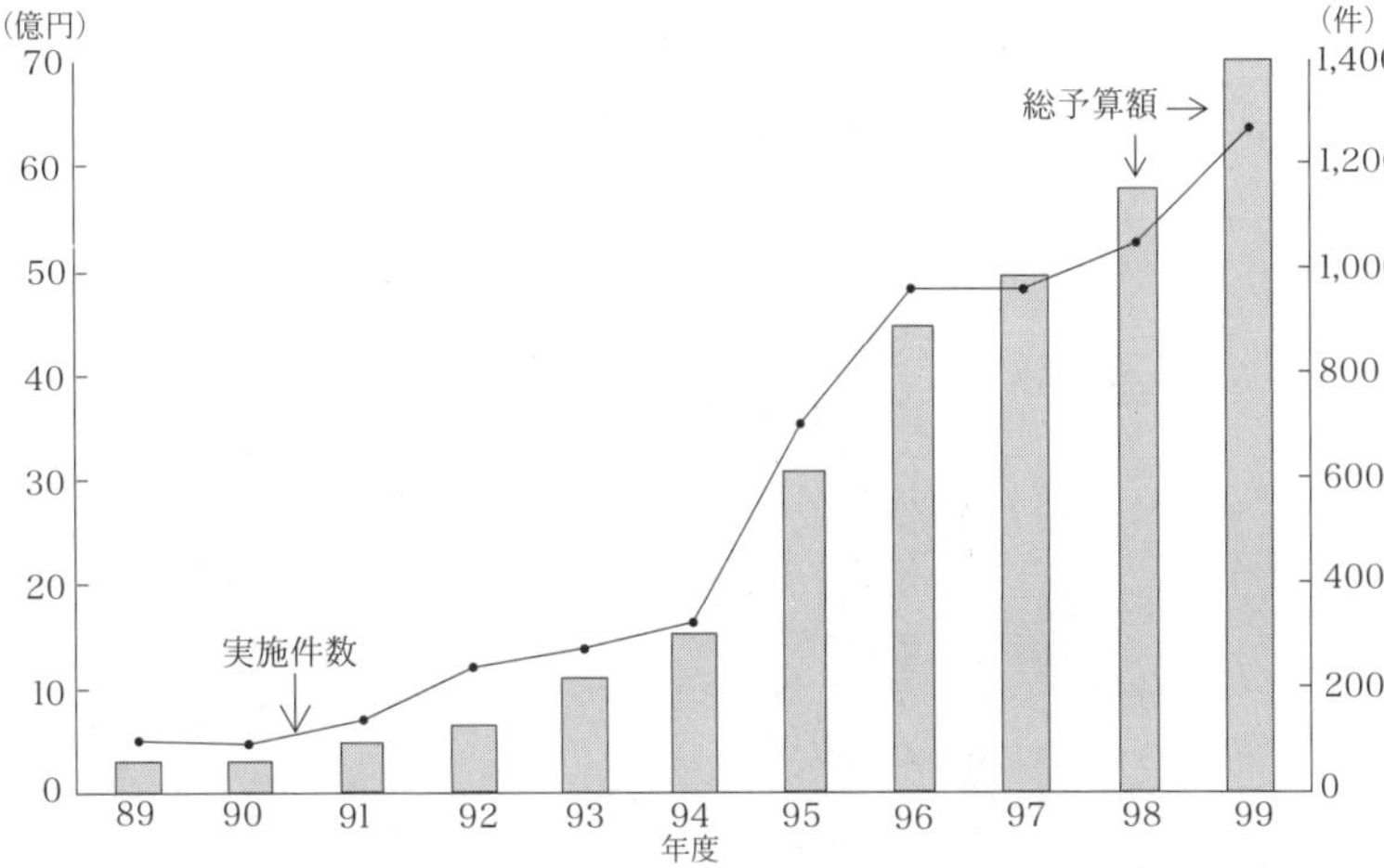

出所：外務省経済協力局編『我が国の政府開発援助　上巻』国際協力推進協会，2001年，45頁．

が、今後増えていくと考えられる。なお、バングラデシュにかぎらず、ODA政策においてNGOとの連携・協力の強化が大きな課題となってきており、直接的な資金提供（図5-2参照）だけでなく、定期的な協議も行われるようになってきている。[9]

一方、そもそもNGOが行っている教育や農村開発には、根本的なアプローチの違いが見られる。たとえば、BRAC（バングラデシュ農村向上委員会）というNGOが行っている、貧しい子供たちを対象にした非公式初等教育プログラム（六〜一〇歳）では、地域住民の家を借り上げ、地面に筵を敷いた床に座っての授業が行われる。一クラスは三二人までであり、先生も地元からパートタイムで雇用する。働かなければならない子供たちが通いやすいように、授業は毎日三時間、国語と算数、栄養や保健衛生の基礎知識を教える「社会学習」の三科目だけである。親と相談して、授業の開始時間や、収穫期の臨時休校などが、柔軟に決められる［朝日新聞：19-22、長田：49］。BRACが提供するのは、政府がカバーしきれない貧しい子供たち、なかでも就学率の低い女子への教育であり、貧しい子供たちが実際に学校に通えるような工夫であり、仕組みである。政府の公式教育そのものを支援するODAとは、目的も手段もアプローチも全く異なっている。

では、農村開発においては、どのような違いが見られるだろうか。次に考察したい。

第三節　貧困撲滅のためにどのようなアプローチが求められるのか

政府開発援助（ODA）が、貧困層を対象とした直接的な援助をあまり行ってこなかったとすれば、貧困層を対象とした貧困撲滅のための活動を長年行ってきたのが、NGOである。本節では、貧困撲滅のためのアプローチについて、まずバングラデシュの農村で展開されているNGOの活動事例について考察する。次に、小規模インフラ整備事業を一つの事例とし、現地のアクターである地方行政と住民を主体とした、もう一つの援助のあり方について考察する。最後に、こうした事例を踏まえたうえで、ODAのあり方について、人間の安全保障の視点から考察する。

1　貧しい人々に直接届くアプローチの模索

バングラデシュが一九七一年にパキスタンから独立した際には、一〇〇〇万人ともいわれる難民が発生した。さらにはその前後の洪水被害もあり、国際社会にバングラデシュ救援ブームが起こり、内外から多くのボランティアが集まり、救援活動が行われた。日本のＮＧＯであるシャプラニール＝市民による海外協力の会ができたのも、この時の活動がきっかけであった[10]。その後のシャプラニールの活動の変遷は、バングラデシュに展開してきた多くのＮＧＯが辿ってきた活動の変遷でもある。ここでは、シャプラニールにおけるショミティを中心とする活動、グラミン銀行におけるマイクロ・クレジット（無担保小規模ローン）を中心とする活動について考察する。

⑴　貧困者の「組織化」・「意識化」

シャプラニールが、救援活動から継続的な活動への転換を行ったのは、設立当初の経験からであった。第一に、物資を送るという緊急救援活動だけではバングラデシュの本質的な貧困を救えず、むしろバングラデシュの人々の自立を妨げることを認識したためである［斎藤一九九七：49–52］。第二に、自分たちの救援活動は、土地をもつ豊かな農民のためのものであり、貧しい人たちに役に立っていなかったという厳しい反省からである[11]。その結果、貧しい人々を対象とする「ターゲット・アプローチ」が初期の段階から取られた［中田：21–27］ことは、援助のあり方を考えていく上で示唆的である[12]。

そこで行われてきたのが、ショミティの支援・育成を通じた、人々の意識改革とエンパワーメント

（社会的に力をつけていくためのプロセス：甲斐田論文注（1）参照）である。ショミティとは、農民たちが自主的につくる生活改善と相互扶助のためのグループ活動である。ショミティでは人々が定期的に集まり、なぜ貧しいのか、またどうしたら貧困から抜け出せるのかといった話し合いが行われる。また、毎週五タカ（約一一円）程度の貯金を全員が行う。貯金を管理し、会合で決まったことを記録し皆で共有していくことが、組織活動を継続していくうえで重要であることから、読み書きや簡単な計算など、成人を対象とする識字教育が行われる。その識字教育も自分たちの日常生活について考え議論を促すような教材を使って行われるため、人々は社会の仕組みについて考えるようになる。また、二〇〇〇年九月に筆者が訪問した二二名の男性ショミティの識字学級では、全員が子供を学校に通わせていた。親への識字教育が、長期的に子供の就学率を高める結果ともなっていることが窺える。

その他にも、保健衛生指導、簡易トイレや手押しポンプ井戸の設置支援など、さまざまな活動が行われているが、こうした活動がどれくらい貧しい人たちのためになっているかは、大変わかりにくい。しかし、NGOをはじめさまざまな機関が保健衛生教育を行ってきた結果、大洪水の中で人々が井戸水など少しでも安全な水を求めて飲むようになり、伝染病が以前ほど発生しなかったという［中田：184］。「無知からくる生活危機」から人々は自由になっている。また、ショミティにおける相互扶助の活動を通し、洪水やサイクロンの被害、家族の病気などの「生活破綻の危機」からも、人々はかなり自由になってきている。まさに生活改善と相互扶助のための組織として機能しているといえよう。さらに成長したショミティにおいては、医者に行くお金のない人に募金を行ったり、道路補修の労働奉仕などの社会的活動を行うようになることが観察されている［中田：239、他］。

(2) 収入向上プログラム――「組織型ローン」と「個人型ローン」

これに対し、貧しい人々は資金さえ与えられれば自分で収入を向上させていくことができるとし、マイクロ・クレジット（無担保小規模ローン）を提供したのが、ユヌス教授の始めたグラミン銀行である。グラミン銀行は、一九九六年現在、全国の村の六〇％の三万六一四〇村をカバーし、会員は約二〇六万人（土地なしの貧困層の約二〇％）である。その九四％が女性であり、その返済率も九八％という驚異的な数字を示している［Hashemi：222，渡辺：35］。この成功を受け、同様のマイクロ・クレジットを提供する活動が、バングラデシュばかりでなく、今日、世界中に急速に広まっている[13]。

グラミン銀行では、五人組の連帯責任制のもとに、個人の活動に対するローンが行われる。まずお金を貸し出し、その返済も翌週から開始されるため、「前借型の貯金」ともいわれる[14]。これに対し、シャプラニールは、あくまでグループ活動に対する支援である。まず自分たちで貯金をし、グループで議論したうえで組織としての収入向上のための活動が行われる。また、成長してきたショミティが、日々の相互扶助の活動から飛躍し、貧困の根本的原因である土地や職がないという現状を改善しようとした場合、さらに多くの資金が必要となる。そのため成長したショミティに対しては、評価をしたうえでローンが貸し出される（ただし、一部は自分たちで準備することが条件である）。灌漑ポンプを使い、乾季稲作の灌漑用の水売り事業を行い、成功している例もある［中田：243］。

バングラデシュの貧困層の大部分は、土地を持たない土地なし農民、あるいはわずかしか持たない貧農である。そのため農村地域における非農業部門の活動（商業活動など）を活発化させることが、貧困緩和にとり極めて有効であり、そのための資金を提供するマイクロ・クレジットは、重要な手段である[15]。また、藤田がある村で行った調査によれば、グラミン銀行からの融資の約六割が、土地の質受け（お金を貸し元金が戻るまでの間、土地の用益権を得るという制度）に使われている。しかも農村の土地を持たない貧困層が、土地を所有する富裕層（地主）に資金を提供するという「逆流現象」(16)が起きている［藤田一九九九：139］。土地の質受けも含め、資金の又貸しに対しては、小規模事業の育成という本来の主旨とは異なるとして、疑問の声もある。しかし、ローンを繰り返すごとに土地の質受けの割合は増え、資産形成、ひいては「土地改革」のための役割を担いつつあるのではないかと、藤田は積極的に評価する［藤田一九九八：287-291］。

金銭の貸し借りを気軽に行うというバングラデシュの社会［安藤b：176］では、貯金をはじめとする相互扶助のための仕組みや、収入向上のための低金利（二〇％）での資金提供は、貧困問題への取り組みにおいて重要な役割を果たしているといえる。

(3)　援助における新たな課題

シャプラニールの活動は、貧しい人々自らが現状の問題を認識し解決していくことを目指す「意識化」と、相互扶助のための「組織化」により、貧しい人々が集団として社会的力をつけていこうというものである。これに対し、グラミン銀行の活動は貧困者個人のエンパワーメントとして注目を集めているものの、個人がばらばらに市場経済に巻き込まれていくことでもあり、その行き過ぎに対し、警鐘を鳴らす者も出てきている。しかし、グラミン銀行においてもフィールド・ワーカーとの対話をとおし、さまざまな情報が村にもたらされる［西川：170］。また、ある規模以上になると、活動上の必要性から、人々が自ら識字教育を求めるようになるとして、グラミン銀行でも識字教育への実験的取り組みが始まっている［ユヌス&ジョリ：292-294］。意識改革と収入向上のいずれを優先させるかとの違いはあるが、いずれも貧困層に対象を絞った、個人または組織のエンパワーメントのアプローチである。

では、こうした貧困層を対象にしたアプローチは、バングラデシュの貧困問題への取り組みとして、十分であろうか。答えは否である。シャプラニールの活動は、あくまで「行政サービスを含めた各種資源に貧困層がアクセスできるよう」、側面から働きかけ促していくことである［長畑：20］。ODAにおいても同様に、バングラデシュ政府が、貧困層も含めた福祉事業を経済的にも自立して行えるようになることが、最終目的であるといえる。その意味では、社会とエンパワーメントした貧しい人々を繋いでいくこと、バングラデシュ政府と貧しい人々を繋いでいくことが必要である。では、そのために何ができるのだろうか。

2　地方行政と住民主体のアプローチの模索

バングラデシュにおいては、地方行政と住民を繋ぐチャンネルがほとんど存在してこなかった。この制度的問題に着目し（地方行政とは政治の権益を守るために利用されてきただけであった）、地方行政と住民を繋ぐというアクション型研究プロジェクトが行われた。これは京都大学東南アジア研究センターが、国際協力事業団（ＪＩＣＡ）の下で行ったものである（一九九二～九五年。なお先行研究が一九八六～九〇年に行われている）。伝統的なリーダー「マタボール」たちの活動に見られる公的意識を再活性化し、小規模インフラ整備をはじめとする農村開発に生かそうとの試みでもある。

(1) 地方行政と住民を繋ぐ援助

先述したように、土地なし農民などの非農業世帯の所得を上げるためには、小規模な商業活動が重要であり、マイクロ・クレジットが重要な役割を果たしている。しかし、バングラデシュの農村は、「とりわけ末端に行くほどインフラが極めて未整備な状態」にあり、こうした活動を活発化させていくためには、道路、橋、定期市（ハット）などを整備していくことが、ますます重要になってきている［藤田一九九八：282、300］。小規模インフラ整備は、村全体を巻き込んでの活動となり、こうした活動を進めていくうえで、住民間の調整を行う伝統的リーダーの役割に注目したのが、このプロジェクトである。しかし、その一方で、こうした伝統的リーダーが、援助に関わる情報を独占することにより、個人的利益を優先させてきたとの弊害も指摘されてきた。これに対し、この研究プロジェクトではバングラデシュ社会において、宗教関連事業や「演劇やチャリティ」の際に発揮される「公的意識」に注目する［藤田一九九五：34-35］。洪水でも寸断されない道路建設のための共同作業など、村にとっての「新しい伝統」においても、村全体としての「公的意識」が生かされるような方途を模索する。

まず、地方行政（タナ、ユニオン）と村[17]（グラム、パラ）を繋ぐための工夫がある。第一に、ばらばらであった公共サービスをタナ（郡）農村開発課長のもとに一元化し、タナ（郡）レベル、ユニオン（行政村）レベルで調整会議を行った。第二に、グラム（村）に、伝統的リーダーなどからなる村落委員会を設置し、行政側との連絡会合を毎月開いた。第三に、税金を完納したパラ（集落）を対象に、プロジェクト資金の支援を行った。

また、伝統的リーダーによる利権の私有化を防ぐために、村全体で情報の共有化を図った。第一に、行政側から派遣されているフィールド・アシスタントがもたらす情報を、回覧板、掲示板などを使って伝達した［安藤他：50］。第二に、村の公共のための共同事業として明確に位置づけ、住民側に費用や労働などの負担を求めた。これが「村の公共機能を強化していくため」にも、住民の関心を高め、不正などの問題を防ぐうえでも役立った［安藤a：234、藤田一九九八：301］。第三に、プロジェクトについての理解を高め、村人たちの参加を仰ぐために、「在地の制度」でもあるパラ（集落）・ミーティングを開き、公開の場での議論を行った。会議では複数のマタボールによる調整が行われるが、そこには他のパラに住むマタボールも数人招かれた。「外の権威を借用する」ことにより、隣人や仲間の対立を避けての調整が行われるという、バングラデシュ特有のリーダーシップのあり方が観察されている。一方、こうした仕組みは、村人にとっても、「外の権威を借りることにより」、自分たちのリーダーをコントロールし、リーダーの独走や腐敗を避けるうえで有効である。積極的に活用すべき「在地の智恵」ではないかと安藤は述べている［安藤一九九八：222、他］。

⑵　地方行政と住民を繋ぐ援助に見る「援助の落とし穴」

バングラデシュにおいて国レベルで起きている援助依存の弊害は、村レベルにおいて起きている問題でもある。例えば、一九七一年の独立以来行われてきた「フード・フォー・ワーク」の経験から、道路は食料をもらってつくるものという意識が浸透している。こうした援助依存からの意識改革を図ることが、最大の課題であると指摘されている［安藤他一九九五：62］。京都大学の研究プロジェクトにおいても、行政側から派遣されるフィールド・ワーカーやアシスタントには日当が支払われるのに、なぜ村落委員会のメンバーにお金が支払われないのかが問題となった［同右：57］。しかし、この研究プロジェクトでは、「過小資源の奪いあい」［海田：14］を避けるために、経済的要素を入れることを排除している。

これらは援助のもつ弊害の一つであると考えられる。シエラレオネでの活動経験をもつ伊勢崎も同様の問題を指摘する。つまり、NGOをとおして現地の住民の間に始まった「無償ボランティア」の活動も、長く続けていくうちに、住民のなかでも特定の個人に偏るという「専門化」が起きてくる。そこで「無償ボランティア」としての仕事が、「ペイド・ワーク（有給）」へと変質していく。これが「伝統的に村の権威が仕切っていたコミュニティ内扶助の領域にも浸透するようになり」、「伝統的権威が、金銭的経済の前に失墜」し、ひいては社会の安定をも損なうことへと繋がっていったのではないかとの指摘である［伊勢崎：255–256］。これらは、ODAであろうとNGOであろうと、援助そのものに内在するものであり、援助の社会的・文化的影響として、留意する必要がある。

政府の開発援助にからむ利権争いが、腐敗を生み、国家を弱体化させてきた。一方、従来の農村開発政策が個人の経済的向上を支えようとするあまり、それが個人のエゴばかりを誘い出すことになり、村の「公」意識を殺す結果となっていた［海田：16］。NGOによる援助も、貧困撲滅という公共的目標を追求しつつも、その手段としてマイクロ・クレジットなど私的領域の活動を強調することにより、国や地域としての「公共性」や「共同体意識」を弱め、民主的政治システムの育成に結びついてこなかったとする［川村：193］。官（政府）もNGOも新たな「公」を生み出すには至っていないなかで、在地の伝統的な「公」の意識を積極的に活用するような支援のあり方を提案するのが、この研究プロジェクトである。

この研究プロジェクトが示すのは、きちんとしたインセンティブやそれなりの評価が得られれば、村の伝統的リーダーは公のための活動を見事に行いうるということである。現地の人々の参加を促し、自分たちの生活を良くしていくための自主的な活動が生まれてくるような支援のあり方を模索し、安易にお金をインセンティブとして使わないといった、援助側の姿勢が、逆に問われているともいえる。

(3) 今後の課題——公的意識に支えられた民主制度の模索

この研究プロジェクトでは、あえて村の伝統的リーダーを中心に据えている。しかし、シャプラニールの活動に見られるように、NGOの多くが初期の活動経験から、メンバーを貧困層に限定することにより、村の有力者や富裕層がショミティを牛耳るのを回避してきたという経緯がある。そのため、この例を他の地域に適応できるかについては、慎重であるべきとの意見もある。しかし、人々の活動が大きくなればなるほど、貧困者だけではなく、村の有力者も含む多くの組織との連携・協力、交渉が必要となる。ショミティが十分成長し、貧しい人々がある程度力をつけてきたと思われる地域においては、こうした「在地の制度」や「在地の智恵」を積極的に活用し、村全体の活動と連携させていくことも、必要な段階にきているのではないだろうか。

一方、民主化への移行期にあるバングラデシュにおいて、民主主義という新しい制度は、外から移植されたものである。こうした制度が機能していくためには、「公的意識」に支えられた制度として いくことが必要である。そのためにも、ショミティに見られる相互依存関係を、さらに広い地域や人々へと広げていくこと、あるいはこうしたエンパワーメントされた貧しい人々の参加のもとで、「伝統的な公意識」が十分機能するような制度を模索していくことが必要である。将来的には、NGOが行ってきた草の根レベルの活動と、村全体を対象とする農村開発の新たな試みをリンクさせていくことは、バングラデシュにおける民主主義の発展という意味からも、極めて重要であると考える。

3　新たなODAへの指針——人間の安全保障の視点から

一定規模を超えたインフラ整備、国全体としての教育・保健医療などへの取り組みにおいて、政府開発援助の果たしている役割は依然として大きい。しかし、ODAは額が大きいために、人々の生活にも無視しえない影響を与えることが多い。ODAを社会的に最も弱い立場に置かれた人々の視点からも見直し、援助のもつ負の影響を少しでも減らし、貧困層に直接届く援助としていくことが必要である。これまで、貧しい人々を対象とするNGOのアプローチ、地方行政や住民という現地のアクターや知恵を生かした援助のあり方を見てきたが、これらをさらに発展させていくためには、ODAにおいても人間の安全保障の視点を取り入れていく必要がある。ここでは先に取り上げた農村開発を中心に、人間の安全保障の視点からODAのあり方について考察する。

(1)　腐敗をなくすための政府への働きかけ

バングラデシュにおいては、政府に対するODAが減る一方で、援助国からNGOへの資金提供が増えている。そのため、村(ユニオン)評議会レベルでは、村民への福祉サービスの提供も、NGOの協力なしには行えない。一方、NGO側にとっても活動が大きくなればなるほど、人員が必要になる。こうしたなかで、バングラデシュ農村向上委員会(BRAC)では、貧困女性支援制度(VGD)の対象者の選定を村評議会に委ねるなど、村評議会とNGO間の新たな協力も始まっている。そのことにより、村評議会の活動を人々が関心をもって監視し、問題があれば援助側に通報し、意義申し立てを行うようになったという［延末ａ：92］。公開性を高め、腐敗の問題をなくしていくうえでも、民主主義の発展にとっても重要な動きとなっていく可能性を秘めている。

腐敗の問題の解決も、貧困者層に配慮した政治も、本来であればバングラデシュ政府自身が優先的に行うべき政策課題である。日本の援助は依然として政府間援助が中心であるといえるが、バングラデシュに生まれているこうした新たな芽を摘まないよう配慮していく必要がある。政府自らが貧しい人々を対象とした政治を行うような変化を促していくための手段として、開発援助を位置づけることが必要である(18)。

(2)　社会的に弱い立場に置かれた人々を中心に据えた援助

従来の開発援助が現地政府からの要請により、トップダウンで決められてきたとすれば、今日求められているのは、現地の人々のニーズにあった細やかな援助である。ダム建設や大規模開発のもとで、先住民や少数民族などが強制移住させられ何の補償もないといった問題がたびたび起きてきた。バングラデシュのカプタイ・ダム建設(19)に伴い、約一〇万人の先住民が強制移動させられたが、これが軍部と先住民との対立を生む原因となったのではないかとの指摘もある［鷲見：17］。

従来の開発援助が一部の地域や民族に犠牲を強いるなど、その負の影響も大きかったとすれば、今日求められるのは、現地で社会的に最も弱い立場に置かれた人々も含め、少しでも多くの人々の声を反映したものとしていくことである。内政不干渉の原則の下に見過ごされてきた点であるが、開発援助プロジェクトの社会的・文化的影響に、細心の注意を払っていくことは、援助する側の責任でもある。その意味では、ODAについての情報をNGOや現地の人々に公開する[20]一方、NGOや現地の人々との対話の場を設けるなど、現地で必要とされる「下からの援助」のための仕組みをつくっていくことが、今後の課題であろう。それは、現地の人々にとり、より優先度の高いものを行っていくためにも、腐敗防止のためにも必要な仕組みである。

(3) 現地の実状に立脚した援助

人間中心のアプローチとは、現地の人々が置かれている状況を正確に把握したうえで、適切な援助を模索することでもある。たとえば、たびたびサイクロンや大規模な洪水に見舞われるバングラデシュであるが、一年に二度あるいは三度米がとれる地域もある。そうした地域では川の氾濫後には土地が肥沃になり、収穫が増え、年間を通しての収穫量としては足りていることも多い。バングラデシュ飢饉（一九七四年）において、アマルティア・センが指摘するのは、土地を持たない貧しい農民の場合、飢餓が食糧の不足からではなく、「労働力の米に対する交易条件」の悪化から起きることである。つまり、穀物の国際価格の上昇や、通貨切り下げなどの外的要因による米価の上昇が、同じ賃金で買える食糧の量を低下させる。また、経済状況の悪化に伴う雇用機会の減少や賃金の低下が、飢餓の原因となることである。この意味で、時期を逸した食糧援助は、食糧価格を暴落させ、農村経済を逆に悪化させる。それが土地なし農民の農村での雇用を奪い、飢餓を悪化させることにも繋がる。しっかりとした分析に基づく援助政策が求められる所以である［セン：第九章］。

また、バングラデシュにおいて、大規模な被害をもたらしたサイクロンは、過去二五年間に一四にものぼるともいわれる［内田：104］。水資源・治水事業は重要であり、「氾濫を制御」するための政策が多額の費用をかけて行われてきた。しかし、堤防により「閉じ込められた水」が至るところで「排水不良」となり、洪水に際して人々が自ら堤防を切って排水する「パブリック・カット」の問題が、各地で発生してきた［内田：106‐112］。これに対し、農民は、絶えず変化する自然の力に逆らうことなく、それを巧みに利用する小さな技術により、自然環境を無理なく「変化」させてきた。「伝統的な洪水対応技術」という農民の知恵に学ぶことが必要ではないかと、内田は指摘する［同右：第五章］。さまざまな分野で援助のあり方を、現地の視点から問い直していくことが必要である。

(4) プロセスを重視した柔軟な援助の仕組み

物を提供するだけで貧困問題は解決しない。現地の人々自らが、現状を変えるにはどうすべきかを考え、実行する勇気と筋道を側面から支えていくことこそが、NGOの活動から見た援助の役割である。それは現地の人々が自分たちの問題を自分たちで発見し、自分たちの力により解決していくプロセスでもあり、それを支援していくのが第三者の役割であろう。このような人々の自立を促す援助においては、「本当に必要な協力を辛抱強く行って」［中田：140］いくことが必要である。現地の状況にあった援助としていくためには、途中での試行錯誤の過程もまた重要である。

こうした援助活動において、NGOとの協力がますます重要になってくる。しかし、そうした際に単年度ごとに期限も使途も決められた援助は使いにくい。時として、住民主体の活動にゆがみをもたらすことすらある。例えば、シャプラニールのポイラ村事務所占拠事件では、ODAではなかったが「予算消化」のために村の建物としては立派な造りに改造されたことが、事務所への固執や村人たちの「利権」への関心を呼び起こしたのではなかったかと中田は振り返る［同右：136］。人間中心の社会開発を進めていくには、援助される人々のその時々の状況に合わせて運用できるような、柔軟な援助の仕組みとしていくことが必要である。

第四節　バングラデシュの新たな状況と日本外交の課題

では、「人間の安全保障」を実現していくために、日本は今後どのような役割を果たしていくべきなのか。バングラデシュにみられる政府、市民社会、企業の新たな状況を踏まえた開発援助の新たな課題、および貧困問題に対する新たなアプローチとそれに対する日本外交の課題について考察する。

1　開発援助の新たな課題

(1)　政府とNGOをめぐる課題

国の統治力が弱いバングラデシュでは、国家だけでは国全体に保健医療、教育や福祉活動などを実施することができず、NGOがそれを補完あるいは代替している。NGOは貧しい人々にとり、不可欠な「第二の行政」でもある。その一方、NGOが肥大組織化し、NGOの企業化、サラリーマン化の問題も指摘され始めている。[21] BRAC（バングラデシュ農村向上委員会）をはじめとする巨大NGOの活動が、本当に貧しい人々のための活動となっているのか、NGOの活動を長く続けていけばいくほど、組織の存続が優先され、組織存続のための活動へと変質してはいないか。[22] 政府が陥っていた海外からの援助をめぐる腐敗の問題が、NGOにも起きないか。八〇年代に入り、官僚や軍人の退職者による小規模ビジネスがNGOを称するようになるなど、NGO自身の質も多様化している［川村：178］なかで、NGO自身にも厳しい目を向けていくことが求められるようになってきている。

一方、NGOの先進国ともいわれるインドでは、住民組織を主体とし、自らの役割を限定する「ミニマリストNGO」への道を歩み始めていることが報告されている。たとえば、ムンバイ（旧ボンベイ）路上生活者が居住権を獲得するために、NGOが行ったのは、住民を組織化し要望を行政に繋ぐことであり、政府がその力を発揮するための環境づくりに徹するという活動である［斎藤一九九八］。NGOの役割として、これから考えていかなければならない視点であろう。

第Ⅲ部第二章で大橋が述べているように、各国の社会のなかでのNGOや市民社会の位置づけはさまざまであり、人間の安全保障を各地で実現していくための方途は、それぞれの社会によっても大きく異なっている。一律に内政不干渉の原則に基づく政府間援助を行うだけでは、解決できない問題も多い一方、NGOを取り巻く状況が日々変化していることもまた現実である。人間の安全保障を実現するためのそれぞれの役割の模索が現地で続くなかで、そうした現地の状況に対応した、日本の援助のあり方を常に模索していくことが必要である。

(2) 民主化をめぐる課題

民主化に伴い、NGOが力を注いできたショミティやグラミン銀行の対象者でもある貧しい人々、NGO活動家のなかから、村（ユニオン）評議会の議員になる人々が出てきたことは、援助の大きな成果である。(23) 貧しい人々や女性が政治に関心を持つことにより、貧しい人々や女性を対象にした政治を行わざるをえない状況が生まれてきている。しかし、NGOの人権教育を受けたショミティの女性たち自身が、支持する候補者の当選のために、金品をカンパし配ったという報告もある［延末c 34］。利権分配型の腐敗した政治構造に巻き込まれずに、真に貧しい人々や社会のための政治を行っていくことができるのか。これまでの活動の真価が問われるとともに、この新たな状況に応じた民主化支援が必要な段階に入ろうとしている。

また、民主化移行期にある政府は最も不安定であり、対立や紛争を起こしやすいともいわれる。NGOへの資金の流入に伴い、従来からの国家を中心とするパトロン―クライアント関係が崩壊する［延末a：92］一方、少なくなった政府部門の資源（官職、補助金、公共事業受注機会など）の支配をめぐり、与野党間の対立もまたいっそう激しくなっている。(24) NGOや貧困層、女性が力をもつに従い、村において旧支配層との対立も激しくなっている。(25) 援助が対立を悪化させる要因とならないよう、開発が与える政治・経済・社会的影響を含め、細心の注意を払っていく必要がある。

2　貧困問題への新たなアプローチと日本外交の課題

(1)　新たな貧困層と企業――国内での取り組み

本章で主として扱ったのは、農村地域における土地なし貧困層の問題である。農村人口が八割を占めるなか、依然として大きな問題であるが、その一方で増えているのが農村から都市への流入人口である。サイクロンなどで土地を失った人々や、農村で暮らせなくなった人々が都市のスラムなどに移り住み、新たな貧困層を形成し、ストリート・チルドレンに対する教育・訓練などが新たな課題として浮上してきている。

また、バングラデシュで急成長しているのが輸出向けの縫製産業であり、これを支えてきたものの一つが、農村から出てきた若い女性や子供を中心とする安い労働力である。しかし、「パルダ」と呼ばれる女性隔離の風習など、女性を取り巻く社会的状況が極めて厳しいなかでの劣悪な労働環境は、児童労働とともに、大きな社会問題となっている。しかし、その一方で、こうした縫製産業が、正規の学校教育を受けておらず、「フォーマル・セクター(26)の雇用から排除された（若い）年齢集団をすくいとる働きを果たしている」［村山一九九七：67］ことも、もう一つの現実である。(27)

二〇〇〇年に訪問したＢＡＮＴＡＩという輸出用帽子縫製工場では、従業員の子供を対象にした非公式教育を工場の一室で行うなどの福祉活動を行い、結婚の際に女性側が支払う持参金の習慣を止めさせるなどの意識改革を進めているが、業績的にもよい結果を生んでいる。同業者からの圧力もあるが、元ＮＧＯの活動家でもあったサイドル氏が経営するこの工場の事例は、企業のあり方自体が、労働者の日々の生活における「人間の安全保障」を大きく変えうる存在であることを示している。労働環境に配慮している企業の製品を買うことにより、企業でのこうした試みが支えられていくとの側面もある。企業と市民社会の協力が今後ますます求められる分野であると考えられる。

(2)　構造調整政策と貧困問題――グローバルな取り組み

チョスドフスキーによれば、一九七〇年代半ばに施行されたバングラデシュの経済援助政策には、経済安定化政策など今日の構造調整政策の核心的な部分が既に盛り込まれていた［136］。「ＩＭＦの経済処方を遵守するという条件」のもとに、軍部と手を組んだ国際金融機関や援助機関などにより、財政や通貨抑制政策ばかりでなく、その後の開発政策や産業政策もが決められてきた。それが低開発の原因の一つであったとしている。また、一九九一年に起きたサイクロンでは一四万人が命を失ったが、その直後に実行された通貨の切り下げにより、米の小売価格は五〇%暴騰した。さらに、九二〜九三年には、構造調整政策のもとで社会福祉予算を大幅に削減するよう求められている。これらがサイクロン後にも引き続き飢餓をもたらした原因であったとしている［145］。バングラデシュの事例に示されるように、貧困問題の深刻化や社会の不安定化など、ＩＭＦや世界銀行の下で進められてきた画一的な構造調整政策の負の影響が各地で取り沙汰されている。

八〇年代初期の債務危機以来、ＩＭＦと世界銀行により、世界中一〇〇カ国以上で、債務救済融資を受けるためのコンディショナリティ（融資条件）として、マクロ経済安定化措置と構造調整政策が進められてきた［チョスドフスキー：32］。チョスドフスキーが指摘するのは、債務救済融資を受け入れることにより自立経済の道は塞がれ、通貨切り下げ、緊縮財政、貿易自由化、民営化などの画一的な政策が、逆に各国経済を悪化させ、負債額を増大させ、社会的弱者ばかりか社会全体の基盤をも蝕んでいるという、その政策自体の問題点である。さらに、南の国々での縮小経済は、リストラ、失業、経済不況をとおして、北の国々を巻き込んでの縮小経済へと、その影響は拡大し、「貧困の世界化」が起きつつあると指摘している。

グローバル経済の只中にある今日、こうした問いに答えることは簡単ではない。しかし、一九七六〜九二年を対象とする調査の例では、構造調整下の緊縮財政政策に伴う食糧品や公共運賃値上げに端を発した緊縮暴動が、約八〇の債務国の内三九カ国で一四六件発生している。また、ルワンダなどの国内紛争の背景にも、構造調整政策のもとで、生活に直結した、土地や雇用などをめぐる経済的対立の悪化が指摘されている［平井：475］。これらは、この問いを真剣に受け止めるべき必要性を示しているのではないだろうか。こうした警鐘に逸早く気づき、北と南の連帯による市民運動という展開を見せたのが、債務帳消し問題であったとすれば、それは今日の世界に突きつけられた重い問いの始まりであったにすぎない。環境問題、ＷＴＯなどをめぐる、南からの重い問いに対する答えは、北の社会、人々の意識改革のなかにこそ、あるのかもしれない。

(3)　日本外交の課題——市民社会との新たな連携

グローバル経済の進展に伴う負の影響として、貧困問題に注目が集まっている背景には、貧困問題が限度を超えているという認識が共有されるようになったことがある。しかし、マクロ経済安定化措置や構造調整政策、グローバル経済の負の結果への対処として、貧困問題が扱われるだけで、その背景にある構造的な問題に何ら手がつけられないとするならば、貧困問題への取り組みは、その負の構造を温存する手助けに終わる可能性もある。一部の豊かな層がより豊かに、多数の貧しい人々がさらに貧しくなるという今日の矛盾を顕在化させずに、現状を維持していくための「手助け」である。

これに対し、人間の安全保障のための市民社会の役割とは、飢餓や極度の貧困、あるいは人権侵害や環境破壊など、困っている人々に対する緊急救援としての物資の提供や人道援助だけではなく、むしろそうした人道援助の美名のもとに隠されようとしている今日の世界の構造的問題に目を向け、根本的な問題解決に向けての市民の連帯としての役割なのではないか。そうした問題に対し、社会を変えていこうとする市民社会の連帯なのではないか。人間の安全保障の掲げる「人間の尊厳、生活、安全」が重要な課題として、北の諸国の人々にも南の人々にも、改めてのしかかってきているのである。

こうした問題解決において、日本の果たすべき役割は大きい。バングラデシュをはじめ、多くの国々に対し、日本は最大の援助供与国となっている（一九九八年度の例では四二カ国）。日本および現地のＮＧＯ、市民社会とともに、社会的に弱い立場に置かれた人々に配慮しつつ、現地の知恵を生かした、現地の実情にあった「開発援助」へと変えていくことが必要である。グローバル経済の下でますます活発化する多国籍企業の活動が、現地の人々の生活を脅かさないよう、留意していく必要がある。また、世界銀行やＩＭＦに対する第二の出資国である日本は、こうした市民社会からの問題提起を重く受け止め、これらの組織や政策決定過程を、一部の金融利害関係者による閉じられた制度から、より開かれた民主的な制度へと、実質的にも変えていくためのイニシアティブをとっていく必要があり、それはまた日本の責任でもある。こうした根本的な構造改革、政策の変革を推進していくうえで、ウォッチ・ドッグ（大橋によれば矛盾の発見者）としての市民社会の役割は、極めて重要であり、人間の安全保障を実現していくための新たな連携のあり方を模索していくことが今後の課題であろう。

おわりに――グローバルな連携に向けて

冷戦終結後、国内紛争、ジェノサイド、極度の人権侵害など、今日の安全保障の脅威が国内問題となるなかで、国家だけでは国内における人々の安全を保障できなくなっている。グローバル経済の進展に伴い、飢餓、極度の貧困、失業問題の悪化等により、人々の基本的ニーズを満たせず、国内で人間の尊厳、生活、生命が脅かされる状況が発生する一方、環境問題など地球的規模での問題が大きな課題として提起されている。これに対し、見直しを迫られているのが、従来の国家を中心とする安全保障政策や開発援助であり、人間中心の視点からもう一つの社会のあり方を提起するのが、人間の安全保障の視点である。こうした問題解決において、さまざまな役割を期待されているのが、社会的に弱い立場にある人々の視点から社会の抱える問題を「発見、提言し、必要に応じてサービスを提供する」（大橋論文参照）市民社会である。

こうした市民社会のグローバルな連携が注目を集める一方において、対人地雷廃絶のためのオタワ・プロセスとは、カナダ政府がNGOと連携していったプロセスでもあったように、今日の地球的規模の問題解決において、政府と市民社会との連携がますます求められるようになっている。また、このオタワ・プロセスは、国籍に関係なく市民社会に近い立場をとる政府を、NGO自身が逆に選び出しアクセスしていったプロセスでもあった[28]。今日見られる政府とNGOとのグローバルな連携において、国境は全く意味をもたない。日本においても、政府への批判も含め、NGOの独自性を認めたうえで、NGOと協力していく新しい型の政府像への脱却が求められているのではないか。

一方、国内における一人ひとりの人間の状況への関心が高まるなかで、貧しい人々を対象とした政治を行うよう、バングラデシュ政府に対する国際社会の圧力が高まっている。そうしたなかで、援助を媒介に政府とNGOの協力する場が生まれ、政府のあり方が変わりつつある。また、最貧困層への取り組みが依然として重要な課題である[29]一方において、NGOも人々も否応なく市場経済化に向かっている今日、人々の求めるものも、援助だけではなく、マイクロ・クレジットや、雇用、投資へと多様化してきている。そうしたなかで、児童労働の問題や低賃金など、労働環境の改善を図っていくためには、企業との対話や交渉、そして協力を通じて、企業自らが変わっていく必要がある。こうした新たな状況に対応した柔軟な政策が求められているとともに、人間の安全保障を実現していくためには、市民社会だけでなく、政府、企業との連携・協力もまた必要なのである。

森総理（当時）が二〇〇一年一月のアフリカ訪問に際し、人間の安全保障委員会を設置し、二年以内に提言を出すことを提案するなど、人間の安全保障は日本にとりますます重要な政策となりつつある。人間の安全保障を掲げる日本政府が、社会的に最も弱い立場に置かれた人々を中心に据え、現地の実状に立脚した援助ができるか、地球環境など人類、地球全体の「公共の利益」を見据えた長期的な政策を実施していくことができるか。また、人間の安全保障という共通の目標のもとに、市民社会との建設的な連携ができるか、さらにはアクター（行動主体）という垣根も、国境も越えたグローバルな連携を築いていくことができるか、真価が問われるのはこれからである。

［追記］　二〇〇〇年九月のバングラデシュでの現地調査に際し、大橋正明恵泉女学園大学教授から多くの示唆をいただいた。

【注】

（1）　小渕総理の「人間の安全保障」は、従来の開発援助を「人間の安全保障」として語る「言力」であったと見ることもできる。しかし、田中が述べているように、従来の日本の外交が受身であったのに対し、積極的に日本の外交政策を提示したことの意義は大きい。また、それが「人間の安全保障基金」の設置や対人地雷廃絶運動へのイニシアティブ、アジア危機においても社会的弱者への配慮を明確にするなど、一貫した具体的な政策に結び付いていたことは、評価されるべきであろう。

（2）　人間の安全保障は二つの観点から注目を集めている。一つが、国内紛争のもとで難民をはじめ一般市民の犠牲者が増大しているという、人道主義の流れである［Axworzy参照］。もう一つが、グローバル経済のもとで貧困問題が悪化するなかで、社会的に弱い立場に置かれた人々への関心の高まりという、開発援助の流れである。前者を中心とするのがカナダ、後者を中心とするのが日本のアプローチであるといえる。

（3）カナダはノルウェーなどとともに、同様の意志をもつ国々一三カ国（二〇〇一年六月現在）でヒューマン・セキュリティ・ネットワークを構築しているが、そこに日本は入っていない。日本は対外的な軍事活動に対し、法的にも世論的にも厳しい制限があることも、その理由の一つであると考えられる。

（4）日本とカナダは、国際協力事業団（ＪＩＣＡ）とカナダ国際開発庁（ＣＩＤＡ）という開発援助機関同士の「平和構築」における連携協力を通じて、人間の安全保障のための協力を深めている。

（5）先に述べたＢＲＡＣの活動を例にとれば、貧困層の子供を対象とした非公式教育プログラム（六歳から一〇歳までが対象）は、全国三万四〇〇〇校、児童数一一〇万人（全国児童の八％）を対象に行われている［朝日新聞：20］。また、「予防接種とビタミンＡの配布プログラム」は、全国三万村をカバーし、「女性の保健衛生プログラムの恩恵を受けた者は二四〇万人」、「流行性の下痢の対処法として、砂糖・塩水を使う方法を一三〇〇万世帯に教え」るなど、「もうひとつの政府」といった存在感を示している［延末一九九七：794］。

（6）「バングラデシュ国別援助計画」（http://www.mofa.go.jp/mofaj/gaiko/ODA/kuni/bang_h.html）。

（7）（http://www.mofa.go.jp/mofaj/gaiko/ODA/kunibetu/gai/h11gai/h11gai027.html）。

（8）「開発と貧困／開発と女性」（バングラデシュ）（http://www.mofa.go.jp/mofaj/gaiko/ODA/kunibetu/gai/h06gai/h06gai011.html）。

（9）ＮＧＯに対する直接的な資金援助としては、ＮＧＯ事業補助金や草の根無償資金協力が一九八九年以来行われている。また、ＮＧＯ・外務省定期協議会（九六年発足）や、ＮＧＯ・ＪＩＣＡ協議会などの定期的な協議の場が設けられている。

(10) その時日本から行った五〇名の「バングラデシュ復興農業奉仕団」というボランティアのグループが、一九七二年九月に「ヘルプ・バングラデシュ・コミティ（バングラデシュ救援実行委員会）」を結成し、継続的な社会開発援助活動を開始した。それが八三年に改名された、今日のシャプラニール＝市民による海外協力の会の始まりである。

(11) 当時は日本製の小型耕運機を使った農作業支援であった。燃料の灯油代などの「費用」を負担できるのは、土地を所有する裕福な農家だけであった。これに疑問をもち、貧しい小作人の田を無料で耕した者が、結局、地主からも小作人からも拒否され村から追い出された。先にみたODAのポンプ事業と全く同じ社会的構造があったわけである［中田：21-27］。

(12) ショミティ方式を最初に始めたのは、プロシカ（PROSHIKA：人間開発センター）というバングラデシュNGOであり、BRACなどとともに、この方式を発展させてきた［馬橋他：197、他］。

(13) NGOの連合組織であるADAB（バングラデシュ開発団体協会：一九七四年設立）のディレクトリー（一九九六年）に掲載されているNGO八三八のうち、七割以上にあたる五九八団体が、マイクロ・クレジットの活動を行っている［岡本他：150］。今日では、アジア、アフリカ、ラテンアメリカなどの途上国ばかりでなく、北米、ヨーロッパも含め、五八カ国でマイクロ・クレジットが行われている［ユヌス：240］。また、九七年二月には、ワシントンで「マイクロ・クレジット・サミット」が開催された。

(14) グラミン銀行においてもグループ内での貯金（毎週二タカ）や、病気や冠婚葬祭などの臨時支出に備え、貸し付け金の五％を天引きした積み立ても行われている。また、六〇〇タカまでたまると、参加者が平等に一株（一〇〇タカ）ずつの株主になることが義務づけられている［Wright: 317-318, 渡辺：33］。

(15) グラミン銀行のマイクロ・クレジットの約三分の一が農村での小さな商業活動に投資されている［藤田一九九八：300］。

(16) 土地の質受けにみられる「逆流現象」の背景として、事業を起こすことはだれにでもできることではなく、より安全な方法として資金の又貸しが行われやすいことが挙げられる。逆に富裕層の方には事業を行っている者も多く、灌漑ポンプの購入や店などの事業の運転資金を必要としていることが挙げられる。また、灌漑事業や機織工場、タバコ工場など、農村の貧困層にも安定した収入を得られる機会が生まれてきていることを、藤田はその理由として挙げている［藤田一九九五：30-31］。

(17)　地方行政としては、タナ（郡）の下に、行政村であるユニオンがある。村にはグラム（村）、さらに小さい集落（パラ）などがある。

(18)　日本の援助においても、援助にまつわる問題を回避するために、腐敗のない企業や、業績の高い企業への援助を増やしたり、返済率の高いマイクロ・クレジットに円借款を供与するなど、新たな傾向が見られることが指摘されている［谷本：95］。

(19)　一九六二年の第一発電所はアメリカからパキスタンへの援助、八二年、八三年の第二発電所は、海外経済協力基金（OECF：当時）が融資を行っている。

(20)　国際協力銀行（JBIC）は、二〇〇一年度からODAの円借款事業について「事前評価制度」を導入し、事業開始前に目的や計画を公表し、援助事業の透明化を図ることを決めており［読売新聞（夕）、二〇〇一年四月一六日］、今後の展開が期待される。

(21)　BRACが貧しい人々のつくった品物を販売するために、アーロンというブランドをつくりあげ、グラミン銀行が貧しい農村での電話へのアクセスを確保するために、「グラミンフォン」という携帯電話事業を他国の企業と連携して行うなど、NGOは企業としての顔も見せ始めている。

(22)　NGOの多くがマイクロ・クレジットの利息により、自己資本比率を高めていることが指摘されている。

(23)　一九九一年に初めて自由な選挙が行われた際には、ユヌス教授は、政治家が腐敗する中、少しでもよい政治家を選び、政治を良くしていこうと呼びかけ、土地無しの貧困層の存在をアピールする行進を行った。九六年の総選挙ではユヌス教授自身が、内閣総辞職後の政府の選挙管理内閣に選ばれた。また、自由・公正な選挙の実現を図る「市民イニシアティブ」運動を行ったが、一〇八の市民団体が参加し、投票や開票を監視した［渡辺：46-47］。九七年の村（ユニオン）評議会議員選挙において、プロシカというNGO（注12参照）では、自ら「草の根民衆連合」という市民政党を組織し、プロシカが支援するショミティ活動をしてきた住民たちが、大勢（女性一〇〇〇名、男性七〇〇名）当選した［馬橋他：98］。BRACの女性メンバーも、一三四九人が当選したとされる［延末b：39］。

(24) イスラーム過激派や極右テロ組織が、暗殺未遂事件や爆弾テロを引き起こす一方、与党自身もまたテロ事件や不正選挙を批判されている。一九九九年には売春街強制排除事件（七月）や、ダッカ市のスラム強制撤去が三カ所で行われ、約三万人がホームレスになるという事件が起きているが、これらを資金源とする政治勢力を排除しようとする政治的抗争でもあったことが指摘されている［アジア経済研究所：436-446］。

(25) 延末によれば、一九九〇年代以降、元来イスラーム法上の判断である「フォトワ」が、旧支配層が自分の都合のいいように解釈し私刑を科す際の道具になっており、フォトワで女性が殺害される事件が頻発するようになっている。また、九八年から九九年にかけては、バングラデシュ開発団体協会（開発NGOの連合体）の集会をイスラーム過激派が襲撃する事件も頻発している［延末b：40］。

(26) 縫製労働者の八割が農村からの移住者である［村山一九九七：49］。二〇〇〇年九月のサイドル氏からのヒアリングによれば、縫製工場三二〇〇社で働く従業員約一六〇万人のうち一四〇万人が、女性である。一九九七年発表の村山の論文でも、縫製工場が一八〇〇社、従業員約八〇万人の七割が女性と推定されている［同右：45］。

(27) 一九九三年当時の例であるが、小学校五年生の少女がヘルパーとして縫製工場でもらった給料は、月二〇〇タカ（当時約五ドル）であり、その後オペレーターとしてもらった給与も、一七歳で月約一〇〇〇タカにすぎない［村山一九九九］。しかし、家庭にとっては貴重な収入源となっている。村山の調査でも縫製工場で働く女性の六八％が、月一五〇〇タカ以下の収入である［村山一九九七：72］。なお、一タカは二・二九円である（二〇〇一年三月二九日現在、http://www.ne.jp/asahi/bhalo/news/diary.html）。

(28)　二〇〇〇年一二月一日、NIRAで開催したワークショップにおける東京財団研究員 目加田説子氏の講演による。

(29)　マイクロ・クレジットの試みが最貧困層には届いていないのではないかとの問題も提起されており、「クレジット・プラス・アプローチ」や、「クレジットと社会開発」により、貧困層が新しい貿易・生産・労働市場に入っていけるよう社会的流動性を高めていくことが、議論されている（Sharif and Wood : 371-373）。なお、ある四つの村の調査によれば、ターゲット・グループがグラミン銀行やBRACのマイクロ・クレジットに加わらない理由として、ローンの返済ができない（49％）、社会的・宗教的制裁（28％）、グラミン決意16条が覚えられない（9％）、他のメンバーに受け入れられない（13％）が挙げられている（Hashemi : 254）。

【引用文献】

Lloyd Axworzy, Human Security : Safety for People in a Changing World, April 1999. (http://www.dfait-maeci.gc.ca/english/foreignp/Human Security/secur-e. htm および http://www.canadanet.or.jp/relations/peace_security.shtml 参照)

Syed M. Hashemi, "Those Left Behind: A Note on Targeting the Hardcore Poor," in Geoffrey D. Wood and Iffath Sharif, eds., *Who Needs Credit? Poverty and Finance in Bangladesh*, Dhaka: The University Press, 1997.

Iffath Sharif and Geoffrey D. Wood, "Conclusion," in Wood and Sharif, eds., Ibid.

Astri Suhrke, "Human Security and the Interests of States," Security Dialogue, Vol. 30 No. 3, SAGE, Sep. 1999.

Graham Wright, Mosharrof Hossain and Stuart Rutherford, "Saving: Flexible Financial Services for the Poor

(And Not Just for the Implementing Organization)," in Wood and Sharif, eds., op. cit.

朝日新聞「地球プロジェクト二一」『市民参加で世界を変える』朝日新聞社、一九九八年。

アジア経済研究所『アジア動向年報二〇〇〇年版』日本貿易振興会アジア経済研究所支援部、二〇〇〇年。

アマルティア・セン著、黒崎卓・山崎幸治訳『貧困と飢饉』岩波書店、二〇〇〇年。

安藤和雄、内田晴夫他「マタボールたちと在地の農村開発――バングラデシュ、ドッキンチャムリア村におけるアクション・リサーチの記録」海田能宏編『バングラデシュ農村開発研究――農村発展のための共同研究』(『東南アジア研究』三三巻一号合本別冊）京都大学東南アジア研究センター、一九九五年六月。

安藤和雄 a「農村開発における在村リーダーシップとインフラ整備事業の可能性――バングラデシュ・ドッキンチャムリア村の事例」佐藤宏編『開発援助とバングラデシュ』アジア経済研究所、一九九八年。

安藤和雄 b「NGOの発展を支える在地性（バングラデシュ）」斎藤千宏編著『NGOが変える南アジア』コモンズ、一九九八年。

五百旗頭真「冷戦後の日本外交とリーダーシップ」『国際問題』No. 468, 一九九九年三月。

伊勢崎賢治「アフリカで考えたアンペイドワーク――NGOの現場から」川村賢子・中村陽一編『アンペイドワークとは何か』藤原書店、二〇〇〇年。

内田晴夫「バングラデシュの自然と援助――洪水をめぐって」佐藤編（前掲書）。

馬橋憲男・斎藤千宏『ハンドブックNGO――市民の地球的規模の問題への取り組み』明石書店、一九九八年。

岡本真理子他編『マイクロファイナンス読本――途上国の貧困緩和と小規模金融』FASID、一九九九年。

海田能宏、サレハ・ベグーム「農村開発実験」海田編（前掲書）。

外務省経済協力局『我が国の政府開発援助二〇〇〇　上巻』国際協力推進協会、二〇〇一年。

川村晃一「NGO・市民社会・国家」岩崎育夫編『アジアと市民社会』アジア経済研究所、一九九八年。

斎藤千宏『NGO国際ボランティアレポート――バングラデシュでの実践』明石書店、一九九七年。

斎藤千宏「ムンバイ路上生活者の居住運動」『住宅会議』第四四号、一九九八年一〇月。

佐藤寛「援助の実験場としてのバングラデシュ」佐藤編（前掲書）。

田中明彦『ワード・ポリティクス』筑摩書房、二〇〇〇年。

中西寛「二〇世紀の日本外交」『国際問題』No. 489, 二〇〇〇年一二月。

中田豊一『援助原論――開発ボランティアが現場で考えた』学陽書房、一九九四年。

長田満江「バングラデシュ経済と開発援助」佐藤編（前掲書）。

長畑誠「シャプラニール『ショミティ方式』の過去・現在・未来」『意見あり――市民がつくる海外協力誌』Vol. 1、シャプラニール＝市民による海外協力の会、一九九九年一一月。

中本義彦「国際倫理を語るべき時代」『外交フォーラム』都市出版、二〇〇〇年一月。

西川麦子「バングラデシュの村落レベルの開発と女性――タンガイル県M村の事例から」押川文子編『南アジアの社会変容と女性』アジア経済研究所、一九九七年。

日本国際交流センター（ＪＣＩＥ）・東南アジア研究所（ＩＳＥＡＳ）『アジアの危機――ヒューマン・セキュリティーへの脅威と対応「アジアの明日を作る知的対話」東京会議一九九八』ＪＣＩＥ・ＩＳＥＡＳ、一九九九年。

延末謙一ａ「ＮＧＯがひらく地球市民社会――バングラデシュ」『アジ研ワールド・トレンド』No. 53, 二〇〇〇年一一月。

延末謙一ｂ「バングラデシュ――広大なるサードセクターと巨大ＮＧＯ」重冨真一編『国家とＮＧＯ――アジア一五カ国の比較資料』日本貿易振興会アジア経済研究所、二〇〇〇年。

延末謙一ｃ「バングラデシュ：女性専用選挙区制度の意義」近藤則夫編『開発と南アジア社会の変容』日本貿易振興会アジア経済研究所、二〇〇〇年。

延末謙一「バングラデシュ」田中浩編『現代世界と福祉国家：国際比較研究』御茶ノ水書房、一九九七年。

平井照水「アフリカの事例から予防外交への教訓」総合研究開発機構（ＮＩＲＡ）・横田洋三共編『アフリカの国内紛争と予防外交』国際書院、二〇〇一年。

藤田幸一「グラミン銀行をめぐる一考察――農村インフォーマル金融との関連を中心に」岡本他編（前掲書）、一九九九年。

藤田幸一「農村開発におけるマイクロ・クレジットと小規模インフラ整備」佐藤編（前掲書）一九九八年。

藤田幸一「村落公共機能の強化をめざして――バングラデシュ農村開発の新戦略」海田編（前掲書）、一九九五年。

ミシェル・チョスドフスキー著、郭洋春訳『貧困の世界化――ＩＭＦと世界銀行による構造調整の衝撃』つげ書房新社、一九九九年。

ムハマド・ユヌス＆アラン・ジョリ著、猪熊弘子訳『ムハマド・ユヌス自伝――貧困なき世界をめざす銀行家』早川書房、一九九八年。

村山真弓「バングラデシュ／企業と労働者――縫製産業で生きる二人の女性」『アジ研ワールド・トレンド』No. 52, 一九九九年一二月。

村山真弓「バングラデシュにおける援助の社会・政治的意味」佐藤編（前掲書）、一九九八年。

村山真弓「女性の就労と社会関係――バングラデシュ縫製労働者の実態調査から」押川編（前掲書）、一九九七年。

鷲尾一夫『ＯＤＡ援助の現実』岩波新書、一九八九年。

渡辺龍也『「南」からの国際協力――バングラデシュ　グラミン銀行の挑戦』岩波書店、一九九七年。

むすびにかえて

勝俣　誠

「持続可能な開発」、「良き統治（good governance）」、「オーナーシップ」、「グローバル・ガバナンス」、「平和構築」などと、次から次へと国際援助の行政の世界で打ち出されていく新しい言葉。いずれも冷戦後の南北関係の変化の新たな一側面を言いあてている。本書の「人間の安全保障」という言葉も、時代の変化に対応しようとする国家というアクター側からの国際協力の方向づけという意味合いと、同時に経済のグローバル化が進んでいくなかで、普通の人々が安心して暮らせなくなっているという南の諸社会現状の一側面を表現している。この観点から、本書は繰り返す如く、この言葉そのものを吟味するのが目的でなく、この言葉でくくられる現実を市民社会の活動を通して、南の地域の人々がより安心して暮らせる状況をどのようにつくっていくかを考え、提言していくかが中心課題となっている。

グローバル化も、もはや単に受け入れるか否かではなく、私たちの生活の一部となっているかのようである。この新しい、しかし、不透明な現実から出発し、市民社会からどんな展望を築いていくかが、いつの時代にも増して問われている。南の経済・社会に詳しい経済学者のアマルティア・セン氏はグローバル化に逃げ場はないという認識から、グローバル市場の生む様々な結果を公共政策によって対処すると同時に、生み出される国内と国際間の格差を、グローバルな仕組みの取り決めによって

ビマサンガで活動する子どもたち．（1998年撮影：国際子ども権利センター）

是正することの必要を説いている[1]。

グローバル化の流れはそのすべての様相において不可避なのだろうか。こうしたなかで、市民社会の新たなあり方と役割を考えていくことがますます重要となっている。社会とは、単に個人の集合体で、地球社会は主権国家の集合体という単純な図式を乗り越えるために、多くの論考がなされてきている[2]。

確かにグローバル化する市場は購買力を持つ人々にとってはますますより多くの選択の幅を広げることができる。しかし、余りに個人のリスクと自己責任を強調することは、個人の力ではどう対処しようもない、より大きな社会や国際的問題を見えなくしてしまう危惧がつきまとう。今後どうしたら地球社会を人々が安心して暮らせる社会に方向づけるかという知的作業は、市民社会がどうより一層各国政府や国際機関の政策へ関与できるのか、そして共有する価値観からグローバル・ネットワーク化を実現できるか、さらにはグローバル化する紛争をどう非軍事化するか、という問いを避けることはできない。換言すれば、これは、グローバル化する経済の論理に対し、地域の人々が日々ぶつかる様々な懸念・不安（人権侵害、暴力、環境破壊、ジェンダー差別など）に共感し、このグローバル化の方向や対象や規模を調整していくという社会の論理を国際協調によってどう復権させていくかという二一世紀の課題であるといっても過言ではないだろう。

【註】

（1）*International Herald Tribune*, July 14-15, 2001.

（2）最近の論考では、たとえば、立命館大学国際地域研究所・中部大学国際地域研究所、シンポジウム「グローバリゼーションとガバナンスの危機」報告集、二〇〇一年三月。高橋一生・武者公路公秀編著『紛争の再発予防―紛争と開発』国際開発高等教育機構、二〇〇一年三月などが示唆に富んだ考察を紹介している。

【「人間の安全保障」についての参考資料】

国連開発計画（UNDP）『人間開発報告書　一九九四』国際協力出版会、一九九四年。

武者小路公秀「『ヒューマン・セキュリティと市民社会』シンポジウム報告」『PRIME』第七号、明治学院国際平和研究所、一九九七年。

武者小路公秀「『アジア・太平洋地域におけるヒューマン・セキュリティの条件』シンポジウム報告」『PRIME』第九号、同右、一九九八年。

栗栖薫子「人間の安全保障」『国際政治』第一一七号、日本国際政治学会、一九九八年三月。

『軍縮問題資料：特集 国連と人間の安全保障』No.210、宇都宮軍縮研究室、一九九八年四月。

『アジア危機――ヒューマン・セキュリティへの脅威と対応』日本国際交流センター・東南アジア研究所、一九九九年。

『ＰＲＩＭＥ：特集 グローバル化時代のアフリカと人間の安全保障』第十号、同前、一九九九年。

「特集 ヒューマン・セキュリティの時代」『外交フォーラム』一九九九年一月。

『Human Security: 特集 アジアにおける地域協力の展開』No.4, 東海大学平和戦略国際研究所、一九九九／一〇〇〇年。

多谷多賀子『ＯＤＡと人間の安全保障——環境と開発』有斐閣、二〇〇〇年。

上田秀明「今、なぜ『人間の安全保障』なのか」『外交フォーラム』二〇〇〇年二月。

『日本国際問題研究所創立四〇周年記念シンポジウム：人間の安全保障を求めて』（財）日本国際問題研究所、二〇〇〇年一二月。

栗栖薫子「人間の安全保障——主権国家システムの変容とガバナンス」赤根谷達雄・落合浩太郎編『「新しい安全保障」論の視座』亜紀書房、二〇〇一年。

「人間の安全保障（ヒューマン・セキュリティ）と市民社会の新たな役割」『ＮＩＲＡ政策研究：二一世紀の日本のあり方——ＮＩＲＡ総合研究プロジェクト国際シンポジウムより』Vol.14 No.5, 総合研究開発機構、二〇〇一年。

Commission on Human Security, *Human Security Now*, New York, 2003 (http://www.humansecurity-chs.org/finalreport/index.html, Date Accessed: July 1, 2003).

北沢洋子『利潤か人間か——グローバル化の実態と新しい社会運動』コモンズ、二〇〇三年。

参考資料

人間の安全保障委員会　最終報告書要旨

二〇〇三年五月一日　　人間の安全保障委員会事務局

いまこそ「人間の安全保障」

人、モノ、金、サービス、映像などが世界を駆け巡る今日、人々の安全は相互に結びついている。政治的な解放と民主化は、新たな可能性を切り開く一方で政治経済的な不安定や内戦などの歪みを生み出した。年間八〇万人以上の人々が暴力によって生命を失い二八億人が貧困、疾病、識字能力の欠如などの困難な状況に直面している。また、紛争と欠乏は相互に関連している。緻密な研究を要するものの、欠乏は暴力に結びつく多くの要因を内包するといえる。逆に戦争が人々の生命を奪い、信頼を破壊し、貧困と犯罪を増加させ、経済を停滞させることは明らかである。こうした危険要因に効果的に対処するには包括的な手段が必要となる。

本報告書が「人間の安全保障」を希求するのは今日の世界のさまざまな課題に対応するためである。現下の多様な危険要因に対応するためには、政策と制度をさらに強化し包括的なものとする必要がある。国家は安全保障に引き続き一義的な責任を有するが、安全保障の課題が一層複雑化し多様な関係主体が新たな役割を担おうとするなかで、われわれはそのパラダイムを再考する必要があろう。安全保障の焦点は国家から人々の安全保障へ、すなわち「人間の安全保障」へ拡大されなくてはならない。「人間の安全保障」とは人間の中枢にある自由を守ることである。「人間の安全保障」は人間自身に内在する強さと希望に拠って立ち、死活的かつ広範な脅威から人々を守ることを意味する。また、「人間の安全保障」は生存、生活及び尊厳を確保するための基本的な条件を人々が得られるようなシステムを構築することでもある。さらに、「人間の安全保障」は「欠乏からの自由」、「恐怖からの自由」、あるいは自身のために行動する自由といったさまざまな自由を結びつける。「保護」と「能力強化」はこうした目的を達するための総合戦略である。人々を危険から保護するためには、一貫した規範・プロセス・制度を国際社会が協調して構築する必要がある。また、能力を強化することにより、人々は自らの可能性を開花させ意思決定に参画できるようになる。保護と能力強化は相互補完関係にあり、多くの状況で双方とも必要となる。

「人間の安全保障」は「国家の安全保障」を補完し、人間開発を伸長させるとともに人権を推進する。「人間の安全保障」は、人間中心の考え方である点、また従前の安全保障概念上は脅威と見なされなかった危険要因に対応する点で、「国家の安全保障」を補い得る。また、「下降局面リスク」に光を当てることで、人間開発の焦点を「衡平を伴う成長」の先へと広げる。さらに人権の尊重は、「人間の安全保障」の核心を形成する。

民主的な原則を推進し、人々が統治に参画するとともに自らの意見を政策に反映させることは、「人間の安全保障」と開発のはじめの一歩である。このためには、強靭な制度づくり、法の支配の確立、そして人々の能力を強化することが必要不可欠である。

人々の安全を確保する方途

「人間の安全保障」は、紛争や欠乏への取組みを強化し統合する試みである。国連のミレニアム宣言とミレニアム開発目標（ＭＤＧｓ）はそのような取組みの例として挙げられよう。人間の安全保障を実現するには、人々が直面する死活的かつ広範な脅威に幅広く取組むことを通じ、国際社会の取組みの基盤であるミレニアム開発目標を越えていくことが必要である。

暴力を伴う紛争下における人々の保護：紛争下の犠牲者の多くは文民である。文民を保護するためには、法規範と制度の両面を強化するとともに、政治的、軍事的、人道的側面と開発の全てを包括的に捉えた戦略を策定する必要がある。委員会は、あらゆるレベルの安全保障機関が「人間の安全保障」を正規の安全保障問題として位置づけることを提案する。例えば市民権と人道法の扱いに関し既存の人権保障制度には致命的な欠陥があるが、そうした欠陥を是正し人権侵害の加害者が刑罰を免れることのないよう措置することが必要である。こうした取組みを支えるのは、コミュニティを基盤とし人々の間の共存と信頼の醸成をねらいとする戦略である。また、人道支援を通じ人々が生きていく上で必要な物資を供給することも喫緊の課題であり、なかんずく女性や子ども、高齢者もしくはその他の弱い立場にある人々の保護は優先事項である。同様に優先されるべき課題として、武器の拡散防止、天然資源や人間の違法取引の防止等を通じ、武装解除を進めるとともに犯罪を防遏することが挙げられる。

移動する人々の保護と能力強化：移動すること、移住することは多くの人々に暮らしをよくする機会を提供する。一方、紛争や重大な人権侵害から逃れようとする人々にとっては移動することが唯一身を守る手段である。慢性的貧困や政治経済状況の急速な悪化により故郷を追われる人々もあろう。しかし今日難民を除いては、移動する人々を保護し人の移動を規制する国際的な枠組みが合意されるには至っていない。こうした国際的枠組構築の可能性が追求されるべきであり、そのためにはハイレベルかつ広範な議論と対話の基盤を構築する必要がある。そうした議論と対話の中では、安全保障と開発に対する国家からの要請と、移動する人々の安全保障という要請をきめ細かくバランスさせる必要がある。また、難民と国内避難民を確実に保護し、現状から救済する手段を講じることも重要である。

紛争後の状況下における人々の保護と能力強化：停戦と和平交渉により紛争が終結しても、そのことが即ち平和と人間の安全保障をもたらすわけではない。「紛争下にある人々を保護する責任」は、「再建する責任」と併せて考えるべきである。紛争によって荒廃した国家の再建には、人々の保護と能力強化を主眼とする新たな枠組みと資金戦略が必要となる。この点「人間の安全保障フレームワーク」が重要視するのは人々に影響を与える多くの問題の相互連関であり、なかでも、文民警察の強化と戦闘員の動員解除推進により治安を改善すること、避難民のニーズに迅速に対応すること、復興と開発を並行して進めること、和解と共存を促進すること、そして効果的なガバナンスを推進することが中心的な位置を占める。また、このような取組みを成功に導くためには、人々になるべく近いところで、全ての関係主体が単一のリーダーシップの下に行動する必要がある。さらにこうした枠組みが紛争後の状況下で機能するためには、現場の視点を重視し、関連の活動の計画策定、予算編成及び実施が首尾一貫して行われることが必要不可欠であり、こうした要請に応える新たな資金戦略が必要となる。

経済の安全保障――さまざまな選択肢の中から選ぶ力：極貧は依然として広範囲に蔓延している。貧困を撲滅するためには、市場が適切に機能することに加え、市場外の制度や機関が発達することが重要である。国際貿易体制が効率的かつ衡平であること、経済成長の恩恵が極貧下の人々に届くこと、利益が公平に分配されることが必要不可欠である。「人間の安全保障」は、慢性的貧困ばかりではなく急速な経済状況の悪化や自然災害、そしてそうした危機の社会的影響にも焦点を当てる。危機が発生した際に人々を守るためには、あるいは人々が貧困から脱却できるようにするためには、困難な状況下の人々の基本的なニーズと経済的社会的な最低限度を満たし得るような社会制度を整備する必要がある。世界人口の四分の三はなんらの社会保障の対象ではないか、ないしは安定した職業に就くことができないでいるという事実に鑑みれば、すべての人々がその暮らしを維持し、労働に基づく経済的安全を得られるよう更なる努力が必要である。土地の所有に関する権利、融資、教育、住宅へのアクセスは、特に貧しい女性にとっては死活的である。また、資源の衡平な分配は暮らしを支えていくための鍵であり、人々自身の能力と創意工夫を鼓舞する役割をも果たす。国家は、国際社会の支援をも活用し、セーフティネットは、社会的経済的な最低限度基準の充足を促進する。国家は、国際社会の支援をも活用し、自然災害と経済及び金融危機に対処するための早期警戒措置と予防措置を講ずる必要がある。

人間の安全保障のための保健衛生：保健サービスの進歩とは裏腹に、二〇〇一年だけで二二〇〇万もの人々が予防可能な疾病により命を失った。また、HIVエイズは保健衛生史上最も破滅的な疾病となりつつある。世界的な感染症、貧困に起因する健康への脅威、及び暴力に起因する健康の剥奪は、緊急性と深刻度及び社会への影響に鑑み特に重要であり、保健衛生に従事する者は保健サービスを公共財として促進すべきである。疾病の根本的原因を取り除き、早期警戒システムを提供するとともにひとたび危機が発生した時にその影響を緩和するためには、人々の情報へのアクセス確保を含めた社会制度整備に投資を行うとともに、保健に関する社会的行動を支援する必要がある。なかんずく、救命効果のある薬剤へのアクセスは途上国の人々には死活的である。この点、知的所有権に関する衡平な国際体制を確立し、研究開発に対するインセンティブを確保することと、救命効果のある薬剤が入手可能になることとのバランスを図る必要がある。国際社会はまた、例えば感染症に対する世界的な監視体制もしくは管理システムの構築を促進するため、世界的なネットワークとパートナーシップを形成する必要がある。

人間の安全保障のための知識、技術、及び価値観：「人間の安全保障」の実現にあたり、知識、生活技能及び多様性の尊重が、基礎教育と公共情報によりもたらされるという側面はとりわけ重要である。委員会は、特に女児教育の重要性に力点を置き、初等教育の完全普及を実現するため国際社会が積極的に支援を行うことを勧告する。学校は、性的暴力を含むあらゆる暴力から生徒を保護する場所であるべきであり、生徒を身体的な危険にさらすことは許されない。また、教育は偏向のない教育課程と教授法を通じ、多様性への尊重を育むとともに多様なアイデンティティを促進すべきである。公共メディアの存在は、生活技能や政治に関する情報を提供するのみならず人々に公共の場での発言権を与える意味で重要である。教育とメディアの役割は、雇用機会の拡大や各家計での健康増進に資する情報や技能を提供することにとどまらず、人々が積極的にその権利を行使し責任を果たせるよう支援することをも含むべきである。

上述の各論に基づき、委員会は以下の分野における政策的結論に達した。

1. 暴力を伴う紛争下にある人々を保護すること
2. 武器の拡散から人々を保護すること
3. 移動する人々の安全確保を進めること
4. 紛争後の状況下で人間の安全保障移行基金を設立すること
5. 極貧下の人々が恩恵を受けられる公正な貿易と市場を支援すること
6. 普遍的な生活最低限度基準を実現するための努力を行うこと
7. 基礎保健サービスの完全普及実現により高い優先度を与えること
8. 特許権に関する効率的かつ衡平な国際システムを構築すること
9. 基礎教育の完全普及により全ての人々の能力を強化すること
10. 個人が多様なアイデンティティを有し多様な集団に属する自由を尊重すると同時に、この地球に生きる人間としてのアイデンティティの必要性を明確にすること。

多様な取組みの相互連関

これら一つひとつの政策的結論を推し進めるにあたり、必要なのは力を合わせていくことである。公的部門、民間部門、市民社会の活動主体がネットワークを形成し、規範を明確なものとして発展させ、一体となって行動に参画するとともに進歩状況と実績を見守っていくことが求められる。こうしたプロセスの中では国境を越えた水平的な連携が力を有するようになり、従来型の縦割り権力構造を補完するようになる。そしてこうした水平的連携が、胎動する国際世論に「声」を与え始めるのである。この意味で「人間の安全保障」は、既存の多くのイニシアティブを相互に関連づける触媒としての機能を果たしうる。

一方、効果的かつ適切な資源の動員も必要である。追加的な資源確保のためのコミットメントと同時に、最も必要とする人々へ資源を振り向ける必要がある。この点、委員会は「国連人間の安全保障基金」への貢献の重要性を認識するとともに、その拠出基盤の拡大を勧奨する。委員会はまた「人間の安全保障諮問委員会」が設立され、この諮問委員会が人間の安全保障基金に方向性を与えるとともに人間の安全保障委員会の勧告をフォローアップすることを勧告する。

最後に委員会は、関心国、国際機関及び市民社会が、国連とブレトンウッズ機関を中心とした「コア・グループ」を形成することを提案する。この提案は、人間の安全保障にかかわる世界中の活動主体を連携させ、わずかな資源の投入により大きな効果を引き出そうとする重要な取組みの一環である。

出所：http://www.humansecurity-chs.org/finalreport/j-outline.html、二〇〇三年七月一日現在。
注：本報告書では、People's security を「人々の安全保障」と訳しているが、従来、「民衆の安全保障」として訳されてきた概念でもあることを付記する。

研究体制（2003年7月現在）

座　長	勝　俣　誠	明治学院大学国際学部教授・同大学国際平和研究所
委　員	熊岡　路矢	日本国際ボランティアセンター代表
	大芝　　亮	一橋大学大学院法学研究科教授
	甲斐田万智子	国際こども権利センター代表
	佐久間智子	元市民フォーラム2001事務局長
	大橋　正明	恵泉女学園大学人文学部国際社会文化学科教授
	上村　英明	市民外交センター代表
	加藤　普章	大東文化大学法学部政治学科教授
協力者	武者小路公秀	中部大学中部高等学術研究所教授
	近衛　忠煇	日本赤十字社副社長
	重光　哲明	国際保健医療観測センター代表・外科医
	久保　祐輔	拓殖大学非常勤講師
	林　　達雄	アフリカ日本協議会代表
	饗場　和彦	徳島大学総合科学部助教授（写真提供）
事務局	鈴木　宏一	総合研究開発機構理事
	斉藤　恒孝	同（前）理事
	清井美紀恵	同（前）国際研究交流部長（元大阪大学大学院教授）
	篠塚　　隆	同（前）国際研究交流部長
	平井　照水	同国際研究交流部主任研究員
	生駒　良雄	同（前）研究開発部主任研究員
	木場　隆夫	同研究開発部主任研究員

執筆分担

序　章　勝俣　誠（かつまた　まこと）
1946年生．明治学院大学国際学部教授・同大学国際平和研究所．『現代アフリカ入門』岩波新書，1991年．『アフリカは本当に貧しいのか』朝日新聞社，1993年，他．

第Ⅰ部

第１章　近衛　忠煇（このえ　ただてる）
1939年生．日本赤十字社副社長，学校法人日本赤十字学園理事長．国際赤十字赤新月常置委員会委員・副会長

第２章　熊岡　路矢（くまおか　みちや）
1947年生．日本国際ボランティアセンター代表，カンボジア市民フォーラム事務局長．『カンボジア最前線』岩波新書，1993年．『NGOの時代』（共著）めこん，2000年，他．

第３章　重光　哲明（しげみつ　てつあき）
1945年生．外科医，国際保健医療観測センター代表．『NPO/NGOと国際協力』（共著）ミネルヴァ書房，2003年．『アフリカ第三の変容』（共著）昭和堂，1999年，他．

第４章　大芝　亮（おおしば　りょう）
1954年生．一橋大学大学院法学研究科教授．『国際組織の政治経済学』有斐閣，1994年．『アメリカが語る民主主義――その普遍性，特異性，相互浸透性』（共編著），ミネルヴァ書房，2000年，他．

第Ⅱ部

第１章　久保　祐輔（くぼ　ゆうすけ）
1954年生．拓殖大学非常勤講師．*Between Livelihood Security and Capital Accumulation : Economic Diversification in an Upland Philippine Village,* Maastricht : Shaker, 2000.

第２章　甲斐田万智子（かいだ　まちこ）
1960年生．国際子ども権利センター代表，立教大学異文化コミュニケーション研究科助教授．『NGO大国インド』（共著）明石書店，1997年．『アジアの内発的発展』（共著）藤原書店，2001年，他．

第3章　林　　達雄（はやし　たつお）
1954年生．アフリカ日本協議会代表．『熱帯雨林と健康破壊』1990年．「エイズ治療を特許が阻む？」『世界』2000年10月，他．

第4章　佐久間　智子（さくま　ともこ）
1966年生．元市民フォーラム2001事務局長．『WTOが世界を変える』（共編著）市民フォーラム2001・現代企画室，1999年．「包囲されるグローバリズム――世界の市民はなぜWTOに抗議するのか」『世界』2000年2月，他．

第5章　勝俣　　誠（かつまた　まこと）　同前

第Ⅲ部

第1章　重光　哲明（しげみつ　てつあき）　同前

第2章　大橋　正明（おおはし　まさあき）
1953年生．恵泉女学園大学人文学部国際社会文化学科教授．シャプラニール＝市民による海外協力の会代表理事．『不可触民と教育――インド・ガンディー主義の農地改革とブイヤーンの人々』明石書店，2001年．『緊急レポート コソボ難民救援――NGOが国際赤十字で考えたこと』国際協力出版会，1999年．

第3章　上村　英明（うえむら　ひであき）
1956年生．市民外交センター代表・恵泉女学園大学人文学部国際社会文化学科助教授．『先住民族の「近代史」――植民地主義を超えるために』平凡社，2001年．『ウォッチ！ 規約人権委員会』（共編著）日本評論社，1999年，他．

第4章　加藤　普章（かとう　ひろあき）
1955年生．大東文化大学法学部政治学科教授．『多元国家カナダの実験』未来社，1990年．『マイノリティの国際政治学』（共編著），有信堂，2000年，他．

第5章　平井　照水（ひらい　てるみ）
1959年生．総合研究開発機構国際研究交流部主任研究員．『アフリカの国内紛争と予防外交』（共著）国際書院，2001年．『予防外交』（共著）国際書院，1996年，他．

総合研究開発機構（略称NIRA）は総合研究開発機構法に基づく政策指向型の研究機関であり，独自の視点から研究，基礎情報を提供しています．NIRAは，世界の平和と繁栄，人類の健康と幸福を求めて，現在の経済社会及び国民生活の諸問題の解明のため総合的な研究開発を行なっています．
http://www.nira.go.jp

<マ行>

<ヤ行>

<ラ・ワ行>

<ナ行>

<ハ行>

＜タ行＞

＜サ行＞

＜カ行＞

索　　引

NIRA チャレンジ・ブックス
グローバル化と人間の安全保障——行動する市民社会

2001 年 8 月 25 日　第 1 刷発行
2007 年 4 月 1 日　第 4 刷発行

定価（本体 2700 円＋税）

編著者　勝 俣　誠
発行者　栗 原　哲 也

発行所　株式会社日本経済評論社
〒101-0051　東京都千代田区神田神保町 3-2
電話 03-3230-1661　FAX 03-3265-2993
E-mail : nikkeihy@js7.so-net.ne.jp
URL : http://www.nikkeihyo.co.jp
装幀・鈴木弘
印刷・シナノ　製本・協栄製本

ISBN 978-4-8188-1364-9

「NIRAチャレンジ・ブックス」の刊行にあたって

二一世紀を迎えてヒト、モノ、カネ、情報のグローバル化が一層進展し、世界的規模で政治・経済構造の大変革が迫られています。冷戦構造崩壊後の新しい世界秩序が模索されるなかで、依然として世界各地で紛争の火種がくすぶり続けています。国家主権が欧州連合のような地域統合によって変容を余儀なくされる一方で、文明、民族、宗教などをめぐる問題が顕在化しています。二〇世紀の基本原理であった国民国家の理念と国家の統治構造自体が大きな試練を受けています。他方、わが国は、バブル崩壊後の長期経済停滞に加えて、教育、年金、社会保障、経済・財政構造などの分野で問題が解決できないままに新世紀を迎えました。わが国のかたちと進路に関する戦略的ビジョンが求められています。

人々の価値観が多様化するなかで諸課題を解決するには、専門家によって多様な政策選択肢が示され、良識ある市民の知的でオープンな議論を通じて政策形成が行われることが必要です。総合研究開発機構（NIRA）は、産業界、学界、労働界などの代表の発起により政府に認可された政策志向型のシンクタンクとして、現代社会が直面する諸問題の解明に資するため、自主的・中立的な視点から総合的な研究開発を実施し、さまざまな政策提言を行って参りました。引き続き諸課題に果敢にチャレンジし、政策研究を蓄積することが重要な使命と考えますが、同時に、より多くの人々にその内容と問題意識を共有していただき、建設的な議論を通じて市民が政策決定プロセスに参加する道を広げることがいま何よりも必要であると痛感しております。「NIRAチャレンジ・ブックス」はそうした目的で刊行するものです。この刊行を通して、世界とわが国が直面する諸問題についての広範囲な議論が巻き起こり、政策決定プロセスに民意が反映されるよう切望してやみません。

二〇〇一年七月

総合研究開発機構理事長　塩谷　隆英